영어교사를 위한

영문학 작품 지도법

- 교실활동과 아이디어를 위한 외국어 교사 지침서

조안니 콜리, 스테펜 스레이트 공저

조 일 제 번역

한국문화사

Literature in the Language Classroom:

A resource book of ideas and activities

Joanne Collie and Stephen Slater

역자 머리말

역사적으로 보면, 우리나라의 영어교육에서 영문학 작품은 영어교육의 중심적인 자료로서 사용되었고 그것은 오늘에 이르기까지 계속 이어져 오고 있다. 그러나 그러한 영문학 작품의 지도는 언어교육에서 중요한 목표에 속하는 언어의 4가지 기능인 듣기, 말하기, 읽기, 쓰기 기술을 학습자들로 하여금 충분히 구비하도록 잘 훈련하고 교육하는 데는 실패하였다고 평가되고 있다. 그 이유는 무엇일까? 그 이유 중의 하나는 영문학 작품을 외국어 교육의 차원에서 지도한다는 뚜렷한 목표의식이 미약함으로써 학습자들에게 언어의 4가지 기능을 기술적인 측면에서 잘 훈련시킬 수 있게 하는 교수학습 활동을 병행하지 않은데 있을 것이다. 기능이나 기술은 사용(use)과 훈련(training)을 통해서만 획득될 수 있는 성질을 갖고 있기 때문이다.

우리나라의 교실수업에서 이루어진 전통적인 영문학 작품 지도법을 되돌아 보면, 대부분 교사와 교수가 중심이 되어 텍스트를 읽고, 그런 다음에 우리말로 번역하고 해석/설명/해설하는 과정으로 이루어져왔던 것이 일반적인 실정이었다. 이것이 사실이라면 이러한 교수학습 과정 속에는 언어의 4가지 기능의 훈련이 내포되어 있지 않은 것이다. 그러한 영문학 작품 지도방법에 의해서는 요즘과 같이 국제화, 세계화되어진 시대상황에서 절실하게 요청되는 의사소통 능력을 획득하거나 빈번한 국제 문화교류에서 내실있는 성과를 이루어내게 하기란 애초부터 불가능하다.

이제 한국의 교육받은 영어 학습자들은 국제사회에서 문화, 학술, 무역, 산업 등의 여러 분야를 통해 나의 의견과 아이디어를 충분하게 전달할 수 있어야 하고, 외국인의 그러한 것들을 제대로 이해할 수 있어야 한다. 중등학교와 대학의 영어 교육자들은 영문학 작품을 지도하는데 있어서도 이러한 국제 문화 소통과 교류를 만족스러운 수준으로 배양할 수 있도록, 영문학 작품 지도 방법을 개발하고 그것을 교실과 강의실에서 실행해야 할 필요가 있다.

본인은 사범대학 영어교육과에서 학부와 교육대학원 석사 과정에 개설된 '영문학과 영어교육' 강좌를 맡아서 무엇을 어떻게 가르쳐야 하는지에 대해 상당한 고민을 한 바 있다. 그러한 고민은 지금까지 우리나라에서는 ESL이나 EFL 교육과정을 위해 문학교육과 언어교육을 효과적으로 통합한 교수학습 방법을 개발했거나 외국학자의 그러한 저술을 소개하는 잘된 번역서도 없었기 때문이다. 따라서 본인은 이 분야를 위해 개척자의 입장에 서서 자료를 모으고, 머리를 써서 아이디어를 짜내는 작업을 계속해야 했다. 그러한 상황에서 본인은 Joanne Collie와 Stephen Slater가 공동으로 집필하여 출간한 *Literature in the Language Classroom: A resource book of ideas and activities*를 입수하였고, 교재로 결정해서 가르쳤는데, 이 책은 나에게 하나의 새로운 발견이었으며 커다란 만족을 주었다. 본인은 가르치면서 이 책이 우리나라의 중등학교나 대학의 교실에서 영문학 작품을 가르칠 때, 그 가르치는 교사와 교수를 위해 훌륭한 지침서가 될 수 있다는 확신이 서게 되었다. 그리하여 이 책의 번역을 마음먹게 되었고, 2년이 넘는 기간의 작업을 통해 뜻한 바를 이루어낼 수 있게 되었으며, 그런 만큼 본인의 기쁨과 보람도 크다.

이 책은 그 부제, 'A resource book of ideas and activities'가 말해주듯이 가르치는 교사나 배우는 학습자들 모두에게 능동적이고 적극적인 여러 가지 활동들을 실천할 것을 요청하고 있다. 다시 말해 이 책은 활동중심의 교수법(activities-centered teaching method)에 관한 이론 및 실습서이다. 이 책에서 저자들은 노력과 시간의 '개인적인 투자'를 강조한다. 이러한 활동과 투자를 통해 학습자들로 하여금 언어의 4가지 기능, 그 중에서도 특히 듣기와 말하기 기능을 획기적으로 증대할 수 있게 해줄 수 있고, 동시에 학생들이 문학작품 읽기를 스스로 즐기게 만들 수 있다는 것이다. 저자들은 이러한 교수방법을 개발하여, 그것을 직접 학교 현장에서 다년간 적용하고 그 실습의 효과를 검증하였는데, 이 점에서 이 책의 의의는 실로 크다. 그런 탓인지 이 책은

1987년도에 초판이 발행된 이래 1996년에는 9쇄의 인쇄를 찍어내었을 만큼 세계적으로 그 인기가 컸던 것 같다.

근래에 와서 우리나라의 대학에서도 영문학과의 전공 교수들에 의해 영문학 작품을 어떻게 지도, 교육해야 할 것인가에 대한 관심과 연구 열기가 고조되어 가고 있다. 1992년도에 창립된 '한국 영미문학 교육 학회'에서는 매년 연구발표회를 개최하고 있고, 1996년 12월에는 <영미문학 교육> 논집을 출간하기도 하였다. 이 학회의 연구발표와 논문 중의 일부에서 대학의 영문학 강의를 이제는 교수중심의 문학 강설에서 벗어나 언어의 실제적인 사용측면에 관심을 두고 의사소통 기능의 증진을 함께 도모해야 한다는 필요성을 제기하면서 그것을 실천하는 교수법의 일례를 제안하고 있다. 이러한 영문학 작품 지도법의 모색은 앞으로도 계속되어야 할 것이다. 이러한 영문학 작품 지도법은 우리나라의 학생들에게 의사소통 능력(communicative competence)과 문학능력(literary competence)을 동시에 배양하게 해주는데 커다란 공헌을 할 것으로 기대된다. 본인이 번역한 Joanne Collie와 Stephen Slater의 *Literature in the Language Classroom: A resource book of ideas and activities*는 바로 이러한 능력의 배양에 목표를 둔 책이다.

아래에 이 책의 내용을 간략하게 살펴본다:

제 1부, "외국어 교육의 목적과 목표"에서는 영어(ESL) 교실에서 영문학을 포함시켜야 하는 이유, 과거의 전통적인 교실 수업에서 사용했던 영문학 작품 지도방법의 문제점과 이것을 보충할 수 있는 새로운 지도방법들, 그리고 교사들이 가지게 될 일반적인 질문들에 대한 몇 가지 해답 등을 제시한다.

제 2부, "실습활동의 개관"에서는 교사가 영문학 작품을 교실에서 사용할 때 여러 가지로 다른 단계에서 선택할 수 있고 적용할 수 있는 다양한 교수학습 활동들의 일반적인 형태가 장편소설, 단편소설, 희곡, 시의 4가지 장르에 속하는 여러 작품들을 예로 들어 기술된다. 이러한 작품들에 대해서는 부록 2에서 간략한 작품 개요를 제공하고 있다.

제 3부, "작품 한 권으로 해 보는 실습"에서는 제 2부에서 개관한

교수학습 활동들이 실제로 교실 수업에서 어떻게 적용될 수 있는지에 대해, 특정 작품을 선택하여 작품 전체의 수업진행 틀에 따라 그 시범을 보여준다. 장편소설, 단편소설, 희곡, 시의 4가지 장르별로 구분하여 제시한다. 그러나 본 번역서에서는 장편소설 부분에 대해서는 거기에 있는 일부 예시들을 제 2부쪽으로 옮겨 넣었고 나머지 부분은 생략하였다. 그것은 단편소설로서도 충분하게 대표할 수 있기 때문이다.

부록편에서는 '부록 1'의 '에세이식 모의시험 출제 및 채점위원회 구성과 운영 방법'에서는, 학생들이 시험에 잘 대비할 수 있도록 도우기 위해 몇 가지 힌트와 모의시험 출제 형태를 제공한다. 그리고 '부록 2'의 '작품은행'에서는 이 책의 본문에 언급된 작품들에 대해 보다 더 자세한 사항들을 제공한다.

마지막으로 본인은 이 책이 나오게 되기까지 영문학과 영어교육 분야에 많은 관심을 가지고 출판을 흔쾌히 허락해 주신 한국문화사의 김진수 사장님께 진심으로 감사를 드리며, 교정 원고를 입력하고 수정하는데 많은 수고를 하신 출판사 편집부 직원들께도 고마운 마음을 전하며, 아울러 바쁜 가운데서도 교정을 도와준 영어과의 여러 제자들에게도 고마운 뜻을 전하고 싶다.

1997. 3.

금정산 기슭에서 역자 조일제 씀

차 례

과제지 및 표에 대한 페이지 참조

과제지

표

서 언

교실 밖의 복도에서 중급과정에 있는 학생이 머리를 책에 파묻은 채 벽에 기대어 서 있는 것을 영어 교사가 발견한다.

'알프레드야, 뭘 읽고 있니? 오, 「동물농장」이구나! 그것에 대해 어떻게 생각하니?'

'좋은데요. 저에게 좀 어렵지만 재미있습니다. 그런데 선생님도 아시겠지만 저에게는 교과서보다 더 재미있는 뭔가의 읽을 거리가 필요합니다. 저는 저의 나라에서 이 책에 관해 들은 바 있습니다. 제가 밑줄친 부분들을 도와주실 시간이 있으신지요?'

이제는 다른 복도, 다른 시간이다. 막 교실을 나가고 있는 영어 교사를 학생 한 명이 멈춰 세운다.

'저가 영어를 향상시키기 위해 읽으면 좋을 소설을 추천해 주실 수 있겠습니까? 저에게는 많은 어휘가 필요한데 소설 읽기는 그것에 크게 도움이 될 것 같습니다.'

'글쎄 마르틴느야, 너는 어떤 종류의 책을 좋아하니?'

한편 교실 안의 또다른 시간이다. 영어 교사가 학생들의 의견을 묻고 있다.

'몇몇 학생들이 함께 소설을 읽자고 제안해 왔어요. 만약 여러분 대다수가 그렇게 원한다면 매주 여러 시간 중에서 한 시간을 그렇게 보낸다면 좋겠어요. 어떻게 생각해요?'

이구동성으로, '예, 그것 재미있겠군요. 「파리대왕」이 어떨까요? 저는 항상 영어로 그것을 읽어보기를 원했습니다.'

'아닙니다. 소설은 너무 어렵습니다. 저는 항상 너무 많은 단어를 사전에서 찾아야만 했어요.'

'그러나 그렇더라도 여러분들은 적어도 정말로 무엇인가를 한 것 같다고 느낄 수 있을 것입니다.'

'소설은 너무 깁니다. 생각해 보십시요. 똑같은 책을 매주마다 한 학기에 걸쳐 내내 읽는다는 것은 지루합니다. 단편소설을 읽는 것이 어떨까요?'

'저는 소설을 좋아하지 않습니다. 저는 영어에서 말하기를 중점적으로 배우고 싶습니다. 영어를 읽기 중심이 아니고 말입니다.'

이 책을 쓰게 된 발단은 영어를 공부하는 타국어 사용 화자들과 다년간에 걸쳐 주고 받은 이와 같은 많은 대화였다. 그 대화에 대해 생각해 보면, 일반적으로 우리가 공부하는 교실은 언어의 연구와 문학 사이의 관계에 대해 많은 질문을 주고 받으면서 공부하는 영어교육의 세계를 축소한 소우주적인 어떤 장소라는 결론에 도달하게 된다.

우리는 외국어 교실에서 문학을 대학 이하의 수준으로 가르쳐야 하는가, 아닌가? 이것은 확실히 오늘날 논쟁의 최전선에 있는 물음이다. 그러나 이것은 아직도 논쟁거리로 남아 있고, 많은 교사의 태도는 애매하다. 얼마 전에 '외국어로서의 영어'로 된 문학교육에 대한 결정적인 반격이 있었던 것 같다. 현대 언어학에서 구어의 일차적 중요성에 대한 강조 때문에 많은 사람들은 기본적으로 활자화된 형태로 나타나는 언어를 불신하게 되었다. 문학은 일상적인 의사소통의 발화에서 유리되어진 정적이고 복잡한 언어를 구체화시킨 것으로 생각되었다. 이 때문에 문학은 때때로 엘리트주의 글이라는 오명을 썼고, 가장 진보된 수준의 연구로서만 남겨졌다. 심지어 그 수준에서조차도 문학 연구에서의 메타언어(언어 자체의 분석 언어: 역자 주)인 비평용어들에 대한 필요성은 많은 교사들에게 문학이 외국어로는 만족스럽게 연구될 수 없다는 것을 확신시켰다. 원어로 쓰여진 섬세한 문학적 내용의 감상에 바친 시간의 양에 대해 불만이 있어 왔다. 게다가 어떤 경우는 문학은 바람직하지 못한 문화적 내포들을 가지고 있는 것으로 여겨졌다.

지금까지 필요로 했던 영어는 문화적 제국주의의 함축과 같은 요소를 배제한 — 대부분의 문학이 그렇지 않았지만 — 사업, 무역, 여행, 광고 등과 같은 특별한 용도에 대한 수요와 관계있는 보다 더 중립적이고 보다 더 기능적인 종류의 영어이었다. 그러나 문학을 교수요목에서 배제시킨 것은 역시 상당한 불안을 낳았다. 종종 많은 학생들이 문학을 원하고 사랑한다는 이상한 사실을 발견한다. 유사하게 그들은 목표언어를 사용하는 나라에서의 사회적 상호작용의 패턴들과 더욱 친숙하게 되기를 희망할 때가 많다. 창조된 허구의 세계는 문맥화된 상황에서 이러한 것들을 묘사한다. 그것은 점진적으로 그러한 상호작용을 형성하는 규칙들이나 가정들을 드러낸다. 더욱이 지성에 관해서 만큼이나 감성에 관해 호소하는 문학은, 소재에 대해 학습자 자신의 삶에 더욱 충실한 접촉을 가능하게 만드는 어떤 감정의 색깔을 제공함으로써 교사의 관점에 의해 교실에서 이용하는 많은 텍스트들의 단편적인 효과를 균형잡히게 할 수 있다. 우리들 두 저자는 문학을 언어교육 프로그램의 중요한 부분으로 만들고, 네 가지 기초영역, 즉 듣기, 말하기, 읽기, 쓰기에서 학습자가 더 심도있는 완성을 이룩하도록 하는 방법을 고안하려고 노력해 왔다. 우리는 이러한 접근방법이 중등학교 상급 학년을 포함한 중급 수준에서부터 시작하여 성인이나 청소년에게 이르는 고급 수준의 학습자들에게 가장 적당하다고 믿는다. 그들 뒤에 있는 많은 교수학습 활동들과 아이디어들은 언어 유창성에서 차이가 나는 여러 단계에 걸쳐서 성공적으로 적용될 수 있다. 우리는 진심으로 교사들이 보다 더 수준 낮은 단계에서 그것을 시도해 보도록 희망한다. 우리의 견해로는 학생들이 생소한 언어로 된 문학을 즐기는 것이 빠르면 빠를수록 더욱 더 좋다고 생각하기 때문이다.

제 **1** 부

외국어 교육의 목적과 목표

제 1 장 문학 교육 : 왜, 무엇을, 어떻게

우리의 목적은 신임 교사들과 경력 교사들 양자에게 매우 실용적인 도움, 즉 영어 교실에서 다루어져 왔던 아이디어들과 교수방법들을 제공하는 것이다. 우리 저자들이 어떻게 그것들을 사용하게 되었는지를 보여주기 위해서, 우선 언어학습에 대한 우리 자신의 태도에 기초가 되는 몇 가지 문제들과 그것과 문학연구와의 관계를 간략하게 고찰하고자 한다.

왜 문학은 언어의 학습과정에서 유용한가? 어떤 작품들이 외국어 교실에 적절한가? 학생들에게 더 많이 관련되는 폭넓은 범위에 걸친 교수 학습 활동들을 개발하기 위해 우리가 문학을 제시하고 이용하는 방법을 어떻게 재고해 볼 수 있을까?

(1) 왜

무엇보다 먼저 언어교사는 특별히 시험을 쳐야 할 의무사항과 이용할 잉여시간이 거의 없는 데도 불구하고, 왜 수업시간에 문학 작품들을 이용해야 하는가?

가치있는 믿을 만한 자료이기 때문이다

중요한 이유들 중의 하나는, 아마도 문학은 근본적인 인간의 문제에 대해서 상당한 뭔가를 말해주고, 하루살이처럼 단명하는 것이 아니라 지속적인 성격을 가진 성문자료를 통해 풍부하고 매우 다양한 의미와 자료를 제공해 준다는 것이다. 시간의 흐름에 따라 문학의 적절성도 변하지만, 결코 완전히 사라지지는 않는다. 이 책에서 작품의 결말 부분들이 17세기 후반의 취향에 맞도록 다시 쓰여졌고, 그 후에 낭만주의적인 영웅적 인물들의 탁월성이 최대한 나타나도록 공연되어진 셰익스피어의 희곡들은 오늘날에 와서는 정신분석적인 혹은 변증법적인 의미를 위해 탐구되어지고 있다. 문학 작품은 이와 같은 방식으로 비록 의미가 정지된 상태로 남아있지는 않지만, 시간과 문화를 초월하여 다른 나라나 역사상의 다른 시대를 독자에게 직접 이야기해줄 수 있다.

문학은 '믿을 만한' 자료다. 이 말은 단순히 대부분의 문학 작품이 언어를 가르친다는 특수 목적을 위해서 창작되어지지 않는다는 것을 의미한다. 최근의 교과목 자료들에는 아주 올바른 방식으로서 언어의 '믿을 만한' 많은 표본들을 편입하여 왔다. 예를 들면, 여행 시간표, 도시계획, 서식, 팜플렛, 만화, 광고, 신문 혹은 잡지의 기사 등을 들 수 있다. 학생들은 그렇게 해서 교실에서 사용될 수 있을 만큼 왜곡되지 않은 순수한 언어에 노출되어진다. 특히 문학은 맨 처음의 생존수준에 일단 통과되기만 하면 그러한 자료들에다 첨가될 수 있는 가치있는 보충물이 된다. 학생들은 문학 작품들을 읽을 때, 원어민들을 위해 쓰여진 언어와 대결해야만 하고, 그렇게 해서 여러 가지로 다른 언어학적인 용법과 형태, 그리고 글쓰기 양식의 규칙들 — 반어, 설명, 논쟁, 서술 등에 부가적으로 친숙하게 된다. 그리고 비록 문학이 버스표나 광고문처럼 특별한 사회적 조직망 안에 통제되어 있지 않을지라도 많은 문화적 정보를 포함할 수 있다.

문화적 풍성함

외국어를 배우는 많은 사람들이 그 외국어가 사용되는 나라의 삶을 심도있게 이해할 수 있는 이상적인 방법으로서 그 나라를 방문한다거나 한동안 머무른다는 것은 불가능하다. 어떤 학생들은 그 언어를 사용하는 지역에 빌도 들여 놓지 않은 것을 알면서 그 언어를 배우기 시작할 것이다. 그러한 학생들을 위해서는 그 나라의 삶의 방식을 이해하기 위해서 좀더 간접적인 방법이 채택되어야 한다. 예를 들면, 라디오 프로그램, 영화, 비디오, 신문 및 문학작품의 채택 등인데 — 문학작품은 최후의 것이지만 결코 소득이 적지 않다.

소설, 희곡, 단편소설의 '세계'는 창조된 세계이지만, 많은 사회적 배경을 가진 인물들이 작품 속에서 생생하고 충실하게 묘사되는 문맥을 제공한다. 독자들은 그 작품 속에서 등장인물들의 사상, 감정, 관습, 소유물 등을 발견할 수 있다. 즉 그들이 무슨 물건을 사고, 무엇을 믿고, 두려워하고, 즐기는지, 그리고 그들이 보이지 않는 방안에서 어떻게 말하고, 행동하는지? 현실감 있게 묘사된 상상적 세계는 외국 독자에게 실제의 사회를 구성하는 규범과 선입견에 대한 느낌을 빠르게 제공할 수 있다. 어느 역사적 시기의 문학 작품을 읽는 것은 다른 나라의 삶이 어떠했는지에 대해 독자가 상상하는 것을 도와주는 방법 중의 하나이다. 물론 자국의 지난날에 대해서 상상하는 것도 도와준다. 문학 작품은 그 외국어를 배우는 나라에 대한 식견을 넓혀 주는데 사용되는 다른 여러 가지 교육 자료의 보충수단으로 가장 좋은 것 같다.

언어적 풍성함

우리는 문학 작품을 읽는다는 것이 학생들에게 문어의 많은 기능들을 접하게 한다는 사실을 말했다. 그러면 다른 언어학적 이점은 어떤 것일까? 언어적 풍성함이 문학을 통해 추구할 수 있는 한 가지 이점이다. 광범위한 독서는 학습자가 수용하는 어휘의 양을 늘리고, 보다 더 적극적인 형태의 지식으로 넘어가는 것을 쉽게 해준다. 그런데도 때때로 문학은 배우는 학생들에게 그들이 실제로 필요로 하는 어휘의 종류를 제공하지 않는다 하여 반박받기도 한다. 이미 언급한 의미에서 본 바처럼, 문학은 믿을 만한 자료일지 모르지만, 전체적으로 볼 때 문학 작품의 언어는 일상적 언어의 전형이 아닐 뿐만 아니라 학생들이 학교에서 사용하는 여러 교과서의 언어와도 다르다. 엘리자베드 바레트 브라우닝이 그녀의 시에서 표현한 '내 어떻게 당신을 사랑하나요'(How do I love thee?)가 통상적으로 오늘날 연인들이 귀에다 소근대는 말의 종류라고 학생들이 생각하는 것을 원할 교사는 없을 것이다. 이처럼 어휘의 적절성에 근거하여 보면 문학에 대한 반박은 어느 정도 타당성이 있다. 만약 교사들이 다른 학습자료에 대한 균형물이나 보충물 정도로 생각하여 읽을 교재를 신중하게 선택한다면 문학은 중요도가 높은 학습자료가 될 필요가 없다.

긍정적인 측면에서 보면, 문학은 개개의 어휘나 통사적인 항목들을 더욱 더 잘 기억할 수 있게 도와주는 풍부한 문맥을 제공한다. 실체적이고, 문맥화된 작품의 본문을 읽음으로써 학생들은 문어의 많은 자질에 친숙해진다. 즉, 문장의 형성과 기능, 가능할 수 있는 구조의 다양성, 아이디어를 연결시키는 여러 가지 다른 방법들—이러한 것들은 학생들 자신의 글쓰는 기술을 넓히고 풍부하게 한다.

소설이나 긴 희곡을 독파하는데 요청되는 다독식 독서는 언어학적 단서들로부터 추론하는 능력과 문맥으로부터 추론하는 독해 능력을 발전시킨다. 이 두 가지의 능력은 다른 종류의 읽기자료를 읽는데도 역시 유용한 도구이다. 앞으로 이 책에서 많은 교수학습 활동을 통해 제시하는 것처럼, 하나의 문학 작품은 구두 활동을 위한 뛰어난 자극제 역할을 할 수 있다. 이와 같이 모든 방법을 통해 문학을 공부하는 학생은 언어 학습의 기본적인 기술들을 도움받게 된다. 더우기, 중급 및 고급 수준의 학생이 언어 자체의 범위를 아는 인식도를 늘리는 것을 도와준다. 앞에서 언급했듯이, 문학적 언어는 항상 일상적 회화 용어는 아니지만, 그 나름대로 특별하다. 그것은 고급화된 것이다. 때로는 섬세하고, 때로는 놀라울 정도로 간단하지만, 어쨌든 절대적으로 '올바른' 것이다. 문학적인 언어가 지니는 압축된 특성은 예기치 못하는 의미의 응집성을 산출한다. 수사학적인 언어는 우리가 이미 잘 알고 있는 여러 감각들에 새로운 빛을 던져 주고, 기분을 돋구어 주면서도 놀라게 하거나, 심지어 동요를 일으켜 줄 수 있는 방법으로 새로운 인식의 차원을 열어줌으로써 이전에 명확히 존재했던 경험의 여러 수준들을 결합시킨다.

이러한 문학적 언어의 특성들이 이해되기 위해서는 외국어로 된 교재를 힘겹게 읽어나가는 독자에게는 상당한 노력이 요구된다. 잘 선택한 작품을 가지고 노력을 투자하면 무한한 보답과 대단히 만족스러운 성취감을 결과물로서 얻을 수 있다. 생산적 수준에서, 우리 두 저자는 문학을 공부하는 학생들이 숙달하려고 애쓰는 그 언어가 지닌 풍부성과 다양성을 이해하고 그 잠재력의 상당 부분을 활용하기 시작할 때, 그들이 보다 더 창조적이고 모험적이 되기를 바란다.

인간적 참여

무엇보다도 문학은 독자의 인간적 참여를 촉진시켜 주기 때문에 언어의 학습과정에 도움이 될 수 있다. 핵심적인 언어교육 자료들은 언어가 규칙중심적 체계와 사회-의미적 체계로서 어떻게 작용하는지에 집중되어야 한다. 흔히 학습의 절차는 기본적으로 분석적, 단편적이 되고, 인간적 수준에서는 꽤 피상적이 된다. 학생들이 풍부한 상상력으로 문학에 참여한다면, 그들은 관심의 초점을 외국어 체계의 기계적인 측면들을 넘어서게 할 수 있다.

소설, 희곡, 또는 단편소설이 어떤 기간 동안에 걸쳐서 탐구될 때, 독자는 결과적으로 그 작품 안에 거주하기 시작한다. 독자는 남자건 여자건 자신이 보는 책에 끌려간다. 개개의 단어나 어구가 무엇을 의미할 수 있는지를 찾아내는 것은 이야기의 전개를 밝혀내는 것보다 그 중요성이 떨어진다. 독자는 사건이 전개되어감에 따라 무엇이 일어날지 알고자 한다. 남녀 독자는 모두 다 어떤 등장인물들에게 밀접하게 가까와 지는 것을 느끼고, 그들의 감정적 반응을 공유한다. 작품의 언어는 투명해진다. 허구의 세계가 읽는 사람의 전체적인 인성을 그 작품 자체의 세계로 불러 들이기 때문이다. 독자가 잘 동기화되어 있고, 문학에 참여하는 경험이 만족할 만큼 흥미롭고, 다양화되어 있으며, 이전에 알지 못했던 미지의 영토를 그가 소유하고 있다고 느낄 수 있을 만큼 자발적인 상태로 유지되어 있는 한, 이러한 결과는 일어날 수 있으며, 또한 전체의 언어 학습과정에 유익한 영향을 미칠 수 있다. 명백히 특정한 문학 작품의 선택은 독자가 그것과 더불어 형성하는 이와 같은 창조적인 관계를 촉진하는데 중요할 것이다. 이 책이 앞으로 고려할 부분은 바로 이러한 문제이다.

(2) 무엇을

어떤 종류의 문학이 교실수업에서 언어 학습자들과 더불어 사용하는데 적합한가? 적합성의 기준은 궁극적으로 학생들의 각 특정 집단과 그들의 필요, 흥미, 문화적 배경, 언어 수준 등에 달려 있다. 그러나 고려해야 할 중요한 한 가지 요소는 특정한 문학 작품이 학생의 흥미를 불러 일으키고 그들로부터 강력하고 적극적인 반응을 유발시킴으로써, 앞에서 설명한 인간적인 참여를 자극할 수 있는가 하는 점이다. 만약 독서가 의미있고 재미있다면, 학생들의 언어적, 문화적 지식에 하나의 지속적이고 유익한 영향을 끼칠 가능성이 더욱 많다. 그러므로 학생들의 여러 가지 인생 경험, 감정, 희망 등과 관련있는 작품들을 고르는 것이 중요하다. 물론 언어의 난이도도 고려되어야 한다. 외국인 학생들은 언어적, 문화적으로 메꿔야 할 간격을 많이 가지고 있기 때문에 그들에게 어려움으로 가득차 있다고 여겨지는 작품이라면, 그들은 그것을 읽어 나가는 매 단계에서 이해하거나 즐길 수 없을 것이다. 만약 교과계획이나 시험이라는 제약들이 없다면, 학생들에게 보통 수준의 독해능력을 크게 뛰어 넘지 않는 작품을 고르는 것이 훨씬 좋다.

만약 문학 작품의 언어가 매우 직선적이고 단순한 것이라면, 그것은 도움이 될 수는 있겠지만 가장 중요한 기준은 아니다. 흥미, 호소력, 관련성 등과 같은 요소가 더욱 중요하다. 자국어가 아닌 문학 작품을 이해하는데 있어 학생들에게 틀림없이 추가적으로 필요로 하게 될 시간과 노력이 정당화되기 위해서는 관련되는 어떤 특별한 동기가 있어야 한다. 즐거움, 긴장감, 사람들의 마음에 가깝게 느껴지는 문제들에 대한 신선한 통찰력, 예술작품에 생생하게 들어 있는 자기 자신의 생각과 상황을 만나는 기쁨, 완전히 새롭고 예기치 않았던 통찰의 빛이나 조망에 의해 밝혀진 생각이나 상황을 발견하는 기쁨, 이 모든 것들은 학생들이 자기 자신과의 관계가 덜한 작품과 마주치면 너무나 크게 느껴질지도 모를 언어적 장애들을 열성적으로 극복할 수 있도록 이끌어 수는 동기들이다.

그러므로 특정 집단의 학생들과 그들에게 읽도록 권장되어지는 문학 작품들 사이에 좋은 조화를 이루도록 하는데 투자되는 노력의 시간은 거기에 상응할 만큼 충분한 가치가 있는 것이다. 취향과 흥미를 묻는 질문표도 유용할 수 있다. 또다른 진행방법으로 작품에서 뽑은 짧은 발췌문들과 함께 3~4개의 가능성이 있는 짧은 요약문들을 학급에 나누어 주어서 학생들이 가장 호소력 있다고 생각하는 어느 한 가지를 고르게 하는 것이다. 상위권에 올라온 작품은 항상 학급에서 다음 시간에 다룰 교재가 될 수 있다.

(3) 어떻게

일단 소설이나 희곡이 선정되었다면 학생과 교사가 그것을 가지고 공부할 수 있는 최선의 방법은 무엇일까? 이 질문에 대한 특별한 대답은 이 책의 학습활동들이 기술되어지는 대로 나중에 나타날 것이다. 여기에서는 좀더 일반적인 원칙들을 검토해 보고자 한다. 첫째 우리가 문학을 배울 때 흔히 사용하는 몇 가지 접근방법에 대해 설명하겠다. 그 다음으로 이러한 접근방법을 보충하거나 심지어 어떤 경우 대체시킬 방법들을 탐구하는 것과 연관된 몇 가지 학습목표들을 개관해 보겠다.

공통적으로 사용된 몇 가지 문학 교수법들

어떻게 언어를 가르쳐야 할 것인가에 대한 끊이지 않는 문제는 최근 몇 년 동안 학습자의 의사소통 능력을 증진시키려는 지배적인 목표가 점점 더 많이 이끌어 왔다. 그러나 교사가 외국어로 된 문학을 학생들에게 소개할 때 이러한 의사소통의 이상은 사라져 버리는 경우가 너무나 빈번한데, 문학이 제시되는 방법은 흔히 전형적인 특질들이 많기 때문이다.

때때로 교사는 작가나 작품, 또는 그 작품에 스며 있는 특별한 문학 관례, 기타 사항 등에 대해 정보를 주는 사람으로서 자신을 설정하는 전통적인 교실의 역할에 더 많이 의존하고 있다. 학생들은 어쨌던 이러한 것들을 받아들여 자기 자신의 것으로 소화시켜야 할 능력을 가지도록 기대되어진다.

종종 문학적 언어의 복잡함이나 미묘함이 야기하는 상세한 이해에 대한 어려움 때문에, 문학교육은 교실 수업시간의 많은 부분을 교사가 조금씩 해나가는 설명이나 번역 등의 해석훈련에 빼앗긴 채 방대한 해석의 과정으로 변질된다.

좀더 상급 수준의 문학 작품에서 교사는 비평적인 메타언어에 의존할지도 모른다. 그렇게 하면 이것은 학생들을 그들 자신의 반응으로부터 멀어지게 할 뿐만 아니라 분석적 용어들에서 무엇이 얻어지던 학생들이 문학 작품에 대한 평가를 낮추어 보게 할지 모른다.

심지어 교사가 그 문학 작품에 대한 학생들의 반응을 예리하게 해주기 위해 좀더 뭘 하고자 희망하더라도 어떻게 할 것인가에 대한 지침이 거의 없을 때가 빈번하다. 질문과 대답이라는 선통적인 기술이 어떤 도움을 줄 수는 있다. 그러나, 교사의 질문이 완전히 개방된 채로 끝나지 않는다면, 학생들은 교사기 자기 마음 속에 생각하고 있는 특정한 대답으로 서서히 그러나 분명하게 몰아간다는 느낌을 갖게 된다. 이러한 수업은 학생들 자신의 반응이나 그들의 개입을 위한 여지가 없다. 간단히 말해 개인적인 투자는 최소화된다.

이러한 교사중심의 접근방법들은 상세한 이해를 기를 수 있을지는 모르지만 학생들은 아마도 교재를 자신의 것으로 만들지 못할 것이다. 또한 수업 과정이 그들 자신의 견해를 서로 나누도록 권장하지는 못할 것이고, 목표언어를 많이 쓰게 하지도 못할 것이다.

교수법의 기초가 되는 목표들

전체적인 의미에서 우리의 목표는 전통적인 학습법을 보완해서, 교실 수업과정의 레퍼토리를 다양화시키는 것이다. 이러한 방식으로 우리는 문학을 가르치는 데에 신선한 동력을 불어 넣고, 학생들의 독서 욕구를 자극하며, 그들의 반응을 촉진시키기를 바란다. 특히 다음과 같은 목표들은 앞으로의 여러 장에서 개관할 교수 학습 활동들의 이론적 근거를 제공한다.

다양한 학생중심의 활동들을 통한 흥미와 참여의 유지

문학작품을 탐구할 많은 방법을 정할 때, 우리는 배타적으로 사용된 교수법은 교실에서 지루하게 될 수 있다는 것을 명심하려고 힘썼다. 언어 수업을 다양화하기 위해 성공적으로 사용되고 있는 역할극, 즉흥적인 연기, 창작, 토론, 질문, 시청각 교재의 사용, 기타 많은 다양한 학습 활동들은 문학을 가르칠 때도 비슷한 목표를 만족시킨다는 것을 우리는 알았다. 일련의 학생 중심의 즐거운 활동들은 문학 전문가가 아니면서 아직까지 자발적인 동기에서 목표언어로 문학작품을 읽고 싶어하는 마음을 개발하지 않았을 학생들과 함께 공부할 때 특히 중요하다. 더우기 다양한 학습활동들은 그 효용성에 의해 교사가 말하기, 듣기와 같은 특정의 기술 영역에서 학생들의 부족함을 메꾸게 하는데 집중할 수 있게 한다.

인쇄된 지면을 보충하기

언어와 문학을 통합하는 여러 학습활동들을 고안할 때, 가능한 많이 학생들의 능력을 참여시킴으로써 학습이 향상될 수 있다는 생각을 우리는 염두에 두었다. 인쇄된 지면은 그 자체로서 학생의 제한된 시각적 감각이나 지성에 호소하는 차갑고 거리감 있는 매체가 될 수 있다. 그러나 그러한 인쇄된 지면을 구성하는 단어들은 독자의 상상력에 완전히 새로운 세계와 따뜻함과 다채로움으로 가득찬 세계를 창조할 수 있음은 물론이다. 우리는 교사로서 보다 더 중립적인 언어학습 교재들에서는 너무나 자주 결여되어 있지만, 문학의 필수적인 부분인 감정적 차원을 가능한 완전하게 탐구하려고 애쓴다.

그룹 내에서 지식과 경험의 자원을 찾아내기

짝이나 그룹 단위의 학습활동은 오늘날 학생들이 외국어에서 자신감을 기르는 수단이자 외국어를 접할 기회를 개인적으로 갖게 하는 수단으로서 잘 확립되어 있다. 다소 역설적일지는 모르지만, 그룹 단위의 학습활동은 학생이 아주 개인적이고 사적인 경험 속으로 들어갈 수 있는 방법, 즉 작가의 세계와 융합하여 그 세계 속에 깃들 수 있는 방법을 찾도록 도와주는 데 유익한 것이 될 수 있다. 이 새로운 세계를 해석해 보려는 창의적인 노력에 있어서, 다양한 삶의 경험을 지닌 그룹은 학생 각자의 반응과 문학작품이 창조한 세계를 이해하게 만드는 풍부한 선도적 장치로서 역할을 할 수 있다.

좀더 실용적인 차원에서 말한다면, 그룹 단위의 활동은 문학 작품 내의 난해한 부분들로 인해 생기는 어려움의 수를 감소시킬 수 있다. 자주 그룹 내의 누군가가 연결되지 않는 부분을 제공할 수도 있고, 중요한 단어의 올바른 뜻을 채워 줄 수도 있다. 만약 그렇지 않다고 해도 그러한 과업활동은 더욱 능률적으로 공부할 수 있는 작업분담 활동이 될 것이다. 작품 자체로부터 그러한 공동활동으로 관심을 돌리는 것은 흔히 위험을 떠안는 분위기를 해결하는 통로가 된다. 그룹의 지원과 통제 안에서 개인은 작품에 대한 그 자신의 반응과 해석을 추구할 수 있는 더 많은 자유를 갖게 된다.

무엇보다도 우리는 그룹활동을 통해 학생들이 그들 나름대로 작품을 다시 한번 읽게 되고, 그것에 대해 스스로 진지하게 숙고해 볼 것을 희망한다.

학생들이 문학작품에 대한 자신들의 반응을 탐색하도록 돕기

이러한 목적은 이미 앞에서 이야기한 부분에서 강력하게 암시되었다. 우리 저자들의 활동은 학생들이 자신의 반응을 발전시키고, 표현하고, 평가할 수 있는 확신을 획득하도록 돕는 노력이다. 이러한 과정을 통해서 학생들이 기존의 의견에는 덜 의존적이게 되고, 다른 시각에 대해서 보다 더 흥미를 갖게 되며, 그리하여 더욱 더 잘 평가할 수 있게 될 것을 희망한다.

학생들은 자주 그룹으로 모여서 수행하는 공동활동으로서, 문학작품을 중심으로 하는 일련의 과업과 활동들을 이루어냄으로써 아마도 그 작품에 더욱더 인간적으로 친밀하게 될지도 모른다. 학생들이 그러한 활동에 바친 노력과 개인적 투자야말로 그들 자신의 반응을 더욱 더 예리하게 할 것이고, 그리하여 그들은 집에서 개인적으로 독서를 해서 문학작품에 대한 자신의 이해력을 넓힐 것을 원하게 될 것이다.

목표언어 사용하기

교실에서 문학에 접근하는 학습방법이 되는 원칙들 중의 하나는 선택한 활동영역에서 목표언어를 사용하는 것이다. 우리는 학생들에게 선택된 작품의 세계로 들어가는데 활용할 최대한의 기회를 제공해 주기를 원한다. 그 문학의 세계를 학생들 자신의 모국어나 문화적 경험으로 번역하지 말고 상상력을 발휘하여 그들 자신을 목표상황에 던져 넣어 보려고 노력한다면, 그러한 기회는 용이하게 촉진될 것이다. 이러한 접근에서 주된 어려움이 되는 것은, 말할 것도 없이 상당수의 학생들이 자기의 반응을 표현할 수 있는 목표언어의 어휘나 구조의 풍부함과 정교성을 가지지 못할 수 있다는 것이다. 이러한 문제점에 대해서는 학생들이 비언어적인 방법으로 표현하거나 한정된 언어목록을 충분히 활용하게 함으로써 도움을 받을 수 있는 방법이 많다고 느낀다.

공통의 모국어를 가진 집단일 경우, 공동으로 행한 학습활동에 뒤이어지는 토론에서 모국어로 복귀를 한다면 이것이 재앙이 되지는 않을 것이다. 무엇보다도 그것은 일반적으로 학생들이 그러한 과업을 즐기고 있고 그것에 몰두하고 있다는 것을 나타낸다. 뿐만 아니라 그들이 자기의 지식과 경험을 새로운 언어로 나타내는데 동원하고 있고, 그리하여 그것을 자기의 것으로 만들고 있다는 것을 나타낸다.

마지막으로, 가능한 많이 목표언어를 사용하고, 일관되게 그 자체의 언어 안에서 문학 작품에 접근하게 하는 이와 같은 목표를 달성하기 위해, 우리는 비평적 토론을 위한 메타언어를 사용하지 않도록 열심히 노력해 왔다. 만약 이러한 비평언어에 집중하면, 그것은 특히 학생들이 목표언어로 학습하고 있을 때, 그들 자신의 반응에 대한 자신감을 해칠 우려가 있다.

언어와 문학을 통합하기

우리들 저자가 원하는 문학교육에 대한 접근법의 전체적인 목표는 학생들이 적합한 문학작품의 문맥 안에서 언어를 향상시킬 수 있는 의사소통이나 그 밖의 다른 여러 가지 활동의 혜택들을 이끌어 내게 하는 것이다. 교사가 교수학습 활동들을 균형있게 선택하여 학생들에게 자신감을 가지고 제시한다면, 학생들과 함께 문학작품을 공유하는 것은 그들이 이러한 여러 가지 혜택을 얻게 하는데 자극제가 된다. 그러나 도움이 될 만한 몇 가지 활동과 기술을 설명하기 전에, 실습을 수행하는 교사가 여전히 가질 수 있을 몇 개의 보다 더 상세하고 실제적인 질문과 의문에 대해 답하고자 한다.

제 2 장 교실에서의 활동

1장에서 논했듯이, 교실에서 공동으로 하는 학습활동은 학생이 외국어로 된 문학작품을 다룰 때의 어려움을 극복할 수 있게 도와줄 수 있는데, 그것은 학생이 집에서 혼자서도 그런 작품을 다시 읽도록 자극시켜줄 충분한 확신과 새로운 통찰력을 제공함으로써 가능하다. 그러나 학생들에게 문학을 가르치는 것이 가치있다고 확신하는 많은 교사들도 막상 수업시간에 어떤 특정한 작품을 제시하려 할 때에는 상당한 문제점에 직면하게 된다.

언어 교사들과 토론해 보면, 이러한 문제점들은 재삼 재사 발생하는 문제점들이다. 여기서 이에 대해 조금 더 상세히 고찰해 보겠다.

'전문가가 아닌 일반 학생들을 대상으로 하는 나의 영어 수업시간에 문학을 이용해 보면 좋을 것 같군. 그런데 소설 전체를 다루려면 너무 많아서 엄두도 못낼 것 같고, 또 발췌한 것들을 해보려니 학생들이 별로 재미없어 할 것 같고. 어떻게 하면 좋을까?'

물론 작품을 전체적으로 모두 다루는 것은 무모한 일이다. 수업시간에 몇 시간씩, 몇 주씩 계속해서 한 작품만을 읽거나 번역하는 것은 따분한 경험이 될 것이다. 그렇게 한다면 많은 학생들이 다시는 영어로 쓰여진 작품을 펴 보려고도 하지 않을 것이다.

하나의 해결방안으로 발췌문들을 제시할 수 있다. 그 이점은 명백하다: 각각 다른 몇 개의 작품들에서 발췌한 일련의 구절들을 읽음으로써, 교실 내에서 보다 더 다양성있는 수업을 할 수 있다. 따라서 교사가 지루함을 피할 수 있는 기회도 더 커지고 동시에 학생에게 한 작가의 독특한 멋을 느끼게 해줄 수도 있다.

반면, 한모금씩의 덩어리를 모은 발췌문들에만 접하게 되는 학생들은, 자국어로 쓰여진 어떤 작품을 읽을 때 우리들 대부분이 추구하는 완전한 만족, 즉 그 책의 전반적인 양상을 알게 될 때의 만족감을 결코 맛볼 수 없을지도 모른다. 게다가 짧은 발췌문 하나만으로는 적절하게 설명할 수 없는 문학적 특성들도 몇 가지 있다. 예를 들면, 조금씩 독자를 끌어들이면서 플롯이나 인물을 전개하는 것, 또는 대조되는 관점들을 병렬시켜 복잡한 주제를 전개하는 것 등이다.

다음 장에서 우리는 하나의 대안을 제시한다. 그것은 하나의 긴 작품에서 교실수업 활동을 위한 기초를 마련해 주는 일련의 발췌문들을 정선한 것으로 이루어져 있다. 그리하여 소설이나 희곡을 읽는 것은 학교 공부와 실질적인 개인 독서를 결합한 것이 된다. 교사나 학생들이 모두 다 작품 전체를 읽을 필요는 없다. 대신 신중하게 선별된 발췌문들을 토대로 학습하게 되면, 수업시간에는 동기와 전체에 대한 감각을 유지하게 하고, 집에서는 학생의 보충적인 독서를 통해 작품과 개인적인 관련성을 형성할 수 있게 하여, 결국 자기가 작품 전체의 도전에 만족스럽게 대처해 내었음을 느낄 수 있다.

수업시간에 공부할 올바른 글의 선택은 어떻게 할 수 있나?

수업을 위한 발췌문들을 선택하는데 있어 가장 유용하다고 발견한 기준은 다음과 같다:

발췌문 자체가 재미있어야 하며, 가능한 학생 자신의 관심사에 가까와야 하며, 다양한 수업활동을 위한 훌륭한 잠재력을 제공해야 한다.

물론 모든 작품과 모든 교실 상황에 맞을 수 있는 하나의 해결책은 없다. 교사가 택할 글의 선택은 그가 각 작품 내의 상이한 학습자원들을 이용하려고 시도함에 따라 달라져야 한다. 그리고 그 교과의 성격과 길이 뿐만 아니라 학생들 자신과 관련된 요소들, 예를 들면 언어 유창성이라든가 그들의 필요와 욕구를 고려해야 한다.

우리는 앞으로 다룰 장에서 실례로 제시한 소설과 희곡 작품들이, 발췌문들이 어떻게 효과적으로 선택되어질 수 있는가에 대한 본보기를 제시하고, 비슷한 아이디어와 기술이 여러 가지의 다른 문학작품에도 적용될 수 있기를 바란다.

교실에서 읽지 않은 부분은 어떻게 할까?

문학을 가르칠 때 우리가 의도하는 목표 중의 하나는 학생이 스스로 작품을 읽고 즐길 수 있게 하는 것이다. 그런 까닭에 학생들에게 어려운 부분에 대해 특별한 도움을 주거나 그들이 읽고 있는 문장에 대한 반응을 명료하게 나타낼 수 있게 하는데 보다 더 많은 도움을 줄 과제지를 참고로 하여 특정한 부분을 집에서 읽어오게 한다. 교사가 처음에 한 권의 작품을 가지고 수업할 때, 도움을 줄 과제지를 준비하는 데는 많은 시간이 소요된다. 그러나 과제지는 작품을 전체적으로 읽는데 실질적인 자극을 제공할 수 있기 때문에 그것을 만들 노력의 가치가 있다. 또한 그것은 장기간의 투자가 될 수 있다. 왜냐하면, 문학작품은 시대에 뒤떨어지지 않아서 매년 가르쳐 질 수 있기 때문이다.

한 작품에서 학생이 스스로 읽을 부분은 교실에서 진행되는 활동의 틀과 관련이 있어야 한다는 것은 중요하다. 사전에 집에서 읽은 학습에 기초하는 후속 과업들이 이용될 수 있으며, 또는 교실에서 읽는 글의 어떤 부분은 집에서 읽지 않은 부분을 제시하기 위해 설계된 다음 수업시간 활동과 연결될 수도 있다.

중요한 것은 학교의 수업과 집에서 하는 과제를 연결시키는 것과, 작품 전체를 읽어나가면서 전체의 작품에 대한 개요를 유지하도록 도와주는 것이다. 만약 이렇게 되면, 더 이상 엄격하게 순서적, 연대기적 방식으로 수업을 진행할 필요가 없다. 예를 들어 어떤 경우에는 교실에서 역할놀이 연습을 하기 위한 자료를 제공하기 위해 소설의 한 부분이 발췌될 수도 있다. 그런 다음에 학생들은 그 소설에서 이러한 상황에까지 이끌어 갔던 부분들을 집에서 읽어 오라는 숙제를 받는다.

집에서 스스로 읽는 활동과 교실에서 하는 그룹 과제활동 사이의 창조적인 대위법은 교사에게 긴 작품을 접근하는데 보다 더 큰 자유를 준다. 특히 이 방법은 수업 전체가 작품의 처음부터 끝까지 해나감으로써 빡빡하게 짜여진 흔히 지겨운 과정으로 된 전통적인 수업방식을 깨뜨릴 수 있다.

만약 작품 전체를 읽지 않는다면, 어떻게 학생들이 그것을 정말로 잘 알고 있는지 확신할 수 있을까?

작품의 가장 재미있는 부분들을 발췌하여 집중적으로 학습시키는 것은 작품 전반을 이해하도록 보장하지 않는 표본추출 방식이라는 것이 사실이다. 그러나 그렇게 전반을 이해할 수 있는 다른 어떤 방법이 있는가? 만약 교사가 보다 더 짧은 교재를 선택하여 수업시간에 처음부터 끝까지 그 작품을 읽고 그것의 한 단어 한 단어를 설명한다 해도, 의심의 여지 없이 가르쳐진 모든 것이 역시 학습되었다고 확신있게 말할 수 있을까?

만약 교사가 발췌문들을 주의깊게 선택하고 그것을 학생들이 즐길 수 있는 그룹활동을 통해 제시한다면, 학생들은 대체로 어떤 작품이라도 정말로 친숙해질 수 있는 기회를 더 많이 가질 것이다. 결국 그러한 접근방식은 자기의 모국어로 된 긴 작품을 읽는 경험과 같은 것이 된다. 그러한 작품을 처음부터 끝까지 읽을 것은 당연할 수 있지만 그것이 우리들 마음속에 순서대로 기억되지는 않을 것이다. 우리의 기억은 다른 부분들 보다는 어떤 특정 면에만 잠기고, 시간을 단축하며, 그것을 새롭게 배치하면서 그 책 자체의 개요만을 부각되도록 한다. 한 권의 복합적인 작품에 관해 독자들을 위해 가장 하이라이트가 되는 관점에서 생각하여 이야기하는 것은 당연하다. 그래서 교사가 학생들에게 요구하는 것도 사실상 이것이다. 그럼에도 불구하고 우리들 저자는 우리가 제시한 과제들의 종류는(특히 결론부인 제6장이 그러한데) 작가가 그 작품에서 무엇을 성취하려고 했는가를 학생이 인식하게 만들어줄 많은 가닥들을 결합하는데 도움이 되기를 바란다.

수업에 대해 매우 영리하여 일반적 수업 속도보다 빠르기 때문에 작품을 이미 다 읽어 버린 학생에 대해서 교사는 무엇을 할 수 있을까?

나의 경험에 비추어 보면, 책을 몇 권씩 세트로 나누어 주면 이런 일은 반드시 일어나게 된다. 우리 교사의 목적 중의 하나가 습관이 형성되어지도록 자극시키는 것임을 고려해 본다면, 이것은 막아서는 안된다.

그러나 이것이 진정으로 의미하는 것은 교사는 교실수업 활동들과 학생이 집에서 작품을 읽게 하기 위해 제작하여 배부할 과제지들을 잘 선택해야 한다. 이렇게 하면 아마도 작품 전체를 알기 때문에 방해받을지도 모르는 여러 가지 예측 활동들을 못하지 않으면서 앞지르는 이 학생들에게 상당한 도전을 줄 수 있다.

읽는 작품의 종류에 따라서는 학생들이 책을 다 읽기 전에 결말 부분을 아는 것이 나쁜 것만은 아니다. 이것은 때때로 학생들을 자유롭게 만들어 수업시간에 중요시된 각 부분을 더 자세히 검토하게 한다. 그룹활동이나 과제지들도 역시 수업 진도보다 앞서 나가는 학생들이 때때로 새로운 초점에 관심을 가지고 다시 읽게 만든다. 이것은 일반적으로 언어학적이고 문학적인 두 가지 측면에서 매우 유용하다.

길이의 문제가 제기되지 않는 형태의 문학작품들은 어떠한가? : 예를 들면 단편소설이나 단막극, 혹은 시같은 경우들

외국어 교실에서 가르치는 시들은 완전히 그 자체가 도전일 뿐만 아니라 특별한 보상을 제공한다. 이러한 이유 때문에 비록 시가 아닌 다른 장르들을 위해 개관한 여러 가지 수업활동들이 시에도 적용될 수 있지만 별도로 분리된 장을 통해 가능할 수 있는 여러 가지 방법들에 관해 토의하였다. 짧은 산문 작품들도 역시 제2부에 기술한 다양한 수업활동을 함으로써 이득을 본다. 교사들은 길이가 짧은 문학작품을 수준이 떨어지는 학생들을 위해 매우 적합한 것이 되게 해주는 특별한 성질들을 개발하기 위해 이러한 아이디어들 중의 상당한 부분을 활용할 수 있어야 할 것이다. 한 권의 문학작품 전체가 한, 두 시간의 교실수업으로 제시될 수 있다는 사실은 그러한 학생들에게 매우 보상적이고 동기부여적이다.

학생들이 문학의 실제적 언어가 너무 어려워 대부분 파악할 수가 없다고 하는 문제점을 여기 제시된 방법으로 풀 수 있을지 알 수 없다

해답은 적절한 작품의 선정에 있다. 학생의 영어능력이 초보단계라면 간략하게 재구성한 문학 교재는 초보자가 다독식 독서를 할 수 있도록 돕는다. 축약하지 않고 원본대로 된 책을 학습목표로 삼는 수업활동들은 간략하게 재구성한 교재들에도 응용될 수 있으며, 그룹 학습활동을 하는 학생들이 활용할 수 있다. 이러한 활동은 언어의 향상에 공헌할 뿐만 아니라 문학에 대한 흥미를 자극시켜 준다. 그러나 등급에 따라 다시 고쳐 쓴 독본들은 원본의 줄거리는 유지하고 있지만 대신에 그밖의 많은 것은 상실된다. 그래서 좀더 고급 수준에서는 가능하면 너무 심한 언어적 어려움이 없는 작품을 선정하는 것이 더 좋다. 문체가 상당히 간단하거나 난삽하지 않은 훌륭한 단편 작품들이 많다. 이러한 점에서 부록 2에 포함시킨 작품 제목의 목록이 도움이 될 수 있기를 희망한다.

몇몇 경우에는 그러한 문학교재의 선택은 실제적인 활용성이나 또는 정해진 교과과정의 제약들에 의해 제약을 받을 수 있다. 부과된 한 권의 작품을 대하고 있는 교사들은 특별한 언어적 문제점을 감지하고 그것들을 극복하기 위한 여러가지 방법들을 고안하는 것이 필요하다. 그것은 교사가 작품을 가르치기 시작하기 전에 필요한 사전 준비작업이 된다. 언어적인 바탕에서 이루어지는 많은 준비활동이 그러한 작품에 사용되어져야 한다. 그리고 많은 배경 연구가 문화적 차이를 메꾸기 위해 필요하다. 그러나 다른 분야의 책에 대해서와 마찬가지로 이러한 책들을 위해서 우리는 순수한 언어 공부와 배우고 있는 문학교재에 학생이 몰두되도록 촉진시키기 위해 마련된 보다 더 창조적인 다른 학습방법 사이에서 균형점을 찾도록 노력해야 한다. 아주 흔하게 일어나는 일이지만 그룹 학습활동은 교재의 한구석에 대해서만 미세하고 집중적인 탐색을 하는 것으로부터 벗어나 요점이나 종합적인 주제에 대해 더욱 더 광범위한 관심을 갖도록 하는데 독자들의 주의를 돌리게 할 수 있다. 이러한 활동은 결국 이전에 나무만 보고 숲은 보지 못하는 학생을 자유롭게 풀어줄 것이다. 그리고 비록 그 작품의 내용에서 모르는 부분이 꽤 있다고 하더라도 그 작품이 의미있고 그것을 공부하는 것이 즐거울 수 있다는 것을 깨닫게 하는데 틀림없는 동기가 된다.

제 2 부

실습활동의 개관

제 3 장 첫 만남 단계의 활동

지금부터 새로운 문학작품이라는 낯선 세계로 탐험을 시작하려는 학생들에게 첫 대면은 아주 중요하다. 첫 인상은 그들이 앞으로 공부하게 될 그 일의 전체에 대해 가질 감정에 색채를 입힐 수 있다. 그들은 호기심, 흥분, 두려움이 섞인 경험의 세계로 접근하게 된다. 교사의 역할은 학생들에게 확신감을 가질 수 있는 격려 분위기를 조성하고 모험심을 한껏 자극하는 것이다.

제일 먼저 해야 할 일은 학생들을 빨리 작품으로 끌어들이는 것인데 그렇게 하면 그들은 작품이 재미있다는 것을 알게 되고 스스로 계속해서 작품을 읽고 싶어하게 된다. 이런 일은 교사 자신이 그 작품을 진심으로 좋아하여 그 책에 대한 열정을 학생들에게 전달할 수 있으면 더욱 쉬워진다. 그러므로 가능한 자기가 좋아하는 작품을 고르는 것이 가치있는 일이다.

다음으로 학생들이 앞으로 할 과업이 불가능한 것이 아니라는 것을 확신하게 하는 작업이 필요하다. 다시 말해 이해하기 힘든 글들이 있다 할지라도 성공적으로 해결되고 실질적인 보상이 있을 수 있다는 점을 확신하게 만들어 준다. 많은 학생들은 끝까지 작품을 마치지 못하는데, 그 원인은 그 작품이 처음부터 너무 겁을 준다는 것이다. 즉 책의 시작하는 첫 지면이 너무 어려운 단어로 되어 있거나 그들이 헤매면서 경험하게 되는 새로운 세계가 자신의 실제 세계와는 완전히 달라서 그것이 무엇인지를 정말 알 수 없다는 것이다. 바로 이러한 것이 작품을 시작하기 전이나 그것을 읽는 첫 독서 기간에 왜 교사가 수업준비나 예비단계에다 특별한 시간을 바쳐야 하는가에 대한 이유이다.

이 단계에서는 예상되는 어휘의 어려운 항목들을 한곳에 모아서 가르칠 수 있다. 그러면 학생들이 작품 자체에 들어갔을 때 많은 어휘들이 친숙하게 될 것이고, 처음의 읽기도 훨씬 쉬워지고 생각보다 큰 보람을 얻게 된다. 뿐만 아니라 학생들과 함께 앞으로 다룰 작품의 특정한 주제에 대해 그 주제가 표현되는 방식은 개의치 말고 각자 나름대로 토론하게 해보는 것에도 도움이 된다. 이것의 목적은 그러한 주제의 쟁점들에 대해 학생들 각자의 생각과 감정을 이끌어 내는데 있다. 나중에 학생들이 시작할 작품 자체로 돌아가게 되었을 때 이전의 토의나 활동은 작품의 새로운 환경에서 친숙한 이정표가 될 것이다. 한편 자신의 지식이나 인생경험 역시 가치있는 도움이 될 수 있다는 것을 느끼는 것도 중요하다.

마지막으로 이러한 예비단계는 분위기를 조성하고 흥미를 유발하고 호기심을 불러 일으킬 수 있게 계획될 수 있다. 때때로 이러한 단계는 학생들을 그 작품의 시작 부분부터 읽게 하는 것이 아니라 의미있고 극적인 구절로 건너 뛰게 하는데, 이것은 작품에 대한 호기심을 자극한다.

이 저서는 어떤 경우에는 전체의 수업시간을 학생들이 작품을 읽고 싶어하도록 만들 수 있는 활동들에 할애하였다. 그런 나음 그들이 단편소설이나 소설, 희곡의 첫 장을 스스로 해 나가도록 맡겨 놓았다. 비록 그들이 모든 것을 완전하게 이해하지는 못하더라도 이러한 방식으로 외국어 작품을 읽는 것은 모국어 작품을 읽는 것과 비슷한 경험이 되도록 만들어 준다. 어떤 의미에서 문학이란 교실 밖에서 소재를 택하여 우리가 느끼는 보다 더 '자연스러운' 배경으로 재구성한 것이다.

따라서 이 장에서 제시하는 도입단계의 활동들은 다소 시간을 낭비하는 듯이 보일 것이다. 그러나 우리 저자들은 그러한 활동들이 동기를 조성하고 독서를 좋아하는 마음을 촉진시키므로 가치있는 활동이 된다는 점을 교사들이 알아주길 바란다.

작품의 제목과 표지를 이용하기

교사는 장면을 지정하고 학생들에게 흥미를 불러 일으킬 수 있는 표지 디자인을 보여주고 작품에 대해 또는 이야기 줄거리나 분위기에 대해 생각해보라고 함으로써 그들의 호기심에 불을 붙인다.

예를 들면, 레이몬드 브리그(Raymond Brigg)의 「바람이 불 때」(*When the Wind Blows*)는 영국인 노부부가 집 근처에서 발생한 핵 공격으로부터 받는 여러 가지 영향을 다루고 있다. 교사는 학생들에게 작품 표지의 만화 그림을 보여준다.

표 1

학급의 전체 학생들이 더 잘 볼 수 있도록 오버헤드 프로젝트를 이용하여 투명하게 전사시킬 수도 있다. 이러한 첫 단계에서 작품의 제목은 덮어서 공개하지 않는다. 교사는 교실에서 수업을 해나가면서 학생들에게 그 부부에 관해 설명해 보게 할 수도 있다. 그 노부부는 어떤 사람들인 것처럼 보이는가? 시골 사람 또는 도시 사람인가? 소박한가 아니면 불순한가? 부유해 보이는가? 노동자 계급인가? 정직한가? 애국적인가? 서로 사랑하는가? 애정이 있는가? 서로 닮았는가 또는 그렇지 않은가? 이러한 질문들에 대해 응답하는 모든 제안들은 긍정적으로 받아 들여서 칠판에 적는다.

그 후에는 학생들이 그 노부부의 뒷편에 있는 빛에 대해 생각하게 한다. 그 빛은 도대체 무엇일까? 그 빛에 대해 어떤 느낌을 받는가? 이로운 것인가? 행복한가, 불길한가, 아니면 위험한 것일까? 노부부와 어떤 관계가 있을까? 등과 같은 질문을 해 본다.

두번째 단계에서 교사는 이 작품의 제목이 아주 잘 알려진 영국의 자장가에서 따온 것이라고 설명하고 낭송하거나 가능하면 그것의 노래를 직접 학생들에게 들려준다.

울지 말고 입 다물어라, 아기야. 나무 꼭대기에서
바람이 불면 요람이 흔들리니
나무가지 부러지면 요람이 떨어지니
아기가 떨어지고, 요람도, 모든 것도 떨어지니까

학생들에게 노랫말 중에서 네 단어로 된 어떤 구절이 이 희곡의 제목이 될 것 같은가 추측해 보라고 한다. 그들은 이 자장가를 어떻게 느끼는가? 그 분위기가 평화로운가? 또는 행복한가? 아니면 위협적인가? 그것은 표지의 노부부와 무슨 관련이 있는가? 등과 같은 질문도 한다.

드디어 작품을 나누어 주고 학생들의 읽기가 시작될 수 있다. 작품 제목에 대해 알아 맞춰 보는 여러 가지 추측들을 기록해서 보관한다면 그것은 나중에 이 희곡 작품의 역설을 예증하는데 도움이 된다.

분위기로 들어가기

이것은 안내받는 상상작업이다. 교사는 학생들에게 먼저 작품의 장면을 정해주고 그 작품의 서두에 대한 상상을 마음 속에 그려 보라고 하고 그 장면을 그들의 마음에 머물게 하도록 한다. 일단 그런 상태를 이행하면 그들이 거기에서 느끼고 보고 말하는 것을 기록하게 한다.

이러한 마음 속의 그림 그리기가 끝날 무렵 학생들을 소집단으로 나누고, 각 집단의 개개인은 자기의 마음 속에 있는 그림을 다른 학생들에게 설명한다. 간단한 토의가 끝나면 교사는 학생들을 하나로 합치고 한 두 학생이 나머지 급우들을 위해 자신의 생각들을 다시 말하게 한다.

이 활동은 윌리엄 골딩(William Golding)의 소설 「파리대왕」(*Lord of the Flies*)에 접근하는 좋은 방법이 되며, 자세한 것은 뒷편에서 소설 부분의 분석에 나와 있다.

시각적 자극물

가끔 사진이나 잡지의 그림은 학생들이 작품 속에서 접하게 될 중심적인 상황이나 주제에 대해 그들의 반응을 이끌어 내는데 유용하다.

예를 들어, 로날드 달(Ronald Dahl)이 쓴 「예기치 않은 더 많은 이야기들」(*More Tales of the Unexpected*)에 나오는 '무료승차 도보 여행자'(The hitchhiker)를 읽기 전에 학생들에게 아주 다른 여러 사람의 사진을 보여주고 어떤 사람을 차에 태워 주겠는지 물어본다. 이것은 학생들이 무료승차 도보 여행자에 대해서나 또는 어떤 사람의 외모에 대해 가지고 있는 자신들의 태도를 더욱 선명하게 인식시켜 준다(표 18와 과제지 45 참조). 또 잡지의 사진들은 마가렛트 애트우드(Margaret Atwood)가 쓴 「춤추는 소녀들과 그 외의 다른 이야기들」(*Dancing Girls and Other Stories*)의 '화장실의 전쟁'(The war in the bathroom)에 대한 예비단계로서, 새로운 환경으로의 이동과 적응 경험이라는 주제를 가진 이 작품의 중심적 주제들 중의 하나에 대해 학생들이 이야기를 이끌어내도록 하는데 유용하다(표 20A, 20B 참조).

주제를 활용하기

교사는 교과서에서 하나의 중요한 주제를 뽑아 학생들과 그것에 대해 탐구를 한다. 예를 들면, 삼머세트 모음(Somerset Maugham)의 소설 「달과 6펜스」(*The Moon and Sixpence*)에서 주인공은 갑작스레 그의 아내, 아이들, 가정, 그리고 직업을 버리고 떠나게 된다. 학생들에게 그들 자신도 현재 처한 삶의 상황을 포기하기로 결심했다고 상상해 보게 한다. 과연 그들이 어떻게 할 것인가? 사전에 계획을 세울 것인가? 무엇을 준비할 것인가? 누군가에게 이야기할 것인가? 무슨 직업을 택할 것인가? 어디로 갈 것인가? 그들이 새로 건설하려고 하는 삶은 어떤 종류의 것인가?

교사는 학생들에게 그들이 남길 메모에 대해 쓰게 한다. 그들은 50단이가 넘지 않는 짧은 글을 쓸 시간 밖에 없나고 상상하고, 다시는 그들이 쓴 쪽지를 받을 사람을 볼 수가 없을 것이라는 것을 기억하도록 한다.

이것이 끝나면 교사는 그 쪽지를 모아 곧바로 상자에 넣고, 그 다음에는 각 학생이 자기 것이 아닌 하나를 가지게 한다. 교사는 학생들이 읽을 쪽지는 그들의 삶에서 가장 소중한 사람으로부터 온 것이라고 생각하도록 제안한다. 그들은 읽고 있는 것에 대해 어떻게 느끼는지를 분명히 해야 하고, 즉시 그들의 생각을 적어 두게 한다. 교사도 역시 그러한 쪽지를 하나 적고, 읽을 것을 하나 골라서 그들과 똑같이 참여해야 한다.

그 다음에는 학생들이 쪽지를 적어서 읽고 있을 동안 어떤 느낌이 들었는지에 대하여 말하게 하는 전반적인 토론을 한다.

그리고 나서 학생들에게 작품을 주어 집에서 첫번째 장을 읽기 시작하게 한다.

핵심 단어와 문장들

교사는 작품의 첫번째 장에서 소수의 핵심 단어들을 뽑는다. 학생들은 그룹이 되어 단어들을 연결하여 이야기가 가능하도록 각자가 아이디어를 개발하여 내놓는다. 각 그룹들이 단어를 연결시켜 나름대로 좋아하는 연결틀을 만들기로 결정하면 그것을 구두나 또는 글로 써서 만든다.

하나의 변형으로서 교사는 핵심적인 문장들을 작품에서 발췌한다. 이것은 상상력의 작동이 상당히 지속되도록 더욱 더 문맥에 맞는 틀을 만들게 한다.

이러한 핵심 단어들은 사키(Saki)의 '스레드니 바쉬타르'(Sredny Vashtar)를 활용한 예가 작품 실습의 장에 가서 나중에 나오며, 핵심적인 문장들을 활용한 경우는 사키의 '열려진 창문'(The Open Window)을 활용한 과제지 52로서 작품 실습의 장에 예시되어 있다.

핵심적인 발췌문들을 사용하는 방식은 하나의 이야기를 만드는데 사용되는 것 보다는 중심인물의 첫 인상이나 성격, 습관, 기타 사항을 형성하는데 기초자료를 제공하게 된다. 아래 과제지 1의 문장들은 페트리샤 하이스미스(Petricia Highsmith)의 「재능있는 리프례씨」(*The Talented Mr. Ripley*)에서 나왔고, 이 소설을 학생들이 읽기 전에 리프례씨에 관한 그들의 관심을 불러 일으키기 위해 사용되었다.

과제지 1

「재능있는 리프례씨」에 나오는 다음 발췌문을 공부하라. 이것은 이 작품의 주인공인 톰 리프례씨에 대해 무엇을 알게 하는가?

그의 권태는 다른 곳으로 작동하기 시작했다. 톰은 여러모로 감각이 있는 인물이었다... 이제 그는 그의 내면에서 무엇인가가 폭발하여 그를 문 밖으로 달려 나가게 만들기 전에, 자신이 그렇게 해야만 하는 것이라면 아마도 두 배의 시간이라도 광신자처럼 예절을 지킬 수 있었다.

이제 그린리프씨가 나타났다. 뭔가가 항상 나타났다. 그것이 톰의 철학이었다.

이제 그린리프씨를 실망시키지 않을 것이다. 그는 그에게 최선을 다할 것이다.

그가 하는 동작 하나 하나를 마치 다른 사람이 그렇게 하는 동작을 자기가 지켜보고 있는 것처럼 지켜 보면서 천천히 그는 상의를 벗고 넥타이를 푼다.

그가 불안하다, 비현실적이다라고 느낀 것은, 만약 누워 있었더라면 느꼈을 법도 했을 그런 것이지만, 어쨌던 그것은 오늘밤에 있었던 유일한 것이었다. 그러나 그것은 그가 사실이라고 말했던 실질적으로 유일한 것임에 틀림없었다: 즉 나의 부모님은 내가 아주 작은 꼬마였을 때 돌아가셨다. 나는 보스톤에서 숙모가 키웠다.

그린리프씨가 방에 들어왔다. 그의 모습은 고동치며 점점 더 커지는 것 같이 느껴졌다. 톰은 그에게서 갑작스레 공포와, 그리고 자신이 미처 공격당하기 전에 그를 먼저 공격하고 싶은 충동을 느끼면서 두 눈을 껌벅거렸다.

톰은 아파트를 뛰쳐 나가 버리고 싶었다. 그러면서도 여전히 유럽으로 가고 싶어졌고, 그린리프씨가 동의해 주기를 바랐다.

질문지 사용하기

학생들은 하나의 질문지를 받고 답을 써 넣어야 하고, 그 작품의 중심 주제가 야기하는 논쟁에 대해 그들의 태도를 결정해야만 한다. '화장실의 전쟁'(The war in the bathroom)에 해당하는 예가 있다(과제지 54를 보라).

이른바 '피라미드화 하기'(pyramiding) 기법이 때로는 이 질문조사에 유익하다. 다시 말하면 각 학생들은 자신의 대답을 다 쓰고 나서 자기의 짝과 서로 결과를 비교한다. 토론을 통해 그들은 같은 대답에 도달하도록 노력하고, 그 다음에는 다른 쌍이 만든 대답과 비교하며, 새로운 질문과 그 대답에 대해서도 이러한 과정이 계속된다.

교사의 청취활동

이것은 녹음시설을 쉽게 이용할 수 있는 교사를 위한 듣기 활동이다. 교사는 친구나 아니면 다른 원어민 화자와 함께 두 사람이 특정 작품에 관해 자신들의 반응을 토론하는 것을 녹음한다. 많은 다른 상황을 상상할 수 있다. 친구 두 사람이 그들이 읽은 소설이나 텔레비젼 제작물에 대해 토론하는 것, 두 사람이 극장을 나오면서 토론하는 것, 학급이나 학교 신문의 인터뷰 등. 상급 수준의 학급을 위해서는 상당히 자발적으로 대본 없이 즉흥적으로 하는 대화가 이상적이다. 그러나 이것은 가능하지 못할 때가 많으며, 어떤 경우에는 정말로 대본 없는 자료를 사용한다면, 그때에 수반되는 과업들을 고안해낼 때 많은 어려움이 발생한다.

아래에 주어진 예는 절충된 것인데, 학교신문 인터뷰라는 반공식적인 상황에서 대본이 짜여진 자료를 이용하여, 원어민 화자는 아니지만 유창한 영어 화자가 말하고 있다. 이것은 여러 나라 말이 사용되는 하상급수준의 학급에서 죠지 오웰(George Orwell)의 「동물농장」(*Animal Farm*)을 제시하기 위해 사용되었다.

학생들은 먼저 녹음한 것을 한번 듣는데 이 때는 노트하지 않는다. 그리고 나서 짝을 지워서 한명에게는 과제지 2A, 다른 학생에게는 과제지 2B를 준다. 그들이 기억하는 것을 자세히 적기 위해 몇 분의 시간을 주고 나서 다시 부분별로 녹음된 것을 듣게 하며, 각 휴지 시간마다 좀더 자세히 칸을 채울 수 있도록 몇 분의 시간을 더 준다. 그들이 녹음된 것을 다시 한번 더 듣기를 끝마쳤을 때 그 조는 두 사람이 함께 서로의 과제지들을 완성시키고 이웃 조와 답을 비교해 본다. 그런 후 전체적인 피드백으로 활동을 완성시킨다.

과제지 2A

칸(Karn)이 「동물농장」의 등장인물들에 관해 세븐(Seven)을 인터뷰하는 것을 들어라. 그리고 나서 아래의 빈칸에 될 수 있으면 자세하게 많이 적어라.

동물 종류	이 름	이 동물에 관해 아는 사항
1.		
2.		
3.		
4.		
5.		
6.		
7.		
8.		

과제지 2B

칸이 세븐을 인터뷰하는 것을 들어라. 그리고 나서 「동물농장」에서 무슨 일이 일어나는가에 대한 이야기를 말할 수 있도록 다음 문장들을 완성시켜라.

Once upon a time there were some animals that decided to revolt against their human masters. They were led by the cleverest animals ____________. They succeeded in taking over the farm and running it. Their first leader was ____________. He wanted ____________. But although he was clever and kind, he was not strong enough. A more powerful animal called ______________ managed to take his place as leader. He did this by ____________.. The animals were convinced by this new leader and followed him faithfully even though he behaved ___________. Boxer, the horse, worked especially hard. His motto was ___________. But when he got old and tired, ______________. The donkey, on the other hand was not all impressed by what the animals had achieved because he said that ___________.

교사 청취를 위한 대본

스웨덴의 의사인 세븐씨는 런던에 방문연구 중이다. 그가 머무르는 동안 어학실습 과정에서 영어를 공부하는 자기 친구의 아들을 방문한다. 학교에서 다른 학생이 죠지 오웰의 「동물농장」의 무대 각색을 보러온 세븐씨의 극장 방문에 대해 소감을 묻는 인터뷰를 한다.

칸 : 그 연극에 대해 어떻게 생각하세요?

세븐 : 정말 훌륭했어. 배우들이 정말 좋았고, 꼭 동물처럼 보였다. 암탉들은 머리를 정말 실감나게 홱홱 움직였고, 말들은 무대 전체를 발을 타가닥거리면서 달렸다. 고양이도 매우 훌륭했는데 깜직스레 조용히 도망치더구나.

칸 : 상당히 특별한 것 같군요. 그 외에도 다른 동물들은 어떠했습니까?

세븐 : 글쎄, 글을 읽을 줄 아는 염소 무리엘, 그리고 '네 다리 동물은 착하지만, 두 다리 동물은 나쁜 놈이야'라는 노래를 부르면서 모임을 방해하고, 듣는 것은 무턱대고 따라 하는 춤추는 몇 마리 양들. 오, 그래, 돼지들, 그들은 농장을 차지하고 반란을 일으켰어.

칸 : 정확하게 그 이야기는 무엇을 말하려고 하는 거죠? 모든 이야기가 상당히 종잡을 수 없군요.

세븐 : 음, 글쎄, 동물들이 그 농장을 차지했어. 그들의 처음 지도자인 스노우볼은 모든 동물이 평등하고 행복하기를 원했지. 그러나 오래가지 못했어. 더 힘센 돼지 나폴레옹이 잘 훈련된 개들을 이용하여 농장을 차지했어. 그는 착하지 않고 머리는 매우 좋았지. 그리고 다른 동물들을 속이고 이용했지. 박서라고 불리는 가엾은 말은 항상 나폴레옹이 옳다고 계속 반복하여 주장했지만 오히려 그는 그것 때문에 고통을 받았어.

칸 : 동물들이 나폴레옹을 거역하게 되었나요?

세븐 : 아, 그것에 대해서는 너의 친구들과 함께 극장에 들어가서 보아야만 좋을 것 같다. 그러면 아마 알게 될 이야기 같구나.

칸 : 좋아요. 질문 하나만 더 하죠. 그 이야기는 어떤 교훈이 있었어요? 나에게는 일종의 우화 같이 들리는 데요.

세븐 : 교훈이리고? 그렇지, 네가 만약 그것에 대해 깊이 생각한다면 많이 있을 것이라고 본다. 이 이야기 속의 늙은 당나귀가 '사물은 결코 변하지 않는다. 정말 결코 변하지 않는다'라고 말할 때 그것은 아마도 옳은 말인 것 같애.

칸 : 여기서 인터뷰를 마쳐야 할 것 같군요. 저와 이야기 해주셔서 감사합니다.

세븐 : 정말 즐거웠어. 학교잡지에 실리게 될 인터뷰 기사를 읽어보기를 기대하겠다.

전기(傳記) 몽타지 작성

일부 교사들은 작품 이해의 한 가지 방법으로 작품에 들어가기 전에 배경 지식을 활용하면서 작가에 관한 이야기를 소개하기를 선호한다. 이러한 방법을 사용한다면 활용할 수 있는 다양한 활동들이 있다. 그러한 것들은 책을 다 읽은 후에 후속 자료로서도 또한 유용하게 쓰일 수 있다.

전기 몽타지는 그와 같은 한 가지 활동이며 거기에는 다른 활동들이 뒤따른다. 교사는 사진, 물건, 지명 등과 같이 작가의 생애와 관련이 있는 것은 무엇이든지 수집한다(표 2 참조). 그런 후에 이렇게 수집한 자료들을 벽이나 게시판에 핀으로 고정시키거나 한 장의 큰 포스터 카드에 붙인다. 학급의 학생들은 몽타지에 있는 여러 항목들의 의미에 관해, 그룹별로 또는 학급 전체로서 생각해 보게 한다.

후속되는 작문 활동에는 다음과 같은 내용이 포함된다: 몽타지의 시각 매체를 활용하여 작가의 일기에서 빠진 내용을 재구성 하기, 각각의 항목에 부제나 짧은 문장을 쓰게 하여 몽타지를 그림이 삽입된 하나의 전기로 만들기, 중급반 수업의 경우 이러한 종류의 짧은 여러 문장들을 몽타지에 있는 각 항목들과 연결 지우기.

작가에 관해 스케치하기

교사는 작가의 다른 시기에 걸쳐 찍은 여러 가지의 생애를 나타내는 사진들을 학급에 제시하여 학생들이 직관에 의해 작가의 성격을 묘사하게 한다(사키의 사진들을 이용한 표 3의 예 참조). 그룹 단위로 이러한 활동을 수행한 후에 시간이 끝날 무렵 서로의 스케치를 비교하게 한다.

표 2

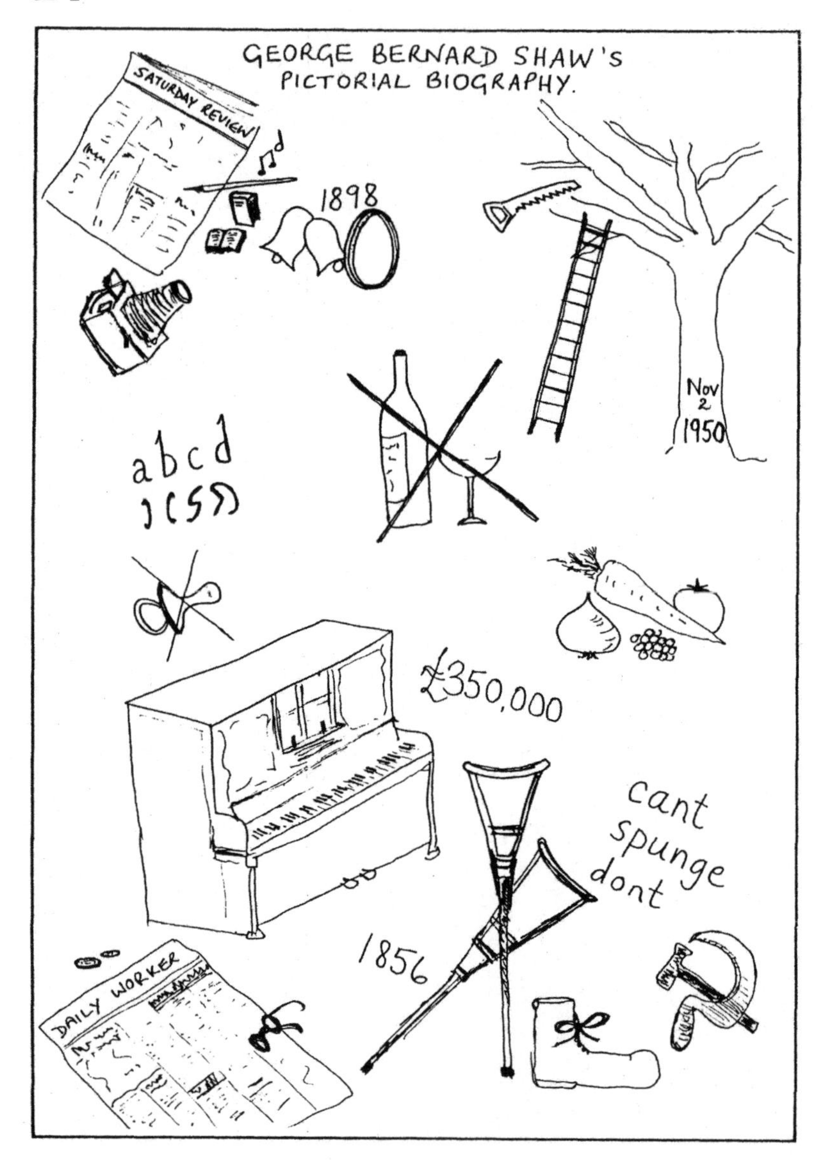
GEORGE BERNARD SHAW'S
PICTORIAL BIOGRAPHY.
SATURDAY REVIEW
1898
Nov
2
1950
abcd
£350,000
cant
spunge
dont
1856
DAILY WORKER

표 3

빠진 정보를 추측하여 채워 넣기

교사는 작가의 어떠한 정보를 일부는 제공하지만, 그의 생애와 관련된 몇몇 중요한 사실이나 측면들은 생략한다. 학급에서 학생들은 빠진 부분들－교육, 결혼생활, 정치적 신념에 관해 숙고한 후에 그룹 단위로 모여 추리한 내용을 다른 그룹과 비교한다.

이러한 활동은 작가에 관한 학생들의 호기심을 자극하여 더 많은 것을 알고 싶어 하도록 만들어 주는 것이 바람직하다. 과제지 3은 헥토르 휴 먼로(Hector Hugh Munro)의 생애에 관해서 작성한 것으로 이러한 활동 중의 한 가지 예이다. 특정의 작품을 읽은 후에 이와 비슷한 활동을 유용하게 이용할 수 있다.

과제지 3

H.H. 먼로에 관해 아래에 설명된 자세한 내용들의 공란을 채우시오.

H.H.Munro was born on 18 December, 1870 in Burma, where his father was an officer in the British military police. In 1872, the family went back to England where a tragedy occurred: ________________.

The father returned to Burma, and Hector and his brother and sister were brought up by their grandmother and two main aunts. Hector was a frail but rather mischievous child. When he was nine, something happened which disrupted his schooling: ______________.

He was sent to Bedford Grammar School but remained there only four terms. His education continued to be interrupted by ill health.

His first job was with ______________ in Burma. But he fell ill and had to return to England.

He worked as a _______________ from 1902 until 1909. During this time he was sent to the Balkan States, then to St. Petersburg. He then abandoned a regular salaried job to devote himself to ____________ in London. He was an extremely patriotic man and when war was declared in 1914 immediately enlisted as a trooper in the army.

There was one thing he never did in his life: ____________

The way he died in 1916 was: ____________

Answers: His mother was charged by a runaway cow in a field, and died. / He had severe brain fever. / the military police / foreign correspondent for a newspaper / writing fiction / get married / in battle.

전기(傳記)의 거짓 정보 찾아내기

교사는 작가의 생애에 관해 구두, 글로 쓴 텍스트, 슬라이드, 비디오 등을 통해 간단하면서 믿을 수 있게 소개한다. 그런 후에 네 명으로 구성된 그룹의 각 구성원에게 글로 쓴 하나의 문장을 주는데, 각 문장은 작가의 생애에 관해 구체적인 정보를 담고 있다. 그러나 네 개의 문장 중에서 하나는 틀린 정보이다. 교사는 각 그룹에게 네 개의 문장을 비교한 후에 틀린 문장을 선택하게 하고 틀린 이유를 제시하게 한다. 그러고 나면 교사는 틀린 것을 밝혀주고 집에서 할 과제물의 읽기 자료로서 전기적인 자세한 정보물들을 추가로 제공한다.

예를 들면, 학생들은 죠지 버나드 쇼(George Bernard Shaw)에 관한 전기적인 세부정보를 받는다: 1856년 출생/ 아버지는 제분업에 종사, 술고래였음/ 부모의 결혼 생활은 불행/ 어머니는 가족을 더블린에 남겨 두고 쇼의 두 여동생과 런던으로 이주/ 1876년 쇼가 합류함/ 토지 중개인 보조원, 도서 평론가, 음악 비평가 등의 다양한 직업에 종사/ 42세에 아일랜드 여성과 결혼/ 1925년 노벨문학상 수상/ 셰익스피어 보다 더 많은 희곡을 씀/ 1925년 하트 포트셔에서 죽음.

다음으로, 학생들에게 아래와 같은 부가적 내용을 주어서 생각해 보게 하고 틀린 것을 알아내게 한다.

1. 쇼는 350,000 파운더가 넘는 돈을 철자 개혁 운동에 제공한다는 유언장을 작성하였다.
2. 쇼는 파시즘 이념의 옹호자였다. (틀림)
3. 쇼에게는 자식이 없었다.
4. 쇼는 평생동안 술에 대해 절대 금주주의자였다.

원한다면, 교사는 일련의 전기적 사실들을 편집하여 '속임수 찾아내기 놀이'를 할 수도 있다. 학생들은 네 명으로 이루어진 그룹으로 편성되고, 각 그룹들에게 쇼의 생애에 관해 작성한 네 가지 사실들로 구성된 여러 세트의 서술문들이 제공된다. 각 세트에서 한 가지 사실은 틀린 것이다. 한 그룹의 각 구성원이 작가의 한 가지 '사실'을 큰 소리로 읽을 때 다른 그룹은 어느 것이 거짓인지를 추측한다. 중요한 것은 게임이 시작되기 전에 학생들은 작가에 관해 정보를 가지고 있어야 한다는 것이다. 그렇지 않을 때 추리는 전적으로 맹목적인 것이 되고 만다.

별모양 도표 작성하기

이 활동과 여기에 뒤따라 수행되는 활동들은 학생들이 작품을 읽기 시작할 때 활용될 수 있다.

만약 작품을 읽기 전의 예비활동으로 핵심 단어들의 일람표를 작성하여 사용하지 않았다면, 교사는 학생들에게 작품의 첫 절(節)에서 핵심 단어들을 발췌하게 한다. 학생들은 그룹별로 첫단락을 대충 훑어본 후에, 여러 표제들 밑에 열거될 단어나 표현들을 발췌하여 일람표를 작성한다: 색깔을 나타내는 단어, 분위기나 움직임을 가르키는 단어, 느낌을 표현하는 단어 등. 이러한 연습 활동의 목적은 부분적으로는 어휘 확장과 같은 언어학적인 것과, 그리고 부분적이지만 작가가 묘사나 주제를 나타내는 방법에 학생들을 민감하게 하고, 문학 작품의 구조를 이루는 어휘의 배열을 깨닫도록 만드는 것 등과 같은 문학적인 것이다. 이러한 활동의 실례는 아래와 같이 다섯 꼭지점을 가진 별모양의 도표를 활용하여 작성한 「파리 대왕」(표 4A, 4B 참조)에 대한 학습활동을 들 수 있다.

표 4A

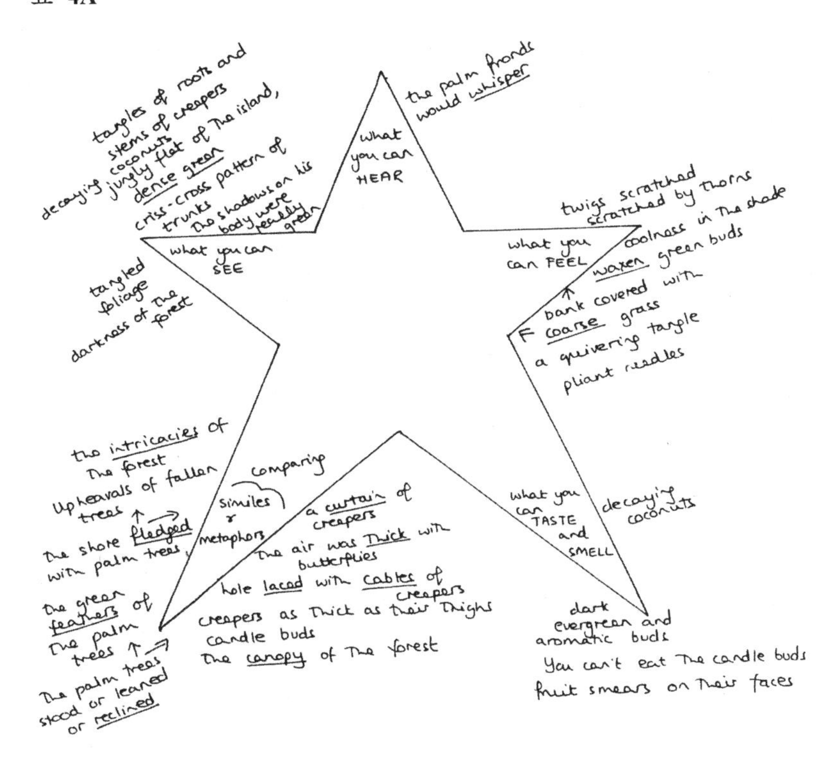

표 4B

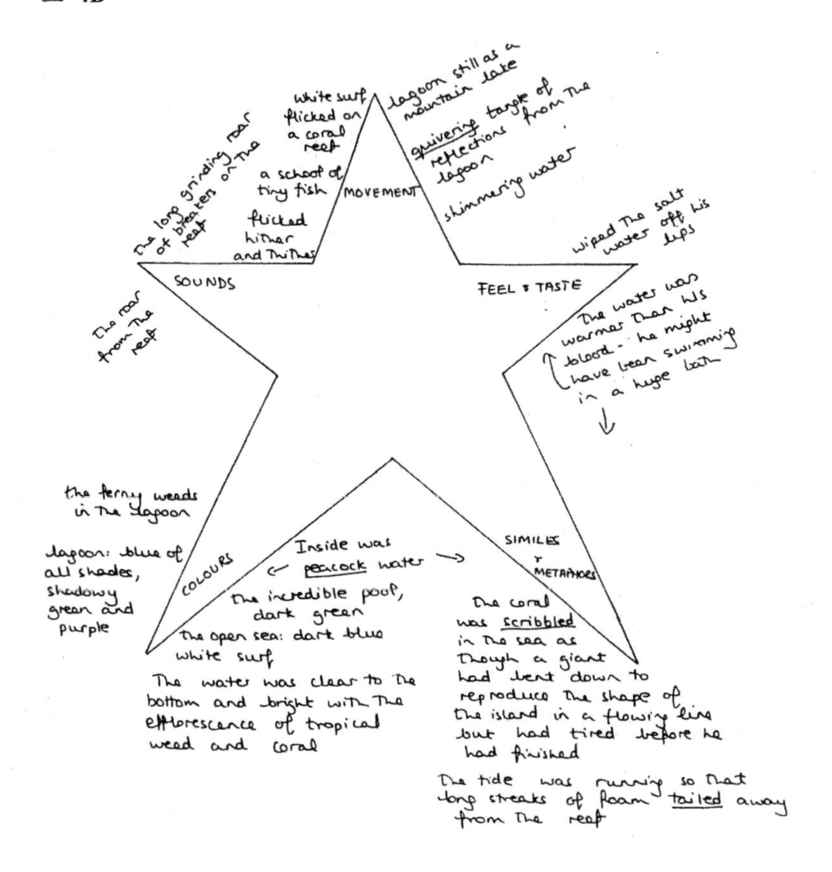

문장을 귀엣말로 전달하기

이 활동은 규모가 큰 학급에서 특히 적합하다. 한 학급을 4~5줄로 나눈다. 각 줄은 최소한 4명으로 한다. 교사는 읽어야 할 첫 문단을 4부분으로 쪼개어 그것들을 A줄에 첫 부분, B줄에 둘째 부분, C줄에 셋째 부분, D줄에 넷째 부분을 맡긴다.

각 줄의 맨 앞의 학생은 자기 부분을 읽는다. 그 학생은 그것을 기억하여 그 줄의 뒤에 앉아 있는 학생의 귀에다 한번 내지 두번만 낮은 소리로 말한다. 끝에 앉은 학생이 속삭인 말의 메시지를 전해 받을 때까지 비슷하게 그것을 뒷 사람에게 계속 전한다. 그리고 나서 맨 뒤에 앉은 각 줄의 학생들이 A줄에서 시작하여 연속적으로 순서있는 문장이 되게 다시 말한다. 곧바로 교사는 각 줄의 맨 앞 학생에게 연달아서 그들의 문장을 읽게 한다. 이해한 문장들 사이의 차이점을 토론하고 나서 지금까지 수집된 정보로부터 다음에 무엇이 일어나겠는가를 예측하거나 제목을 무엇으로 하면 좋을지 토론하게 한다.

학생들은 일반적으로 이러한 활동이 재미있는 활동이라고 알게 된다. 다시말해 이 활동의 목표는 그들로 하여금 단지 빠르고 무리없이 그 이야기 속으로 빠져 들어가게 하는 것이다. 로날드 달(Ronald Dahl)의 「당신과 같은 어떤 사람」에 나오는 '소리 기계' 이야기는 이러한 기교로서 잘 이루어질 것이다.

이 작품의 첫 문단은 아래와 같은 방법으로 네 부분으로 나눌 수 있다.

A줄에 할애된 부분:

온화한 여름 저녁이었다. 크라우스너씨는 재빠르게 앞문을 걸어 나와 집 옆의 모퉁이를 돌다가 뒤켠에 있는 정원으로 걸어 들어갔다.

B줄에 할애된 부분:

그는 정원을 내려가 마침내 목재 창고까지 가서 문을 열고 안으로 들어가서 문을 잠갔다.

C줄에 할애된 부분:

창고 안에는 페인트를 칠하지 않은 방이 있었다. 좌측 벽에 기대어 있는 나무로 된 길다란 작업대가 하나 있었다.

D줄에 할애된 부분:

작업대 위에는 철사, 전지, 그리고 작고 예리한 기구들이 너절하게 흩어져 있고, 그 속에는 약 3피트 크기의 검은 상자 하나가 놓여 있었다.

순서 끼워 맞추기

순서끼워 맞추기는 특히 희곡 작품을 시작하는데 적합한 활동이다. 이것은 일반적으로 강세와 억양의 패턴을 음운학적으로 연습하는데 유용하게 쓰일 뿐만 아니라 학생들의 호기심을 불러 일으킨다. 교사는 교실 앞에 6개의 의자를 놓고 자진해서 6명의 학생이 나와서 앉게 한다. 각자는 작품을 시작할 때부터 1회권이라고 타이프로 쳐진 한 장의 카드를 받게 된다. 이 카드는 순서대로 되어있지 않다. 각 학생은 차례대로 카드를 학급의 학생들에게 크게 소리내어 읽는다. 그런 후에 그 반의 학생들은 여섯 개의 의자에 앉은 낭독자들을 올바른 순서로 배열시켜 한쪽 끝에서 시작하여 작품을 시작하는데 의미가 통하고 제대로 일치하는 순서에 따라 대사를 읽는다. 이것이 만족스럽게 행하여 졌을 때 교사는 학생들에게 무슨 일이 일어나고 있는지 상황을 묻고 이 희곡이 앞으로 어떻게 발전해 나가겠는지에 대해 예측을 해보라고 말한다. 그러고 나면 6명의 새 지원자에 의해 다음 6줄의 희곡 대사를 되풀이하는 과정이 이어진다.

우리는 이러한 기술을 레더몬드와 테니슨이 공동으로 편집한 「현대 단막극 작품」(*Contemporary One-Act Plays*)에 실린 해롤드 핀터(Harold Pinter)의 토막극인 '지원자'를 상연하는데 매우 성공적으로 이용했다. 6명의 학생은 작게 자른 가늘고 긴 종이 쪽지를 각각 받는데, 거기에는 아래와 같이 타자가 쳐져 있다.

1. I am, actually. Yes.
2. Ah, good morning.
3. Yes, You're applying for this vacant post, aren't you?
4. Are you Mr. Lamb?
5. Oh, good morning, miss.
6. That's right.

교사는 학급의 나머지 학생들이 바른 순서를 찾도록 한다. 걸상에 앉아 있는 학생들을 순서대로 다시 섞도록 지시를 내리는 선생님의 말은 학생들을 도와주기 위해 그들에게 필요하다. 예를 들면, '두 자리를 올라가라, 카리.' '쥬안, 마리아와 자리를 바꾸어라.' '아네트, 일어서서 잠깐 기다려라.' '청, 세번째 의자에 앉아라.' '바시리키, 너의 부분을 다시 읽어라.' 등.

학생들이 바른 순서가 되어 만족할 때 교사는 6명이 모두 다 가지고 있는 쪽지를 다시 연속하여 읽게 한다. (이 경우 바른 순서는 2, 5, 4, 6, 3, 1). 그리고 나서 교사는 다음과 같이 학생들에게 질문한다: 이 희곡에 나오는 인물은 몇 명인가? 그들은 누구인가? 남자인가, 여자인가? 그들은 무엇을 하고 있는가? 그들은 어디에 있는가?

대부분의 학급에서 학생들은 그 장면이 취직 면접 장면으로 만들어져 있다는 것을 추측하게 될 것이다. 그 다음에 교사는 두 등장인물이 각각 어떻게 느끼고 있는지를 학생들에게 제시하라고 말한다. 이전에 어떤 면접시험을 본 경험이 있는 학생이 있느냐? 느낌은 어떠했느냐? 신경이 예민하였느냐? 즐거웠느냐? 기대에 부풀었느냐? 등.

이처럼 작품의 장면을 조정한 교사는 또다른 5명 이상의 학생을 앞으로 나오게 하여 동일한 방법으로 이 작품의 다음 일부분을 하게 한다. 이 경우 정확한 순서는 다음과 같다.

1. 당신은 물리학자이지요?
2. 아, 정말 그래요. 그게 내 인생 전부요.
3. 좋아, 이제 우리의 절차는 지원자의 자격을 토의하기 전에, 심리적 적합성을 결정하기 위해 간단한 시험을 받게 하고 싶어요. 반대하지 않겠습니까?
4. 아, 이거 야단났네, 반대하지 않습니다.
5. 정말 좋습니다.

만족스러운 순서대로 되면 교사는 학생들에게 인물들에 관해 알아낸 새로운 정보가 무엇인가를 묻는다. 어떤 종류의 시험이 제공될 것 같이 생각되느냐? 응시자는 어떻게 반응할까? 취직 면접시험에서 이것은 좋은 아이디어라고 생각하느냐?

그리고 나서 학급은 다음의 활동에서 설명되는 역할놀이로 나아갈 수 있으며, 그 작품을 읽을 수도 있다. 만약 그 학급이 순서 맞추기 활동을 좋아한다면 세번까지도 되풀이 할 수 있다. 왜냐하면 이 작품의 다음 부분은 분명히 기괴한 것으로 시작될 것 같기 때문이다.

1. 좀 앉으세요. 당신의 손바닥에 이것들을 맞는지 맞추어 볼 수 있을까요?
2. 그게 무엇입니까?
3. 전극들입니다.
4. 오, 그렇군요. 역시 자그마하게 생긴 재미있는 물건들이군요.
5. 이제는 수화기들입니다.
6. 정말 재미있습니다.
7. 이제 전기 프라그를 꽂습니다.

학생들은 다시 한번 어떤 종류의 면접시험이 추가될까를 생각해보게 한다. 그들은 일반적으로 이러한 관점에서 그 면접시험을 예측해 보기 때문에 그 면접의 역할놀이를 기꺼이 실행할 만큼 충분한 호기심을 가지게 된다. 그러고 나면 그들은 자신의 기대와 일치하지 않는 이러한 토막극의 나머지 부분을 읽을 때 놀라워하고 또한 즐거워한다.

예상되는 상황을 고르기

교사는 작품의 첫 절을 다 읽고 난 학생들에게 이야기가 전개될 수 있는 연결형태의 가능한 범위를 연구하게 한다. 그리고 나서 학생들은 저자가 사용했을 것이라고 추측되는 하나를 고른다. 예상되는 형태의 목록을 적합한 형태라고 생각되는 순서대로 배열한다. 여러 그룹에서 선택한 형태들이 상호간에 비교되고 정당화되게 한다.

버나드 말러머드(Bernard Malamud)의 단편 '모델'(「단편선집」(*Selected*

Stories)에 게재)은 이러한 활동을 위해 좋은 작품이 된다. 이 작품은 아마추어 화가인 한 늙은 사나이에 대한 이야기다. 그는 정각에 자기집에 도착하는 여자 모델을 고용하여 그가 그림을 그릴 동안 포즈를 취하게 한다. 갑자기 그 모델은 일어나 그 남자에게 간다. 학생들은 무슨 일이 일어날 것인가에 대해 아래와 같은 예상형태들을 받는다.

1. 모델은 사나이의 어깨에 기대어 울며 그녀의 어머니 수술비가 필요하다고 말한다. 남자는 그녀의 어머니를 알고 있다.
2. 모델은 실제로는 화가이다. 남자는 진짜 화가가 아니고 단순히 성적 행위를 엿보면서 즐기는 관음증 환자이다. 그녀는 그 남자를 모델이 되게 해놓고 그녀가 그림을 그리는 동안 그로 하여금 포즈를 취하게 함으로써 벌을 준다.
3. 그녀는 어렸을 때, 잔인하게 고통을 주었던 그녀의 아저씨를 닮았기 때문에 한 늙은 사나이를 살인하여 경찰의 지명수배를 받고 있다고 고백한다.
4. 모델은 그 남자의 그림을 움켜쥐고 찢어버린다. 그녀는 그 남자에게 여자들을 악용하는 것을 비난하고 보상할 것을 요구한다. 그 남자가 협조하기를 거절하자, 그녀는 여권주의자인 그녀의 친구들에게 전화를 걸어 그 사나이의 집으로 불러들인다.

타임 캡슐을 이용하기

모든 학생들이 함께 작품의 첫 장을 읽었다고 가정할 때, 타임 캡슐을 이용하는 것은 그러한 독서를 뒤따라 행하는 또다른 학습활동이 된다. 각 학생은 이야기가 전개되어 감에 따라 일어날 것 같은 사건들에 대한 그들의 예견을 기록할 조그만 카드를 받는다. 교사는 필요하다면 슬쩍 자극을 줄 수 있고, 학생은 생각할 수 있는 최대한의 많은 가능성을 검토하는 아이디어 개발 시간을 거친 다음에 개인적인 작문을 한다. 그리고 나서 카드가 수집되고 타임 캡슐 봉투에 넣어 봉해지며 봉투에는 이 작품을 끝마칠 때까지 카드들을 계속 담아 놓는다. 여기에 뒤따르는 활동은 제6장의 결론부에 설명되어 있다.

여러 작품들의 시작 부분을 비교하기

교사는 시작 부분이 상당히 비슷한 장편소설이나 단편소설들로부터 셋 또는 네개 정도의 첫 단락을 뽑아 가지고 학생들에게 차이점을 말하게 한다. 이것은 특히 중심인물이 첫 단락에 묘사된 소설에서 효과적이다. 앞으로의 작품 전개를 예상할 수 있는 기초로서 작용하게 될, 바둑판 모양으로 선을 그어 주인공의 신체적, 심리적인 특성을 보여 주도록 만든 도표의 빈칸을 완성하게 할 수 있다. 이러한 연습은 학생들이 저자의 산문 문체의 특별한 특징들을 더 잘 의식하게 하고, 학생들 자신이 영어로 써보는 글의 묘사력을 촉진시키는 데 사용될 수 있다. 아래에 제시한 첫째 부분에 제시된 예는 20세기 소설에서 뽑은 아주 짤막하지만 생생한 묘사가 나타나고 있는 첫 단락들이다. 둘째 부분에 제시된 예는 좀더 길이가 긴 19세기 장편소설들의 시작되는 단락의 묘사들이다. 중심인물이 제시되어 있는 세 편의 20세기 소설의 시작 단락이 아래에 있다:

1. 나는 1927년에 태어났다. 둘다 중산 계급의 영국인이었던 부모님의 외아들이었고, 부모님은 괴상하게도 길게 늘어진 어두운 시대, 즉 저 괴물스러운 난장이인 빅토리아 여왕 시대에 태어났으며, 그들은 결코 역사 위로 충분히 솟아 오르지 못하여 그러한 시대를 떠나지 못한 사람이었다. 나는 사립학교를 다녔고, 군복무로 2년간을 허비했고 그리고는 옥스포드로 갔다. 거기서 나는 내가 되길 원했던 사람이 아니라는 것을 알기 시작했다. (죤 파울즈(John Fowles), 「맥거스」(*The Magus*))

2. 카슬은 30여년 전에 어린 신입사원으로 그 회사에 들어간 이래로 늘 자기 사무실에서 멀지 않은 곳에 있는 세인트 제임스 거리 뒤에 있는 선술집에서 점심을 먹었다. 만약 그가 왜 거기서 점심을 먹느냐에 대한 질문

을 받았더라면 그는 그 맛있는 소시지의 질에 대해 말했을 것이다; 그는 와트니 선술집과는 다른 쓴 맛을 더 좋아했을 것이지만 소시지의 질은 와트니 선술집의 질을 능가했다. 그는 항상 그 자신의 행동을 설명할 준비가 되어 있었다. 비록 아주 순진하지만 철저하게 항상 정각에 나타났다. (그라함 그린(Graham Greene), 「인간의 요소」(*The Human Factor*))

3. 프레디 해밀턴은 때때로 그의 안주인에게 감사의 편지를 쓰는 대신에 자신의 고마운 마음을 표현하기 위해 일련의 정형시들을 썼다. 예를 들면 이런 시들이다: 론도 리더불(rondeaux redoubles: 두 개의 운을 밟는 13행 또는 10행의 짧은 정형시), 빌라네레스(villanelles: 19행 2운 시체), 론델스(rondeles: 14행의 짧은 정형시), 시칠리아 옥타비스(sicilian octaves: 시칠리아 방언의 8행 聯句)(괄호 안의 설명은 모두 역자 주). 그가 이와 같이 하는 것은 그의 겸손한 성격의 일부였다. 그는 거주하고 있는 동안에 자신이 그의 주인에게 지금까지 지루하게 하는 사람이었을 것이고, 그래서 인생에서 남을 즐겁게 해주는 것이 자신의 의무였다고 느꼈다. 그는 그 당시보다는 그 후로 명랑한 이야기가 시작될 때면 국과 물고기 요리 사이에 어떤 요리가 있는지 한마디 말도 하지 못한 것이 그의 양심에 예리하게 느껴졌다. 칵테일 파티 시간을 회고하면 미소만 지었을 뿐 아무것도 해준 것이 없었을 때, 사실 그 때문에 유명하게 되었지만, 자신이 과오를 저지른 것이라고 느꼈다. (뮤리엘 스파크(Muriel Spark), 「만델바움 게이트」(*The Mandelbaum Gate*))

다음은 세 편의 19세기 소설에서 선택한 유사성이 있는 첫 단락들이다:

1. 리찌 그레이스토크 양이 자신의 일을 잘 해 나갔다는 것은 그녀의 모든 친구들에 의해서만 아니라 그녀의 적들에 의해서도 인정받았다. 적들은 사실 두 집단 중에서 더 수가 많았고 활동적이었다. 우리는 리찌 그레이스토크 양의 이야기를 처음부터 할 것이다. 그러나 길게 자세히

얘기하지는 않을 것이다. 만약 우리가 그녀를 사랑한다면 그렇게 할 수도 있겠지만.

그녀는 노장인 그레이스토크 장군의 외딸이었다. 그레이스토크 장군은 그의 인생 후반기에 딸이 있음으로 해서 아주 곤혹을 당했던 장군이었다. 장군은 우리가 아마 일반적으로 악이라고 말할 수 있을 카드놀이와 술을 좋아했던 사람이었다. 매일 매일의 일상적인 삶을 인생의 끝까지 밀고 나가는 것이 그의 야망이었다. 사람들은 그가 성공했다고 말한다. 그 성공에는 카드놀이와 술과 악이 있었으며, 심지어 그가 죽어가는 임종의 침대 곁에도 있었다. 그에게는 특별한 재산은 전혀 없었으나 그의 딸은 아직 아이에 지나지 않았을 때에도 손가락에 보석으로 온통 치장하고, 목 주위에는 붉은 보석들을 걸고, 두 귀에는 노란 보석들을 매달고, 검은 머리에는 흰 보석들을 반짝거리면서 곳곳을 돌아다녔다. 그녀의 아버지가 돌아가셨을 당시 그녀는 아직 19살이 되지 않았다. 그녀는 잔소리가 심한 끔찍한 늙은 숙모 린리드고우로부터 집을 인수받았다. 만약 도시에 집을 소유하고 있는 친구나 친척이 있었더라면, 리찌양은 더 빨리 그러한 친구나 친척에게 갔을지도 모른다. (안토니 트롤로페(Anthony Trollope), 「유스타스 다이아몬드들」(*The Eustace Diamonds*))

2. 마가렛은 부드럽게 '에디스', '에디스' 하고 불렀다. 그러나 그녀가 반쯤 의심스러워 했을 때 에디스는 이미 잠이 들어 버렸다. 에디스는 하레이 거리의 뒷편 응접실 소파에 꼬부라진 채 누워 있었다. 흰 모슬린 천을 입고 푸른 리본을 단 그녀의 모습은 아주 사랑스럽게 보였다. 만약 티타니아가 흰 모슬린 천을 입고 푸른 리본을 그렇게 달고 뒷편 응접실에서 분홍색의 섬세한 무늬가 있는 소파에서 잠에 곤히 빠져 있었더라면 에디스는 티타니아로 오인받았을 수 있었을 것이다. 마가렛은 그녀의 사촌의 아름다움에 새삼 감동했다. 그들은 유년시절부터 함께 자랐고, 에디스는 마가렛을 제외한 모든 사람들로부터 그녀의 아름다움 때문에 줄곧 주목을 받았다. 그러나 마가렛은 그녀의 그러한 미에 대해 결코 생각해 본 적이 없었지만, 몇일이 지나서 그녀의 동료인 에디스를 잃게 될 것이라는 예감이 들고서야 비로소 에디스가 지닌 모든 향기로운 성질과 매력

을 강하게 느끼는 것이었다. 그들은 웨딩 드레스, 결혼식, 레녹스 선장, 그의 부대가 거주하고 있는 코르푸 지역에서 살아갈 미래의 그녀의 삶에 대해 선장이 그녀에게 했던 말 등에 관해 이야기해 오고 있었다. 뿐만 아니라 좋은 화음으로 피아노를 연주하는 것의 어려움, 즉 그녀의 결혼 생활에서 닥쳐올 가장 두려운 일들 중의 하나로 여겨졌던 어려움, 그녀의 결혼식에 이어 곧바로 있게 될 스코틀란드의 여러 지역의 방문시에 무슨 가운을 입을 것인가에 대한 기대감에 넘치는 이야기를 했다. 그러나 그렇게 속삭이는 소리는 뒤에 가자 점점 더 졸음 섞인 말이 되고 말았다. 마가렛은 몇 분간을 멈춘 후에야 그녀가 환상을 하고 있으며, 에디스가 부드러운 둥근 모양의 모슬린 옷과 리본과 실크 빛의 곱슬머리에 엉켜진 채 옆방에서 얘기하는 웅성거리는 소리가 들렸지만, 식사 후의 오수처럼 아주 평화스러운 낮잠 속으로 빠져 들어간 것을 알았다. (엘리자베드 가스켈(Elizabeth Gaskell), 「남과 북」(*North and South*))

3. 나의 대모(代母)는 깨끗하고 고통스러운 도시인 브레톤의 멋진 집에서 살았다. 그녀 남편의 가문은 이미 여러 세기 동안을 그 집에서 살아왔고, 사실상 그들이 탄생한 지명의 이름인 브레들 오브 브레톤(Bretton of Bretton)을 지니고 있었다. 그렇게 된 것은 어떤 오랜 조상이 그의 이름을 이웃에게 남길만큼 유명한 저명인사였기 때문인지, 또는 우연의 일치이었는지 나는 알지 못한다. 내가 소녀이었을 때 나는 브레톤에 일년에 두번 갔으며, 그리고 거기에 가는 것을 좋아했다. 그 집과 그 집에 사는 사람들은 특별히 나와 마음이 잘 맞았다. 크고 평화스러운 방들, 잘 정돈된 가구, 깨끗하고 넓은 창문들, 아주 고풍스러운 거리가 잘 내려다 보이는 바깥의 발코니, 그 곳에는 항상 일요일과 공휴일만이 지속되는 것 같은 느낌이 들었다. 분위기는 너무 조용했으며, 포장도로는 아주 깨끗했다. 그래서 이러한 것들이 나를 정말 기쁘게 했다. (샤로테 브론테(Charlotte Bronte), 「빌레테」(*Villette*))

다음에 무엇이 일어날까?

이 활동은 역할놀이의 형태를 취할 수 있다. 그룹별로 학생들은 이야기가 계속해서 이어질 수 있는 가능한 형태들을 토론한다. 그런 다음에 그것들을 즉석에서 대사를 만들어 연기를 시키거나, 아니면 준비를 시킨 후에 대사를 쓰게 하고 연기하게 한다. 이것이 앞에서 설명한 '순서대로 세우기' 활동을 위한 이상적인 후속활동이며, 거기서 예를 든 것과 똑같은 단편 극작품 '지원자'를 연기하는데 적당하다.

이러한 활동을 위해 할 수 있는 다른 대안은 예측 작문이다. 학생들이 작품의 첫번째 절을 읽거나 (혹은 들은 뒤에), 교사는 학생들에게 첫 문단의 상황으로부터 뒤따르게 될 이야기/ 대화/ 편지/ 메모/ 전보 등을 쓰게 한다. 영어 실력이 덜 능숙한 학생들을 위해서는 그러한 쓰기 활동은 제시된 양식을 채워 넣거나 바로 위에 예시한 작문 형태들 중의 하나에 빈칸을 완성하는 것과 같은 좀더 단순한 어떤 것을 포함시켜야 한다.

프리쳇(V. S. Pritchett)의 「단편 선집」(*Collected Stories*)에 실린 '어느 가정의 남자'(A family man)는 여기서 이 기법의 실례로 유용하게 사용될 수 있다. 이 단편의 첫번째 절은 독자에게 브레니스가 유부남인 윌리암 코크씨와 연애 중인 대학 강사라는 것을 알려 준다. 문을 두드리는 노크 소리는 몸집이 큰 여자의 예기치 않는 도착을 알린다. 그 여자는 코크씨의 부인이다.

교사는 학생들에게 숙제로 하든지, 혹은 짝을 지어서 두 여인 중의 한 사람의 역할을 맡아 하든지 간에 잇따라 일어나는 대화를 글로 쓰게 한다. 대화가 만들어지기 전에 교사는 학급의 학생들과 함께 그 대화의 가능하다고 생각되는 형식, 정중함의 정도, 코크씨 부인이 이 연애 사건에 대해 아는지 등에 대해 깊이 추측하여 생각해 본다.

이러한 활동의 목적은 학생들이 앞으로 이야기에서 일어나게 될 글의 전개를 스스로 읽어보고 싶어 하게 만드는 것이다. 이와 같은 자그마한 글짓기가 취하는 형식은 전적으로 그 작품에 의존한다. H. G. 웰즈의 단편 '기적을 행할 수 있었던 남자'(「단편 선집」(*Selected Short Stories*)에 게재)를 예로서 들면, 이전에 기적을 믿지 않았던 남자가 그 스스로 여러

기적을 행함으로써 갑자기 자기 자신도 놀랄 뿐만 아니라 여인숙에 있던 그 밖의 다른 사람들을 놀라게 한다. 이 작품의 첫 절에 이어질 수 있는 적절한 글짓기 과제는 경찰이 그 여인숙의 주점에서 일어난 이상한 사건들에 관해 작성하는 보고서 형태일 것이다.

제로 章(Chapter 0) 써 보기

교사는 학생들에게 그들이 금방 보았던 작품에서 시작되는 장의 첫 절 바로 앞에 올 단락들을 쓰게 한다. 이것은 상상의 장을 가정하여 그러한 장의 마지막 몇 단락들을 위해 각자가 개인적으로 글짓기를 해보도록 유도하는 것이다.

길잡이 질문들

교사는 전체로서의 작품에 대해 중심적인 측면들의 길잡이가 되는 이해력 측정 문제들을 고안해 내기 위해 그 작품에서 제일 첫번째로 중요한 문단을 배경, 인물, 혹은 특정 주제들의 측면에서 검토한다. 이것의 목적은 학생들이 작품을 읽어 나감에 따라 이러한 측면들에 주의를 기울이도록 장려하기 위해서이다.

편집자로서 제안하기

이것은 학급을 몇 개의 그룹으로 나누어서 실행하는 모의실습이다. 각 그룹은 출판사의 편집위원이 되는 것이다. 학생들은 방금 읽었던 작품의 첫 문단을 저자가 보내준 초고라고 생각한다. 위원들이 할 과제는 작가를 위한 여러 가지 제안(문체, 플롯, 전개, 성격 묘사 등에 관한 것)을 작성하는 것이다. 좀더 상급 수준의 학생에게는 편집자가 보내는 편지를 써 보게 할 수도 있다. 그리고 중급 수준의 학생들을 위해서는 이 출판사가 통상적으로 모든 작가에게 보내는 컴퓨터로 작성된 목록에다 써 넣은 적절한 견해들을 대조하여 보게 할 수 있다.

가능할 수 있는 두번째 단계는 학생들에게 새로운 그룹들을 만들게 한다. 이 그룹들은 지금부터 작성한 다양한 편집상의 제안들과 작가에게 보낸 편지들을 심의하고 최선의 것을 선택하는 이 위원회를 대표한다.

연극 상연을 위한 희곡의 경우, 학생들은 다음 차례에 상연할 작품을 선정하는 책임을 맡은 국립 레퍼토리 연극 회사를 위한 선정 위원단이 된다.

제 4 장 학습동력을 유지하는 활동

이 장과 다음 장에 설명된 활동들은 한 문학작품의 거의 어떠한 지점에서도 똑같이 사용될 수 있으며, 다양한 장르에 적용될 수 있다. 만약 선택한 문학작품이 길이가 아주 길지 않은 것이라면 (단편소설, 단막극, 짧은 시), 일반적으로 교사는 학생들이 작품을 이해하고 즐기고 감상할 수 있도록 도와주기 위해 앞에서 개관한 활동들 가운데서 세심하게 선택한 한 가지 활동으로 그 작품을 제시할 수 있다.

그러나 보다 더 긴 희곡, 소설, 또는 심지어 보다 더 긴 단편소설 등을 위한 것이라면 교사는 작품을 몇 부분으로 나누어서 어떤 특정의 방식으로 진행해 나가야 할 것이다. 바로 이러한 상황에서 교실활동과 집에서의 읽기 과제를 혼합한 활동이 가장 유용하게 사용될 수 있다. 이러한 활동은 교실에다 다양성을 끌고 오고, 학습의 동력을 유지시킬 것이며, 학생들의 반응을 인간적인 것으로 만들어 줄 것이다. 또한 다독식 독서 습관을 조장해 주기 쉽다. 때때로 장편작품들을 처음부터 끝까지 수업에서 읽는 경우가 있지만 이것은 그렇게 만족스러운 절차가 아니다. 그러한 활동은 읽기 자체를 제외한 어떠한 활동에도 전혀 시간을 남겨주지 않으며, 아마도 거기에는 교사가 진행하는 빠른 속도의 논평이나 해설이 수반될 것이다. 더구나 꼼꼼하게 짚어가는 교수 방식이 학급의 각 학생에게 행하여지면, 그것은 결과적으로 그룹과 개인의 반응 사이에 생산적인 긴장을 만들어 내는 것을 저해한다.

그런데 만약 가정학습과 교실학습의 결합을 채택한다고 가정한다면, 문학작품의 수업이 시작되자 곧바로 전체적인 영역에 걸친 가능성들이 교사에게 펼쳐진다. 교사는 자기 자신에게 다음과 같은 질문을 해야 한다:

"한 가지 또는 몇 가지의 언어 기술들을 개발하는데 있어 이 문학작품은 어떤 영역을 제공하는가?"

소설이나 단편소설 또는 희곡은 제각기 풍부한 활동들을 불붙일 수 있다. 한 권의 문학작품에 기초를 둔 과업과 연습문제들은 읽기 기술을 향상시킬 뿐만 아니라 듣기, 말하기, 쓰기에 있어 실습활동을 제공할 수 있다. 요즘 모든 종류의 문학작품들이 구어형태로 카셋트에 녹음되어 점점 더 많이 이용되어지고 있다. 이것들은 폭넓은 듣기 연습을 제공하는데 특별히 유용하다. 작품이 녹음된 테이프로부터 듣는 등장인물들의 적나라하게 떠드는 소리들은 글을 녹음시킨 다른 형태들보다 더 오래 지속될 수 있다. 왜냐하면 일단 작품을 시작하면 학생들은 문맥에 친숙하게 되고, 그리고 듣고 있는 것에 대해 하나의 전체적인 틀에 짜여진 기대들을 지니기 때문이다. 이러한 것들은 외국어로 이해하는 것에 도움이 될 수 있는 조건이다. 이와 마찬가지로 학생들이 함께 배우는 한 권의 작품은 그물망처럼 조직된 친숙한 어휘를 제공하는데, 그것은 최소한의 새로운 단어와 표현들을 사전에 미리 가르치면 말하기나 쓰기 활동을 위해 사용될 수 있다는 것을 의미한다.

"작품의 어떤 부분이 수업 중에 다루어져야 하며, 어떤 부분이 집에서 다루어져야 하는가?"

이러한 문제에 있어 물론 교사는 그 학급의 영어능력, 흥미, 동기 등에 의해 그 방향을 이끌어갈 것이다. 어떤 활동들은 어휘를 미리 가르치는데 더 많은 지원을 할 필요가 있고, 어떤 활동들은 학생들로부터 보다 더 수준 높은 창조력이나 상상력을 요구한다. 그 작품이나 그 안에 있는 어떤 특별한 문장의 어려움은 학생들이 집에서 편안하게 읽을 수 있는 단원의 길이를 정하는 데 영향을 줄 것이다. 이와 똑같은 접근 방식이 모든 수업에서 사용되거나 추천되어질 수는 없다. 그러나 일반적인 규칙으로서 플롯상의 전환점이나 성격 묘사의 진전을 더욱 촉진시키는 장면과 같은 그 작품의 하이라이트가 되는 부분들을 중심으로 수업활동을 계획하는 것이 가장 좋다.

"한정된 수업시간에 어떻게 최선의 방법이 사용될 수 있는가?"

수업의 시간표를 짜는데 있어 교사는 수업시간 안에 일어날지도 모르는 다음과 같은 네 가지 측면을 고려하기를 원할 것이다.

1) 집에서 해온 읽기 활동의 후속작업 만들기

학생들이 자신의 학습을 돕기 위해 사용하고 있는 몇 가지의 과제지들은 수업에서의 점검과 피드백을 하도록 이끌어줄 것이다. 수업의 첫 몇 분은 집에서 읽은 부분이 정말로 이해되었는지를 확실히 하기 위해, 또는 답을 고치거나 비교하기 위해, 그리고 제기된 논쟁거리에 대해 토의를 장려하기 위해, 그 과제지를 빨리 점검하는데 쓰일 수 있다. 이것은 학생들이 여러 가지 어려움을 극복하거나 다른 학생들이 그 작품에 대해 어떻게 응답했는지를 알아내기 위해 그들이 가진 자원들을 투자하게 하는 방법이다.

2) 눈덩이 불리기식의 활동을 계속하기

명심해야 할 점은 우리가 제안하고 있는 이 방법이 학생의 관점에서 보아 단편적인 일련의 작은 경험들을 보충할 수 있다는 것이다. 그러므로 교사는 학생들이 지금까지 읽은 모든 부분들에 대해 개요를 지니도록 도울 수 있는 어떤 방법을 계획하는 것이 아주 중요하다. 각각의 수업에서 이 장의 나중에 설명되는 눈덩이 불리기식 활동 중의 하나를 활용할 수 있겠금 몇 분을 유용하게 할애할 수 있을 것이다.

3) 새로운 부분을 제시하기

수업의 중심 부분은 종종 책에 있는 새로운 글에 초점이 맞춰진다. 그런데 그러한 부분은 학생들이 읽어서 도달한 지점 바로 거기로부터 뒤따를 필요는 없다. 즉 학생들이 수업시간에 배우지 않고 남겨둔 부분을 읽고 싶어하도록 자주 호기심에 찬 상태에 두면서 조금 떨어져 있는 부분이 수업에 선택될 수 있다. 다른 시간에는 그 작품의 문학적 특징에 대한 학생들의 통찰력을 깊게 한다는 목적을 가지고 그들이 집에서 읽었던 글을 이용하여 수업시간을 새로운 측면이나 주제를 소개하는데 쓴다.

4) 앞을 전망하기

수업시간의 끝에 가서 일반적으로 교사는 학생들이 집에서 읽을 부분을 정해주고, 여기에 수반하여 도움이 될 과제지를 나눠 주며, 설명이나 지시가 필요한 것은 무엇이든지 덧붙일 수 있도록 하는 몇 분간의 시간을 필요로 한다.

과제지들을 가지고 집에서 읽기

긴 작품을 다루는 우리 교사의 방법은 학생들이 그 책의 아주 중요한 실질적 부분들을 스스로 읽도록 하는데 있다. 지금부터 교사가 어떻게 그 일을 학생들을 위해 보다 더 쉽게 하도록 할 것인가에 대해 고찰해 보겠다. 기본적으로 가능한 자주 학생들에게 집에서의 읽기 작업에 수반시킬 과제지들을 제공할 것을 제안한다. 이것들은 그 형식에 있어 다양할 수 있고 또한 그렇게 되어져야 하고, 그리하여 보통 그 작품의 언어의 수준, 아이디어, 인물창조 등에 대해 이해하는데 도움이 되게 구성되어진다. 이러한 수업에서 시간이 모자라게 될 때는 과제지들은 후속 활동이 거의 혹은 전혀 없게 계획되어질 수 있다. 자기 접근식 응답 과제지들이 제공될 수도 있다. 그리고 다른 경우에는 과제지가 응답이나 해석에 관한 문제들을 제기할 수 있고, 학생들이 다 함께 하는 피드백이나 토론 시간은 하나의 후속활동으로 필요하다.

다음과 같은 제안들은 교사에게 열려져 있는 가능성들의 영역을 나타낸다.

질의-응답 과제지들에 답하기

이것은 여러 가지 면에서 모든 것들 가운데 가장 친숙하고 준비하기에 가장 쉬운 것이다. 그러나 학생들이 분명하게 기대되는 이른바 '정답'을 단순히 댈 수 있는 그러한 종류의 상황이나, 단순히 작품에서 정답을 명백히 찾을 수 있는 특별한 부분으로 그들을 이끄는 질문들은 피하도록 주의해야 한다. 다음의 예들은 테네시 윌리엄스(Tennessee Williams)의 「유리로 만든 이동 동물원」을 읽고 있는 수업을 위해 조금 다른 두 가지 접근법을 보여주고 있다. 이 희곡작품에서는 미국의 남부를 배경으로 하는 세명으로 된 한 가족이 가난으로 바둥거리고 있다. 절름발이 딸은 부끄럼을 잘 타고 집에 틀어박혀 있다. 좌절한 작가인 아들은 세 명의 가족을 부양하기 위해 신발공장에서 일해야만 한다. 한편 어머니는 지나치게 소중히 여기는 젊은 시절에 대한 추억 속에 살면서 어떻게든 딸의 남편감을 찾는데 모든 희망을 걸고 있다. 첫 두 장면은 수업시간에 이미 제시되었다. 이제 학생들은 스스로 제 3장을 읽어야 한다. 이 장면은 세 부분으로 구성되어 있다. 처음에는 아들인 톰이 로라의 남편감을 찾는 일에 그의 어머니가 점점 몰두하고 있다는 사실에 대해서 관중에게 이야기한다. 다음에는 어머니 아만다가 연애와 결혼에 필요로 할 것이라고 상상하는 물건을 모으기 위해 전화로 잡지 구독 판촉을 하려고 애쓰는 모습을 보게 된다. 마지막으로는 아만다와 톰 사이에 격렬한 싸움이 일어난다.

두 가지 과제지에 작성해 놓은 질문들은 주로 이 장의 첫번째, 세번째 부분에 초점이 맞춰진다. 왜냐하면 이것들이 플롯과 주제를 전달하기 때문이다. 가운데 부분은 이 희곡의 더 뒷부분에서 포착될 어떤 종류의 패턴으로 다시 나타난다.

아래 과제지 4A는 질문들만으로 구성되어 있으며, 답변은 개방적인 형태이다. 과제지 4B는 같은 질문들을 사용하지만, 학생들에게 다양한 가능성 중에서 답을 선택하는 선다형 질문을 제시함으로써 더 많은 도움을 준다. 그러나 두 가지 과제지에서 처음 네개의 질문들은 사실을 묻거나, 맞는가, 틀렸는가 식의 답변을 요구하는 반면, 다음 네개의 질문들은 해석을 요구하는 형태로 했기 때문에 여러 가지 다른 답변들도 가능하여 개방적이다.

학생들이 질문지 후반부의 이러한 유형의 질문들에 대해 답변한 방식을 비교해 볼 수 있도록 그들에게 약간의 시간을 주는 것도 유용하다. 이것은 이러한 장면에서의 인물창조에 관해 토의할 때 하나의 섬광과 같은 역할을 할 수 있다. 학생들에게 그들이 선택한 답을 정당화해 보도록 요청하는 것은 독자나 관객들이 등장인물이나 극적 상황에 대해 도달하는 추론 과정을 더 잘 알 수 있게 해 준다. 학생들이 작품의 이면을 숙고하고 해석하고 면밀히 조사하도록 하는 데 사용되는 개방적인 형태의 몇 가지 다른 질문들의 예는 R. K. 나라얀이 쓴 「말구디의 생활」(*Malgudi Days*)의 '변두리'(The edge)를 위해 작성되어 있다.

과제지 4A

「유리로 만든 이동 동물원」의 제 3장을 읽으시오. 모르는 단어들에 대해 너무 걱정하지 마세요. 사전을 사용하지 말고, 가능할 수 있으면 전체의 의미를 파악하려고 노력하세요. 그런 다음 다음 질문들에 답하시오.

1. 아만다는 로라가 타이피스트가 되기 위한 교습을 받지 않을 것이라는데 매우 실망한다. 그녀 어머니의 마음 속에는 로라를 위해 이러한 일을 대체할 어떤 다른 계획이 있는가?
2. 아만다는 로라를 위한 계획을 실행하기 위해서는 돈이 필요하다고 생각한다. 그녀는 그 돈을 벌기 위해 무엇을 하는가?

3. 톰과 아만다는 격렬한 싸움을 했다. 아만다가 톰을 그토록 심하게 화나게 한 것을 무엇인가?
4. 톰은 아만다가 그를 방해했을 때 무엇을 해오고 있었는가?
5. 여러분은 아만다가 톰을 다루는 방식을 어떻게 설명하겠는가?
6. 아만다는 톰이 영화를 보러 갈 것이라고 말할 때 왜 그를 믿지 않는가?
7. 왜 아만다는 톰이 외출하는 것에 반대하는가?
8. 톰은 그와 그의 가족 간의 관계를 어떻게 보는가?

과제지 4B

「유리로 만든 이동 동물원」의 제 3장을 읽으시오. 모르는 단어들에 대해서 너무 걱정하지 마세요. 사전을 사용하지 말고 가능할 수 있으면 전체의 의미를 파악하도록 노력하세요. 그런 다음 아래의 질문들에 대해 올바른 답에 표를 하세요. 5-8번 문제에는 하나 이상의 적절한 해답이 있을 수 있습니다. 그런 경우에 모든 가능한 답을 고르고, 그것의 중요성에 따라 1, 2, 3, … 등으로 번호를 매기세요. 여러분이 이러한 질문들에 대해서 다른 가능성을 첨가시키기 위해 한 줄을 남겨 놓았습니다.

1. 아만다는 로라가 타자수가 되기 위한 교습을 받지 않을 것이라는 데 매우 실망한다. 그녀 어머니의 마음 속에는 로라를 위해 이러한 일을 대체할 어떤 다른 계획이 있는가?
   □ 톰은 로라를 부양하기 위해 더 열심히 일해야 한다.
   □ 그녀 자신이 로라를 부양하기 위해 일거리를 찾을 것이다.
   □ 로라를 위해서 남편감을 찾아야 한다.

2. 아만다는 로라를 위한 그녀의 계획을 실행하기 위해서 돈이 필요하다고 생각한다. 그녀는 그 돈을 벌기 위해 무엇을 하는가?

☐ 그녀는 로프 공장에서 일한다.
☐ 그녀는 전화로 잡지구독 판촉을 한다.
☐ 그녀는 여성잡지에 작품을 쓰기 시작한다.

3. 톰과 아만다는 격렬한 싸움을 했다. 무엇이 아만다가 톰을 그토록 화나게 했는가?
☐ 아만다는 톰에게 로렌스의 소설은 읽지 말라고 했다.
☐ 아만다는 톰이 로라 앞에서 욕하는 것을 꾸짖었다.
☐ 아만다는 톰이 그녀의 깨끗한 마루 전체를 진흙과 오물로 발자국을 낸 것을 꾸짖었다.

4. 톰은 아만다가 그를 방해했을 때 무엇을 해오고 있었는가?
☐ 잠자기
☐ 외출하기 위해서 옷을 입기
☐ 글쓰기

5. 여러분은 아만다가 톰을 다루는 방식을 어떻게 설명하겠는가?
☐ 아만다는 그가 여전히 아이인 것처럼 다룬다.
☐ 그녀는 엄격하고 냉혹하다.
☐ 그녀는 가족의 미래, 특히 로라에 대한 걱정 때문에 그를 꾸짖는다.
☐ 그녀는 그에 대한 잔소리를 결코 멈추지 않는다.
☐ 그녀는 정말로 걱정하는 엄마이다. 그러나 자신이 아들에게 미치는 영향을 깨닫지 못한다.
☐ 그녀는 정말로 이기적이고 그를 하나의 인간으로 보지 않는다.

6. 아만다는 톰이 영화를 보러 갈 것이라고 말할 때 왜 그를 믿지 않는가?
☐ 그녀는 매일 밤마다 극장에 가는 사람을 알지 못하기 때문에 이것은 불가능하다고 생각한다.

☐ 그녀는 톰과 싸울 어떤 구실을 찾으려 애쓰고 있다.
☐ 그녀는 그의 최악의 상태를 믿고 싶어한다.
☐ 그녀는 그에게 죄의식을 느끼게 만들고 싶어한다.
☐ 그녀는 그를 집에 머물게 하려고 애쓰고 있다.
☐ ....

7. 왜 아만다는 톰이 외출하는 것에 반대하는가?
☐ 그녀는 그것으로 인하여 그가 다음날 피곤해져서 실직할지도 모른다고 걱정하기 때문에.
☐ 그녀는 외롭고, 그래서 저녁에 그가 그녀와 함께 있어주기를 바라기 때문에.
☐ 그녀는 그가 가족을 떠나 그 자신만의 어떤 일을 하는 것을 원치 않기 때문에 - 그녀는 그가 그의 아버지처럼 멀리 가버릴까봐 두려워한다.
☐ 그녀는 그의 건강을 염려하기 때문에.
☐ 그녀는 그가 건전하지 못하다고 생각기 때문에 - 그녀는 그의 정신건강을 걱정한다.
☐ ....

8. 톰은 그와 그의 가족간의 관계를 어떻게 보는가?
☐ 그는 그가 가족의 노예라고 느낀다.
☐ 그는 그들을 위해 그렇게 열심히 일하고도 자신에게 아무런 보답이 없는 것에 분개한다.
☐ 그는 그들을 위해 자신의 저술활동 직업을 희생하는 것에 분개한다.
☐ 그는 자신의 집에서 자유롭지 못하다고 느낀다.
☐ 그는 어머니가 그를 어린애 취급하기 때문에 그녀를 미워한다.
☐ 그는 여동생을 몹시 사랑한다.
☐ 그는 여동생을 가엾게 여긴다.
☐ ....

질문 과제지들로써 반 학생들과 짝지어 문답하기

학급에서 절반의 학생은 집에서 숙제로 읽을 글과 관련된 한 묶음의 질문들을 받고, 나머지 다른 학생은 다른 묶음의 질문들을 받는다. 예를 들어, 「유리로 만든 이동 동물원」을 위한 과제지 4A나 4B를 가지고 수업을 하려는 교사는 교실의 절반에는 4개의 짝수 번호의 질문을, 나머지 절반에게는 홀수 번호의 것을 줄 수 있다. 학생들은 지정받은 부분을 다 읽었을 때, 받은 질문들에 대한 대답을 준비하도록 지시받지만 그것들을 써 내어서는 안된다. 다음 수업이 시작할 때, 각 학생은 다른 과제지를 받은 학생과 짝이 된다. 그들은 교대로 질문하고 짝지 학생이 구두로 말한 대답을 자세히 청취한다.

질문지를 직접 만들어라

학생들은 1, 2회 정도 교사에게서 받은 과제지를 가지고 학습했을 때, 흔히 그런 질문지를 그들이 직접 고안해 보는 도전심을 즐긴다. 교사는 학생들에게 교실에서 읽어야 할 단락을 정해주고 그것에 관한 두세 개의 질문을 고안해 내어 그것을 써게 하는 과업을 준다. 그 다음 수업에서 학생들은 짝을 지어야 하며, 서로에게 자신들이 만든 문항들을 질문한다. 그렇지 않으면 모든 문항들을 서류함에 보관하였다가 다시 꺼내어 교실 수업에서 전체적으로 그것에 응답하도록 한다.

또다른 방법의 성공적인 절차는 교실의 학생들을 반으로 나누어 서로 다르게 읽을 단락을 정해 준다. 학생들은 제각기 자신의 분야에 수반하는 과제를 준비한다. 전체적으로 공평하게 문항수가 포함되도록 하는 것이 가장 좋다. 그 다음 수업에는 다른 편의 어떤 학생과 과제지를 교환한다. 이제 그들은 자기 파트너가 할당받았던 책의 분야를 읽고 그것에 관해 만들어 놓은 문제들에 응답한다. 다음 수업에는 틀림없이 짝지들을 위한 피드백 시간을 주어야 한다. 종종 이것은 각 학생들이 책의 그 단락에서 중요하다고 생각하는 것과 질문의 가치가 있다고 생각하는 것에 대해 유익한 토론을 이끌어낸다. 이와 같은 방식의 절차는 다음에 개관할 과제지의 다른 유형에 대해서도 사용될 수 있다.

문장 완성하기

다양한 문제를 위해, 그리고 언어 훈련을 위해 교사는 앞의 질의응답 형식 대신에 미완성 문장들을 사용할 수 있다. 과제지 5는 테네시 윌리엄스의 「유리로 만든 이동 동물원」에 관해 집에서의 읽기 과제에 수반된 극히 간단한 과제지의 한 가지 예이다. 그러나 이번에는 시작부분에서부터 문장들을 써 넣어 완성하도록 상당히 직접적인 대답을 요청한다. 그러나 이 경우 학생들은 2차적인 조건문 형식들을 연습한다. 즉 '만약, 그가 ...한다면, 그는 ...할 수 있을텐데, 또는 ...할텐데.'(If he did...he could... or he would...)

과제지 5

「유리로 만든 이동 동물원」으로부터 장면 5의 시작 부분을 읽으시오. 그리고 나서 다음 문장을 완성하시오.

1. Amanda would like Tom to comb his hair because if he did so ....
2. Amanda says that if Tom stopped smoking he ....
3. Tom feels he is living a dull life. When he goes out on the fire escape, though, he sees other people leading more exciting lives. He thinks if only he ....
4. Amanda makes a wish on the moon. If she could have her wish, she ....
5. Amanda says to Tom, as she has done many times before, that it would be very nice for Laura if Tom ....

진위형에 답하기

이것도 또한 쉽게 고안된 과제지의 형태이다. 이것은 어려운 문장을 다르게 의역하였기 때문에 학생들에게 도움을 준다. 과제지 6은 「위대한 갯츠비」(*The Great Gatsby*)에서 발췌한 제 3장의 시작 부분인데 갯츠비의 뉴욕 저택에서의 사치스러운 파티를 묘사하고 있다.

과제지 6

「위대한 갯츠비」의 제 3장의 전반부를 읽고 아래의 진술이 옳은지 그른지를 결정하시오.

T	F	
		1. 갯츠비의 파티는 항상 어두한 밤에 시작하였다.
		2. 갯츠비는 손님들이 도착했을 때 그들을 맞이하기 위해 문앞에 서 있었다.
		3. 파티용 음료를 만들기 위해 사용된 몇 백 개의 오렌지와 레몬을 짜는 데는 6명의 하인이 고용되었다.
		4. 파티 후 청소를 위해서는 8명의 하인이 동원되었다.
		5. 음식은 모두 갯츠비 자신이 고용한 요리사가 만들었다.
		6. 엄청나게 다양한 음식이 천막 아래에 마련된 야외 식탁에 차려졌다.
		7. 집에 있는 찬장에서 손님들은 어떤 것은 낯익고 어떤 것은 처음 보는 갖가지 종류의 음료를 마음껏 먹을 수 있었다.
		8. 갯츠비의 모든 손님들은 파티 이전에 서로를 잘 아는 사이였다.
		9. 파티에는 음악을 연주하기 위한 거대한 규모의 오케스트라가 있었다.
		10. 손님 모두가 기차로 도착했다.
		11. 모든 손님들은 파티에 들어가도록 허락되기 전에 문앞에서 초대장을 보여 주어야만 했다.

		12. 손님들은 밝은 색상들의 유행에 가장 민감한 의상을 입고, 유행하는 머리 모양을 하고 있었다.
		13. 손님들은 저녁 내내 그들 자신의 그룹에서만 머무르는 경향이 있었다.
		14. 모든 사람들은 소녀들이 무대에서 춤추기 시작했을 때 파티가 진짜로 시작했다는 것을 알았다.
		15. 파티는 밤이 깊어 갈수록 매우 시끄럽게 되었다.

요약문의 빈칸 채워 넣기

요약문은 뒤에 가서 살펴보겠지만 수업에서 유용한 활동을 불러 일으킬 수 있다. 당분간 우리는 학생들이 스스로 작품을 읽고 과제지의 문제에 답하게 만든 답안지들을 가지고 작업함으로써, 아니면 그들이 수업시간에 그들의 답을 비교하고 토론할 수 있게 시간적 여유를 줌으로써 집에서 할 읽기 작업을 촉진시키는 단순한 수단 정도로 그 효용성을 생각할 것이다.

이러한 요약문 연습의 가장 간단한 형태는 빈칸을 남겨놓은 요약문을 채워 넣는 것이다. 이것은 거의 완전히 채워져 있는 간단히 요약된 가장 중요한 부분의 묘사를 제공함으로써 학생들의 읽기를 도와 준다. 주로 중요한 단어나 중요한 표현들로 메꾸어 지도록 되어 있는데, 적절한 구절을 읽으면 드러날 수 있다. 스스로 풀어보게 만든 답안지가 유용하다.

이에 대한 아래에 있는 과제지의 예는 죠지 버너드 쇼의 유명한 희곡 「피그마리온」(*Pygmalion*)에서 발췌했는데, 그 내용은 한 음성학 교수가 런던의 빈민가에서 한 가난한 꽃파는 소녀를 데려 와서 그녀의 옷, 태도, 말씨를 바꾸게 함으로써 그녀를 완전히 변화시키는 것이다. 빈칸들은 사실에 관련된 진술로 채워져야 한다. 다만 맨 마지막의 하나는 해석을 요구해야 하는 문제이므로 예외이다.

과제지 7

리자의 아버지가 히긴스 교수를 보기 위해 오는 「피그마리온」의 제 11장을 읽고 적당한 단어나 표현을 사용하여 다음 요약문의 빈칸을 채우시오.

In this scene, Alfred Doolittle, a .... by trade, comes to see Henry Higgins. His manner is that of a man who is .... He seems quite used to saying what he thinks and feels. Having heard that his daughter Liza has come to live with Higgins, he has decided to try to use the situation to ....

At first, he tries to .... the Professor, saying he wants his daughter back. Higgins replies by insisting that Doolittle must .... immediately. Higgins threatens to tell .... about Doolittle's attempt to blackmail him. Doolittle explains that he was not responsible for Liza's coming and only heard about it from .... The Professor rings for his housekeeper and tells her to let Doolittle take Liza away. But just as he is about to leave, defeated, Doolittle makes an appeal to Higgins as a '................... ....'. It is clear he thinks Higgins wants Liza for purposes that have little to do with language training! Doolittle says Higgins can keep Liza if he .... When Higgins is shocked, Doolittle says he is not a moral person because .... All he wants is .... to compensate him for the loss of his daughter. When Higgins offers him twice the sum requested, however, Doolittle refuses, saying too much money is .... In the end, Higgins gives in and .... because he is impressed by Doolittle's ....

미완성 문장들을 채워 넣는 요약문의 연습

좀더 흥미를 돋구는 변형 형태는 미완성의 문장들로 된 요약문으로 구성된다. 학생들은 문장을 채워서 완성하기 위해 더 써야 할 부분을 약간 가진다. 그렇게 해서 유창하고 정확한 요약문을 작성할 수 있다는 것을 보증해야 한다. 교사는 과제지를 학생들로부터 받아서 내용이나 언어 숙달도를 검토하기 위해 점수를 매긴다. 「로미오와 줄리엣」을 위한 예가 과제지 8에 나와 있다.

과제지 8

제 1막 1장의 왕자의 말이 끝나는 부분으로부터 1장의 끝부분까지를 읽고, 작품의 이 부분을 하나의 요약문이 되겠금 만든 다음 문장들의 빈칸을 완성하시오.

After the Prince has left, Old Montague asks his nephew Benvolio to tell him .... Benvolio explains. Lady Capulet is glad that her son was not in the fight but she wonders where Romeo is. Benvolio says that he met Romeo that morning, when both he and his cousin .... Benvolio did not speak to Romeo then because .... Old Montague explains that Romeo has developed the habit of going out, before dawn each day, to weep and sigh. When the sun rises Romeo .... His father cannot understand why Romeo is behaving in this way. He would like to find out, so that .... Benvolio promises to try .... The Montagues leave, and Romeo appears. His cousin asks him why he is so sad. Romeo answers that although he is in love, ... Benvolio wants to know who the loved one is. But Romeo will only say that it is someone who has sworn to .... Benvolio advises Romeo to forget her and to look at .... Romeo protests that .... The two young men leave.

요약문 비교하기

교사는 집에서 읽어야 할 부분에 대한 두 가지의 요약문을 작성한다. 학생들은 그 중에서 가장 좋은 요약을 선택하고, 그들의 선택을 정당화시킬 수 있어야 한다. 두 요약문 사이의 차이는 그룹에 따라 세밀하게 조정되어야 한다. 가장 쉬운 수준에서는 요약문 중의 어느 하나는 어떤 핵심사항들을 생략해 버린다. 좀더 어려운 수준에서는 두 가지 요약문이 모두 다 상당히 정확하게 되어 있지만 그 중의 하나는 틀린 추론이나 해석이 포함되어 있게 한다. 훨씬 더 고급 수준에서는 가장 좋은 요약문을 아래와 같은 기준을 사용하여 문체 때문에 선택해야 할지 모른다. 그 기준은 다음과 같은 것이 이용된다.

- 여러분은 작가 자신이 어떠한 요약문을 더 좋아할 것이라고 생각하는가?
- 다음과 같은 것들을 위해서는 어느 것이 더 좋을까?
- 문학 잡지
- 대중 신문
- 초등학교 수준에 있는 언어 학습자들의 수업
- 기타

이러한 요약문 비교의 두 가지 다른 형태를 알아보기 위해 「파리대왕」을 예로 들면 다음과 같다.

과제지 9

아래 요약문들을 읽고 어느 것이 더 좋은지를 결정하고 왜 그런지를 말하시오.

요약문 A

Basically chapter II deals with the problems the boys have when they try to organise themselves for survival. There are doubts about the possibility of rescue and some of the smaller boys are frightened by snake-like beasts. The decision is made to light a fire to aid rescue but the boys have no survival skills and the fire gets out of control. Disagreements start to break out between Piggy, Jack and Ralph.

요약문 B

Basically chapter II concerns the making of rules. The older boys are looking forward to the adventure of life on the island and are confident of rescue. One of the younger boys is frightened of what he calls a 'beastie' but it is merely his fear feeding his imagination. The boys light a fire very haphazardly. Piggy is critical of the boys' lack of organisation and the first signs of discontent become apparent.

과제지 10

「파리대왕」의 페이지 104-7을 읽으시오. 이 페이지들을 위한 세 가지 요약문들이 아래에 있다. 어느 것이 가장 적절하다고 생각하는지 고르시오.

1. While the boys were asleep that night, there was a battle between aeroplanes high above the island. A parachute carrying a dead airman came down and became caught in the trees on the mountain

top. The twins, when they woke up, saw the moving parachute in the forest and, terrified, ran down to tell the others.

2. The boys were restless and frightened but they looked at the stars twinkling above them and this made them calm again so that they could fall asleep. While they were sleeping there was a great storm above the island with flashing lightening and loud thunder.
   This was a sign that things would not go well for the boys on the island.
3. The boys were sleeping, so that they did not see a man on a parachute who was coming to rescue them. The parachute was blown over the lagoon and out to sea. Sam and Eric were asleep too, although they should have been on watch. When they woke up, they tried to make a fire but couldn't. They thought Ralph would be angry with them so they ran and told the others they had seen a 'beast'.

요약문 쓰기를 위한 핵심점 찾기

학생들은 집에서 읽은 부분으로부터 죽 이어서 쓰는 하나의 요약문을 만들기 위한 기초를 이루게 될 다섯 가지의 핵심점을 목록화하도록 요구받는다. 핵심점들은 사건이나 인물의 발전과 관련되어질 수 있다. 특히 후자는 해석을 요구하기 때문에 수업에서 핵심점들을 선택하여 비교하고, 학생들의 협의에 의해 각 그룹이 공통되는 목록을 만드는 것이 유익하다. 교사는 학생들의 비교와 토론을 위해 자신이 만든 목록을 내어 놓고, 그들이 번갈아 작품을 읽어나가면서 그것들을 하나씩 체크 표시(✓)하도록 지시한다.

뒤섞은 사건들을 바르게 배열하기

순서 바로잡기를 위한 과제지들은 학생들이 작품을 읽을 때 도움을 준다. 왜냐하면 그것들이 글의 의미를 통하게 만드는 데 필요한 사실들을 대부분을 제공하기 때문이다. 학생들이 해야 할 일은 단지 올바른 순서나 배열을 찾기만 하면 된다. 이 문제를 푸는 데는 호감을 주는 퍼즐 요소나 도전감을 주는 부가적 요소가 있다.

가장 간단한 형태로서, 학생들은 집에서 읽는 글에서 발생하고 있는 특정한 수의 사건들을 마구 뒤섞어 놓은 하나의 목록을 받고, 그것들을 올바른 순서로 바로 잡아야 한다. 찾아내어서 없애야 하는 몇 개의 틀린 사건들이 포함될 수도 있다. 또는 한두 개의 핵심 사건들이 빠져 있고, 읽는 학생은 그것을 써 넣어야 한다. 틀리게 만든 문장이 몇 개 포함된 목록이 「파리대왕」을 실례로 하여 아래에 제시되어 있다. 또다른 예로서, 기술된 여러 가지 사실들은 모두 정확하지만 순서를 매긴 과제지를 사건 흐름표에 맞추어야 하는 문제가 '변두리'를 통해 제시되어 있다(과제지 51A, 51B 참조).

과제지 11

아래에 열두 개 사건 목록이 있다. 이 중에 열 개가 제 7장에서 일어난다. 올바른 열 개를 골라 그것들이 일어나는 이야기를 말해 줄 수 있겠금 올바른 순서로 배열하시오.

a) Jack goes on by himself to look for the beast but comes back terrified.
b) The parachute comes down to the island and is caught in the foliage on the mountain.
c) The three boys see the beast and run away in terror.
d) Simon goes off by himself through the forest to tell Piggy that the boys are climbing the mountain.

e) A boar comes crashing through the forest. The boys try to kill it, and Ralph hits it with his spear.
f) The boys have a mock hunt, pretending that Robert is the pig: they dance around him and jab him with their spears.
g) The boys set off to look for the beast on the mountain.
h) The boys roll an immense boulder off Castle Rock into the sea.
i) Ralph daydreams of his home as he walks along.
j) Ralph leads the other two to have a look at the beast.
k) Roger is the only one who volunteers to climb the mountain in the dark with Ralph and Jack.
l) The boys follow a pig-run to the base of the mountain.

가장 잘된 해석문 고르기

여기서는 학생들에게 사건들이 주어지지 않고 그 대신에 그들이 읽고 있는 구절 안에서 발생하는 사건들에 대한 일련의 해석이 주어진다. 학생들은 이 일련의 해석들을 중요성의 순서로 분류하고 그들의 생각에 가장 가까운 해석을 하나 고르거나, 또는 그들이 스스로 해석을 쓰게 할 수 있다. 이 때 이미 주어진 해석에 있는 요소들도 원한다면 선택해도 좋다. 「파리대왕」의 예가 아래에 있다.

과제지 12

「파리대왕」의 제 5장의 끝에 가서, 피기와 랠프는 성인들이 여러 가지 결정을 내리고 질서가 잘 잡힌 삶을 보장해 주는, 그들이 이미 알고 있는 세계를 동경한다. “만약 그들(성인들)이 우리에게 하나의 메시지를 가져다 줄 수 있다면”, “만약 그들이 우리에게 성숙한 무엇을 보내 줄 수 있다면” 하고 절망적으로 소리친다.

제 6장의 시작부분은 랠프의 소망에 어떤 해답을 가져다 준다. 여

러분은 그러한 해답을 가장 잘 설명하는 것으로서 아래에 제시한 네 개의 해석들 가운데서 어떤 것이 가장 좋다고 생각합니까? 만약 그 어느 것도 여러분의 견해로서는 그렇지 않다고 생각한다면 5번 자리에 여러분 자신의 해석을 쓰시오. 그런 다음에 그것을 옆의 친구가 한 것과 비교해 보시오.

1. The boys wanted some sign from the world of adults. They got that sign but did not see it because they were asleep. This means that you must be extremely watchful all the time to seize opportunities as they happen.
2. The sign from the world of adults was a battle in the sky. The sign means that the orderly adult world that the boys remember exists only in their imagination. Reality is different. Reality is quarrels among the boys and war among the adults.
3. The sign that the boys wanted appeared in the form of a dead soldier. The significance of this sign is that people must fend for themselves. It is not any good expecting others to rescue you from the mess you have got yourself into.
4. The boys wanted a sign from the world of adults to reassure them that they were not alone in the world. The fact that there was a battle above the island does show that other people were quite near and that they could hope to be rescued after all.
5. ....

가치판단을 평가하는 과제지

우리가 논의해온 대부분의 과제지들은 학생들이 문학작품을 이해하는 것을 도와주는데 초점을 두고 있다. 그러나 때때로 교사는 학생들이 기초적인 이해의 수준을 넘어서 특정한 문학작품에 제기된 도덕적 혹은 미학적 쟁점들을 고려해 보기를 원할 때가 있다. 집에서의 읽기활동을 위해 제공되는 하나의 과제지는 유익한 토론의 길을 마련하는데 많은 도움을 준다. 그것은 교사가 강조하고자 하는 특정 분야로 관심을 이끌어 들이는 수단이 된다. 해석과 가치판단을 요구하는 답변들을 서로 비교해 보는 것도 역시 분석하게 하는 데 자극을 제공할 수 있고, 학생들의 문학적 반응의 범위를 확장시킬 수 있다.

과제지 13은 빈칸을 두고 요약문을 만들었던 「피그마리온」의 한 장면에 토대를 두고 있다. 그러한 것이 필요하지 않는 고급 수준의 학급들을 제외하고는 과제지 7은 교사가 모든 학생들이 이 희곡에서 일어나는 사건의 기본적인 요소들을 이해했다고 보장할 수 있도록 하기 위해 예비적인 연습으로서 사용될 수 있다. 그러나 빈약한 사건들의 요약만으로는 무대에서 실세로 상영되는 모든 것을 정리해 나갈 수 없다. 이 작품에서 이 장면은 플롯과 인물 묘사를 위해 중요한 것이다. 이것은 극적인 방식으로, 사회적 지위가 다름에도 불구하고, 똑같이 영리하고, 자신만만하고, 냉혹하며, 그들의 삶을 스스로의 방식으로 개척해 나가려 하는 결의에 찬 두 등장인물 사이의 기지와 의지에 있어서의 흥미롭고도 강렬한 갈등을 제시하고 있다. 도덕적인 측면에서 이 장면은 심오하게 양면적이며, 한 사람의 가족과 그 동료들에 관해 무엇이 정직과 성실, 그리고 고결한 느낌들을 구성하는가 하는 문제에 대한 모순된 감정들로 가득 차 있다. 이러한 것들이 과제지 13을 통해 학생들이 탐구하도록 장려하는 영역이다. 학생들은 집에서 그 장면을 읽을 때 중요성이나 선호도의 순서에 따라 진술문들을 분류함으로써 그러한 진술문에 응답해야 한다.

교실에서는 그렇게 선택한 것들이 비교되고, 토의되며, 정당화되어지게 한다. 이러한 활동은 그룹들로 나누어서 할 때 가장 잘 이루어지는데, 각 그룹은 그들이 선택한 우선순위에 따라 표현한 그들의 입장에 대해 전체적인 윤곽을 세워야 한다. 여기에 이어지는 학급의 전체적 토론은 상당히 광범위하고 계몽적일 수 있다.

과제지 13

「피그마리온」의 2막에서 리자의 아버지가 히긴스 교수를 만나러 온 장면을 읽으시오. 그런 다음에 다음의 진술문들을 공부하시오. 각각의 진술문 단위에서 가장 적당하다고 여겨지는 문장을 세 개 고르고, 중요성에 따라 첫째, 둘째, 셋째 등으로 순서를 매기시오. 여러분이 선택한 순서매김을 위해, 장면을 언급하면서, 정당화시킬 수 있도록 준비하시오.

헨리 히긴스

a) 히긴스는 상류계층의 도덕의 표본이다 : 완전히 자기 중심적이고, 자신 외에는 남을 돌보지 않는다.
b) 히긴스는 현실주의자다: 사물을 있는 그대로 받아들인다.
c) 히긴스는 자신의 일에 방해가 되는 것을 허용하지 않는 무자비한 조종자이다.
d) 히긴스는 실제로는 그의 딱딱한 외면 속에 아주 좋은 마음씨를 가진 사람이다.
e) 히긴스는 그 자신을 신뢰하지 못하며, 그런 불안정성을 숨기려 하기 때문에 난폭한 사람이 된다.
f) 히긴스는 명예로운 신사도를 지닌 신사이다.

알프레드 두리틀

a) 두리틀은 그의 딸을 5달러에 팔려고 하는 극도로 냉혹한 사람이다.
b) 두리틀의 행동은 용서받을 수 있다. 사회는 그에게 아무것도 해준 것이 없기 때문에, 그의 행동에 책임이 없다.
c) 두리틀은 굉장히 이기적이다. 그 자신만 생각하고, 그의 딸에게 일어나고 있는 일에는 관심이 없다.
d) 두리틀은 일상적 도덕과 사회적 관습들로부터 가슴이 후련하도록 해방되어 있다.

e) 두리틀은 진지하다. 그는 그의 결점에 대해 아주 개방되어 있다.
f) 두리틀은 "늙은 거짓말쟁이"일 뿐만 아니라 영악하고 언변이 좋은 거짓말쟁이다.

이 장면에 나타난 도덕

a) 사람이 충분히 영리하다면, 어떤 일도 잘 해낼 수 있을 것이다.
b) 도덕은 부자들만이 가질 수 있는 사치품이다.
c) 외모가 전부다.
d) 당신 자신에게 진실하라. 그외에는 아무것도 중요하지 않다.
e) 문명과 그것의 관습들은 생각있는 사람이면 누구나 피하고자 하는 죄수복의 역할을 한다.
f) 어떠한 영광스러운 도덕규범도 부정직을 가리고자 하는 얄팍한 허울이다.
g) 돈을 지나치게 많이 가지지 않는 것보다 더 좋은 것은 없다. 그것은 사람을 현명하게 한다.
h) 청결성은 신성 다음이다.
i) .... (여러분의 이름을 쓰시오)

장기판 놀이

학생들이 어떤 문학작품에서 주어진 요소들이 함축하고 있는 여러 가지 의미에 관해 숙고해 보게 하는 또다른 하나의 방법은 그들에게 그 작품의 여러 가지 서술문들을 장기판 모양의 눈금판 위에 얹어 놓게 하는 것인데, 긍정적인 요소일 경우에는 하얀 네모눈, 부정적이고 나쁜 요소일 경우에는 검은 네모눈 위에 놓게 하는 것이다. 「파리대왕」에 적용해 본 실례가 아래의 표에 있다.

표 5

작품에 내포된 도덕 찾기

단편소설, 장편소설, 시 등에다 어떤 하나의 교훈을 부여한다는 것은 그 속에 내포된 아이디어나 가치를 이끌어내는 전통적인 방법이다. 그러나 단순히 학생들에게 그 이야기의 교훈이 무엇이냐고 묻는 것은 때때로 상당히 실망스럽게 만드는 결과를 가져온다.

만약 학생들이 그들에게 주어지는 질문에 대해 곰곰히 생각할 수 있는 시간이 주어진다면, 그리고 그들의 흥미에 불을 붙여 마음을 작동시킬 수 있는 어떤 것이 주어진다면, 그들은 일반적으로 훨씬 더 좋은 아이디어들을 제안할 수 있다. 학생들이 집에서 그 작품의 마지막 장을 읽는 동안에 스스로 푼 과제지를 다음 시간에 교실에 가지고 와서 그것의 결과들을 비교한다면 종종 더 나은 토론이 된다.

과제지 14는 H.G. 웰즈의 「단편선집」(*Selected Short Stories*)에 편집되어 있는 '기적을 행할 수 있었던 사람'(The man who could work miracles)이라는 단편소설의 교훈으로서 몇 가지를 제시하고 있다. (G.C. Thornley의 *Outstanding Short Stories*는 중급 수준의 학생들에게 가르칠 경우 축약형태로 간략하게 각색한 것을 사용하는 것이 좋다.)

이 이야기는, 이유는 알 수 없지만, 어느날 갑자기 바라기만 하면 무엇이든지 할 수 있게 된 어느 평범한 남자에 관한 것이다. 이 문제에 관해 자문을 요청받은 그 마을의 목사는 이 새로운 힘을 인류의 선을 위해 사용하는데 연결하고자 시도했다. 그렇지만 이러한 그의 노력은 잘못되어 기적을 행할 수 있는 이 사람이 자신의 힘을 사라지게 하여 그것을 얻기 이전의 순간으로 되돌아가기를 바람으로써 세계는 단지 전면적인 대재앙으로부터 구조되는 데 그쳤다.

과제지 14

단편소설 '기적을 행할 수 있었던 남자'를 끝까지 읽고, 여러분이 생각하기에 가장 적절하다고 여겨지는 도덕을 고르시오. 적합하다고 생각되는 것이 없으면, 여러분 자신의 생각을 적고, 그것의 근거를 제시할 수 있도록 준비하시오.

이 이야기의 도덕은:

1. 평범한 사람에게 권력은 주지마라 - 그는 그것을 분별있게 사용할 수 없다.
2. 공상적 사회개혁론자는 단지 악을 행하는 데만 성공을 한다.
3. 자기가 권력이나 재능을 가졌다면 자신의 능력으로 그것을 사용할 수 있다고 믿어라.
4. 탁월한 지혜를 가졌다고 생각되는 사람들은 종종 일반적인 상식이 부족하다.

5. 지위와 인간성은 완전히 다른 것이다.
6. 권력은 붕괴한다.
7. 인간이 전지전능한 존재가 아니라는 사실에 대해 신에게 감사하라.
8. 기적은 신에게 맡겨라.
9. 여러분 자신의 생각 : ………………………………………

난해한 언어를 위한 과제지

집에서 읽을 부분에는 어휘나 여러 가지 언어의 어려움들이 나타난다. 그래서 여기에 수반되는 과제지를 학생들의 보다 더 쉽게 읽을 수 있도록 구성한 것이다. 어떤 경우를 보면, 교사는 작가의 풍부하고 비유적인 언어를 학생들에게 강조하고 싶어하거나, 그들이 작품에서 부딪치는 특별한 용어들이나 구조들을 내면화하여 그들에게 살아 있는 어휘의 일부가 되도록 보장해 주기를 희망한다. 모든 경우에 과제지의 종류는 실제의 작품이나, 그것의 난이도, 문체적 특질 등에 의해 아주 많이 좌우된다. 문맥으로부터 설명을 구체적으로 하거나, 또는 어떤 일반 규칙들을 제시한다는 것은 아주 어렵다. 그러므로 우리는 아래에서 다양한 유형들을 위한 간단한 목록을 제시한다. 이 책 뒷장에서 작품 한 권을 전체적으로 완전하게 학습하는 논의에 제시되어 있는 도표들을 나타내기 위해 그 곳의 페이지 참조를 목록과 함께 실었다.

1) 짝지어 맞추기

어려운 단어, 표현, 구조 등이 들어 있는 작품을 가지고 학습할 때 학생들을 도와줄 수 있는 가장 간단한 방법은 그들에게 문제시되는 단어들의 간단한 정의나, 단순화시켜 달리 표현한 문장들을 제시하는 것이다. 학생들은 이러한 것들을 더 복잡한 원래의 것들과 짝지어야 한다. 이러한 형태의 과제지는 「로미오와 줄리엣」을 다룬 장에 두 종류가 예시되어 있다. 하나는 순서를 뒤범벅시킨 현대 구어체 문장들로 된 것이 제공된다. 학생들은 작품의 한 장면에 있는 대사들과 어울리는 것을 찾아야 한다(과제지 41 참조). 다른 하나는 달리 표현하여 간소화시킨 일련의 문장들을 제시한다. 이러한 것들은 정확할 수도 그렇지 않을 수도 있다. 학생들의 과업은 그것들을 구별하는 것이다(과제지 34 참조).

2) 작품에서 어휘를 발췌하여 분류하기

교사가 작품의 이해나 문체분석을 위해 단어들을 강조하고자 한다면, 학생들은 공부한 작품의 한 부분으로부터 특별한 종류의 단어나 표현들을 발췌하여야 한다. 단어들의 여러 가지 다른 범주들을 가르키는 시각적 수단이 아래와 같은 별모양의 도표이다. 「파리대왕」의 공부를 위해 이 도표를 사용하였다. 이것은 교실이나 집에서의 읽기 활동을 위해 사용되어진다.

표 4A

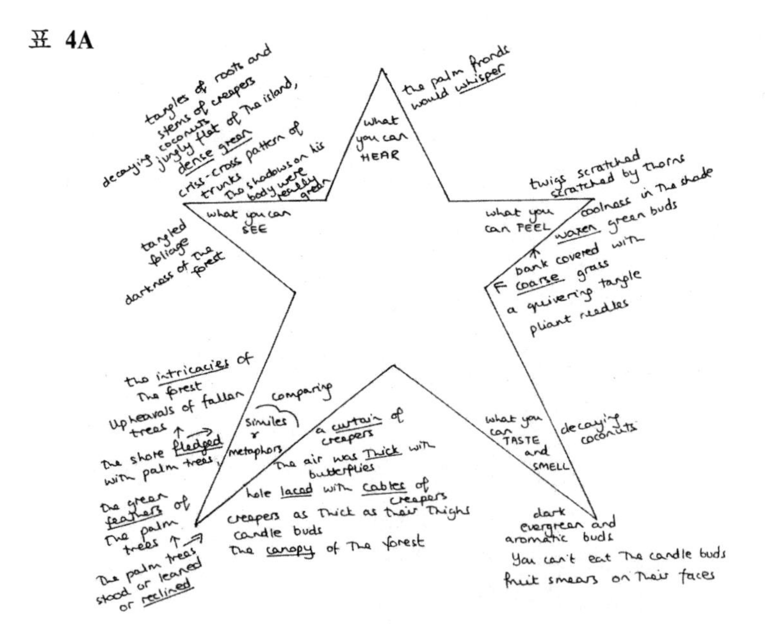

표 4B

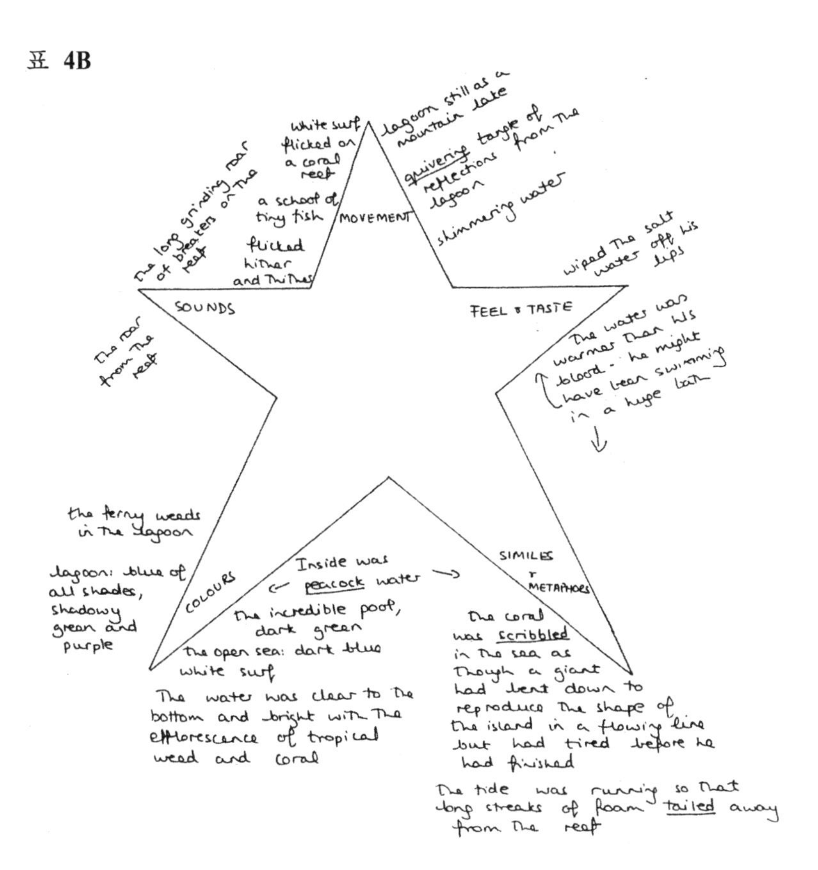

3) 작품을 결정짓는 단어나 표현들

학생들의 어휘 확대를 위해, 교사는 작품에 등장하는 특정의 인물들에게 할애되어야 하는 일련의 용어나 표현들을 제시할 수 있다. 「파리대왕」에 대해 그 예가 아래에 제시되어 있다(과제지 15, 17). 인물의 특징을 찾는 학습활동을 위해 그물 모양의 도표가 또다른 예로서 아래에 제시되어 있다(과제지 16). 또한 단편 '별'(The Star)에 대해서도 그 예를 뒷장에 제시하여 놓았다.

과제지 15

「파리대왕」의 7-18 페이지를 읽고, 아래의 네모 안에 있는 특성들 중에서 어느 성격이 어느 소년에게 더 적절한지 결정하시오. 적당한 인물의 이름 밑에다 하나씩 나열하시오. 필요하다면 사전을 사용하시오.

Piggy

....
....
....
....
....
....
....
....
....

athletic friendly realistic wealthy courageous fair wise short-sighted reserved asthmatic pessimistic orphaned reckless intelligent confident tall fat prudent

Ralph

....
....
....
....
....
....
....
....
....

과제지 16

「파리대왕」의 7-18 페이지를 읽고 아래 빈칸의 네모 안에 간략한 노트를 적절히 써 보시오.

	피기	랠프
성 격		
외 모		
섬에 머무는 것에 대한 입장		
상대 소년에 대한 태도		
부모에 관한 정보		

과제지 17

「파리대왕」의 137-46 페이지를 읽으시오. 이 장의 초반에 우리는 소년들이 산에 한 마리의 짐승이 있다는 무서운 사실과 대결하고 있음을 본다. 아래에 나열한 단어들 중에서 어느 것들이 이 새로운 소식에 대한 각 소년의 반응을 설명하기 위해 사용될 수 있겠는가?

frightened	determined to	survive incredulous
apathetic	apathetic	curious
aggressive	panic-stricken	defeated
depressed	determined to ignore it	wondering
despairing	determined to make	matter-of-fact
belligerent	the best of it	sensible
heartsick	rational	excited

각 소년들의 이름에다 가능한 많은 단어들을 짝지어 보시오.

Jack ....
Ralph ....
Piggy ....
Simon ....
Sam'n Eric ....

4) 문자적 의미와 비유적 의미

학생들이 자기가 읽고 있는 작품에 나오는 비유적 차원의 단어들을 지각하여 익히는 과제지가 사용될 수 있다. 제 8장(표 15, 과제지 37, 38 참조)에서 그 예를 제시해 놓았다.

5) 간단한 문법이나 구조 학습

어떤 작품의 텍스트는 흔히 특정의 언어영역을 학습할 수 있는 좋은 기회를 제공하기도 한다. 문학 텍스트의 이점은 그것이 언어 학습을 위해 어떤 문맥을 제공해 준다는 것이다. 연습문제들은 아주 폭넓게 개방된 형태일 수 있어서 언어의 향상 뿐만 아니라 학생들의 반응을 구체화해준다. '전치사 연습'과 '구조 연습'을 그 예로 아래에 제시하였다.

전치사 연습

「파리대왕」의 제 2장이다. 빈칸에 알맞은 전치사를 써 넣으시오.

1. We're __________ an uninhabited island.
2. He slammed his knife __________ a trunk.
3. He gaped __________ them for a moment.
4. Jack snatched the glasses __________ his face.
5. There hasn't been the trace __________ a ship.

구조 연습

「파리대왕」에서 다음 인물들이 어떠한 말을 할 수 있을지 완성해 보시오.

Piggy: We won't be rescued unless ____________.
Things won't work on the island unless ____________.
Ralph: We won't be rescued unless ____________.
Things won't work on the island unless ____________.
Jack: I don't want to be rescued unless ____________.
We won't have a good time unless ____________.

6) 쓰기 연습이 뒤따라 나오는 단어 퍼즐

단어 퍼즐은 만들기 쉬운데, 그 뒤에 학생들이 새로운 어휘를 사용하는데 도움을 주도록 고안된 쓰기 작업이 뒤따라 나오게 된다. 과제지 18A와 18B를 통해 그 예를 아래에 제시한다.

과제지 18A

「파리대왕」 제 6장으로부터 10개의 단어를 찾아낼 수 있겠는가? (어떤 단어들의 글자는 오른쪽에서 왼쪽으로, 또는 대각선으로 읽을 수도 있다.

R	C	R	U	M	P	L	E	D	M
W	E	G	N	I	P	P	O	P	O
J	F	S	L	I	V	E	R	L	H
L	N	W	T	U	H	E	U	C	J
I	Y	I	P	L	E	G	T	T	O
M	R	N	A	H	E	A	G	K	D
B	F	K	C	E	P	S	V	Z	S
W	I	E	I	V	L	P	S	M	B
K	C	D	J	Y	T	N	A	L	S
D	A	N	G	L	I	N	G	O	Y

과제지 18B

여러분이 10개의 단어들을 찾아 내었을 때 이 장에 나타나는 문장들을 살펴보시오. 문맥으로부터 또는 필요하다면 사전을 사용하여 여러분이 각 단어의 뜻을 확실히 이해하도록 하시오. 그리고 나서 그 단어들 중의 하나를 골라 10개의 문장에서 빈칸을 써 넣으시오.

1. The young lad sat on the wall, his legs .... over the edge.
2. 'Be careful as you climb down that cliff,' said the team leader. 'We don't want any of you breaking a ....
3. When I received another useless advertisement through the post, I just .... it up and flung it into the wastepaper bin.
4. The golden eagle was flying so high above their heads that it was only a .... in the sky.
5. The assistant at the cheese counter cut a thin .... of Cheddar so that I could taste it.
6. The young man paced up and down .... in the hospital corridor as he waited for his child to be born.
7. The table was on such a .... that the pencils kept rolling off.
8. 'Oh dear,' said my father, 'I don't think I can hang the washing out after all. It looks like rain. There's only a tiny .... of blue sky in between those big dark clouds.'
9. As he came in the door, there was a .... of corks and everyone shouted 'Surprise! Happy Birthday!'
10. The lights on the aircraft wings .... as the great jet came gently down to the airfield.

과제지 18A과 18B에 대한 해답

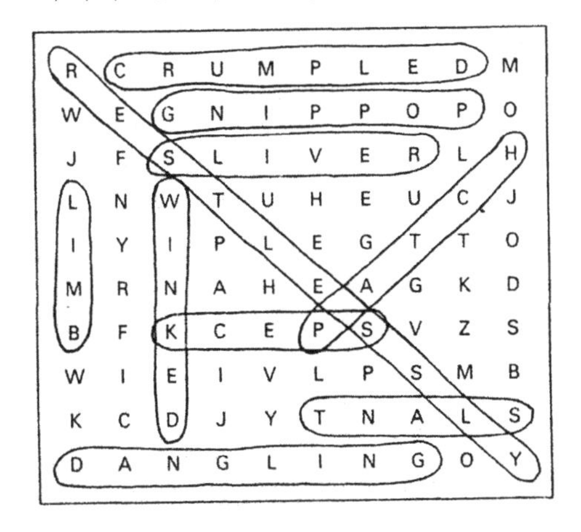

1. dangling
2. limb
3. crumpled
4. speck
5. sliver
6. restlessly
7. slant
8. patch
9. popping
10. winked

7) 언어의 수행기능에 중점을 두는 과제지

집에서 책을 읽은 후에 학급에서 토론을 할 수 있도록 「파리대왕」을 위한 과제지 19에 예시된 것과 같은 과제지가 제시될 수 있다.

과제지 19

「파리대왕」의 제 7장에 나오는 소년들이 말하는 10개의 구절이 아래에 있다. 이 발언이 있는 자리를 작품에서 찾으시오. (첫번째 소년의 발언은 127 페이지에 있고 나머지는 그 뒤에 이어져 나온다). 그리고 나서 3개의 가능성 중에서 어느 것이 그 소년이 말하고자, 또는 암시하고자 원하는 바에 가장 가까운 의미인지를 결정하시오.

1. Ralph: 'Well. We shan't find what we're looking for at this rate.'
   - ☐ Let's go on and find the beast.
   - ☐ We'd better give up this foolish search.
   - ☐ I've given up hope of finding the beast.

2. 'Shouldn't we go back to Piggy,' said Maurice, 'before dark?'

- ☐ I really care a lot about Piggy.
- ☐ I think we shouldn't be out after dark.
- ☐ I'm afraid to look for the beast in the dark.

3. The twins: 'Yes, that's right. Let's go up there in the morning.'
   - ☐ We feel morning is the proper time for a search.
   - ☐ We especially like climbing the mountain in the morning.
   - ☐ We want to delay the possibility of meeting the beast for as long as possible.

4. Ralph: 'We've got to start the fire again.'
   - ☐ We must climb the mountain now.
   - ☐ I'm reasserting my leadership and insisting on the most important thing.
   - ☐ A ship might pass by any moment now.

5. Jack: You haven't got Piggy's specs, so you can't.'
   - ☐ I'm opposing your claim to leadership.
   - ☐ You never get things right.
   - ☐ The fire isn't important anyway.

6. Ralph: 'If we went back we should take hours.'
   - ☐ It's long way to the shelters.
   - ☐ Everyone walks so slowly. You should all hurry up.
   - ☐ I don't want to go back. I intend to continue the search.

7. Jack: 'We mustn't let anything happen to Piggy, must we?'
   - ☐ We desperately need Piggy's brains.
   - ☐ I hate Piggy and I hate you for protecting him.
   - ☐ Piggy is so important to our survival that we must look after him carefully.

8. Bill: 'Through the forest by himself? Now?'
   - ☐ I'm sorry, I didn't quite hear what you said?
   - ☐ I don't intend to walk through the forest in the dark by myself!
   - ☐ I want to go back to the shelters.

9. Jack: 'Would you rather go back to the shelters and tell Piggy?'
   - ☐ Please go back and tell Piggy.
   - ☐ You're a coward and you'll run away rather than face danger.
   - ☐ I'd like you to do whatever you think is best.

10. Jack: 'If you're frightened, of course.'
   - ☐ I dare you to come.
   - ☐ Would you come with me, please?
   - ☐ Tell me whether you're frightened or not.

눈덩이 불리기식 활동들

학생들이 긴 작품을 읽어나감에 따라 계속 이어지면서 단계적으로 첨가되는 활동들이 있다. 그런 활동들은 작품 전체의 개관을 유지하도록 도와주고, 기억하는 데도 가치있는 도움을 주며, 또한 긴 작품을 다루기에 알맞은 여러 부분으로 나누는 데도 도움을 준다.

지금까지의 이야기를 다시 말하기

지금까지 계속해서 진행되어온 이야기를 다시 말하게 해보는 활동을 통해서 가치있는 구두 연습을 제공할 수 있다. 나아가 이것은 독자에게 전체의 이야기를 마음 속에 기억할 수 있게 도와준다. 대규모의 학급을 위해서는 각 학생들에게 한번씩 차례가 돌아가도록 이야기를 말하게 하는 몇 개의 이야기 그룹들로 나누어 진행할 수 있다. 그러한 활동은 「파리대왕」에 대한 예처럼 어휘의 학습이나 인물묘사 학습과 결합될 수 있다. 즉 제 1장과 제 2장은 지금까지 한번 읽었는데, 아래와 같은 두 개의 장에서 뽑은 단어들의 목록을 학생들에게 나누어 준다.

meeting	hunting	specs	plane
choir	rules	names	pilot
chief	beastie	smoke	count
pig	fire	rescue	conch

학생들은 4~5개의 그룹으로 나누어 앉는다. 각자가 차례로 목록표에서 한 단어를 골라서 그 단어가 관계되는 이야기 부분에 관해 이야기한다. 그 다음의 힉생은 또다른 단어를 그렇게 한다. 이렇게 해서 듣고 있는 학생들은 논평이나 관련된 다른 세부사항들을 첨가한다.

궤도와 다른 시각매체들의 활용

시각적 매체들은 학생들이 길고 때로는 복잡한 공부를 해나가는데 매우 도움이 된다. 그것들은 작품의 다양한 요소들을 지속적으로 상기시켜 주는 작용을 한다. 벽에 거는 궤도에는 다음과 같은 여러 가지 종류가 있다.

1) 눈덩이 굴리기식 요약문 궤도

사건들의 연대기적 발생이라는 개념을 유지하게 하는 전통적인 방법은 학생들이 작품의 각 부분이 전개되어감에 따라 일어나는 일에 대한 요약문을 쓰게 하는 것이다. 이것은 그들의 이해와 수정을 위해 정말로 유용한 도구이다. 그러나 이것을 계속되게 한다는 것은 쉽사리 반복적인 잡일이 되어버릴 수가 있다. 그리하여 초반부의 단원들이 중간이나 끝의 단원들보다 훨씬 더 충실하게 다루어지는 경향이 있다.

지루함을 최소화하는 한 가지 방법은 이러한 활동을 학급 전체에게 공동작업으로 벌이게 하는 것이다. 사건들의 표시는 큰 벽걸이 궤도에 하거나, 사정이 어려워 곤란할 경우에는 학급 구성원 전체가 상의하여 베껴 갈 수 있는 하나의 공책을 사용해도 좋다. 교사는 학급을 몇 개의 팀으로 나누어, 각 팀이 궤도의 한 부분 또는 그 이상의 부분을 만들어 넣어야 하는 책임을 배정한다. 사건, 주제, 그리고 주인공의 반응과 같은 세 부분으로 나눈 요약문과 관련된 실례는 「파리대왕」의 표 6에 나타나 있다. 학생들은 A, B, C, D의 네 개 팀으로 나누고 각 팀은 소설을 읽어 감에 따라 세 개의 장(章)을 준비해 나간다.

표 6

장 / 팀	사 건	주 제	소년들의 반응
1 / A	랠프와 피기는 섬에서 만난다. 그들은 웅덩이에서 수영을 하다가 소라를 발견한다. 랠프는 소년들을 모으기 위해 소라를 분다. 다른 소년들이 도착한다. 피기가 이름을 부른다. 랠프는 지도자로 선출된다. 섬을 탐험한다. 그들은 산꼭대기에 올라간다. 잭은 피기를 죽이려고 하지만 실패한다.	섬생활의 매력 지도력 살인이 의미하는 것	자유의 기쁨 섬을 탐험하는 매력 우정, 함께 한 노력
2 / B	오후 모임 어린 소년이 뱀에 대해서 이야기 한다. 그들은 불을 지피기 위해 나무를 쌓고 피기의 안경으로 불을 지핀다. 숲에 화재가 난다.	생존규칙에 대한 첫번째 안건	공포 만족 우정, 모험의 기쁨

3 / C	잭이 사냥한다. 다른 소년들은 쉴 곳을 만든다. 랠프와 잭이 싸운다. 사이몬이 숲속에서 비밀장소를 발견한다.	사람들의 이기심, 다른 사람들의 바램에 대한 무관심	가벼운 환멸 공포가 생김 좌절감이 자리잡음
4 / D	로저가 헨리를 물가에서 달랜다. 잭이 얼굴에 색칠을 한다. 랠프가 배를 보지만 불이 꺼져 있는 상태다. 잭과 사냥간 아이들이 돼지를 잡아서 돌아온다. 잭이 화를 내면서 피기를 공격하여 안경을 깨뜨린다. 돼지를 구워 먹는다.	문명과 금지사항 가면 뒤에 이름을 숨김 사냥의 매력/일과 책임감 폭력	사냥-동료애의 기쁨 랠프가 편을 바꾼다.
5 / A	섬 규칙을 고치기 위해 랠프가 모임을 개최한다. 사이몬은 그들 주위에 짐승이 있다고 제기한다. 모임은 해산되고 피기와 랠프, 그리고 사이몬은 잃어버린 어른들의 세계를 그리워한다.	지도자의 자질 불합리와 공포심 규율/혼돈 그리고 증오	새롭게 생긴 이해심(R) (R은 Ralph) J. -공격, 책임감이 부과된 피곤한 생활
6 / B	밤 사이에 섬 위쪽의 하늘에 전쟁이 있다. 낙하산이 내려와서 산꼭대기에 걸린다. 샘과 에릭은 아침에 불을 지피면서 자신들이 짐승을 보았다고 생각한다. 쌍둥이는 다른 아이들에게 그 사실을 말한다. 랠프와 잭은 성벽을 조사한다. 소년들이 바다로 거대한 바위를 굴린다.	용기 / 겁 소년들은 게임을 함	공포 R.-책임감으로 지침 J. -공격, 자신의 지도력에 대한 독단 S. -이성적 견해의 상호교환에 무능함

7 / C	소년들은 그 짐승을 찾기 위해 산으로 출발한다. 랠프는 자신의 고향 생활을 꿈꾼다. 소년들이 맷돼지를 몰자 랠프는 창으로 찌르지만 맷돼지는 도망간다. 가짜 사냥놀이를 하는 중에 로버트는 맷돼지 흉내를 낸다. 소년들은 산기슭까지 맷돼지를 따라간다. 사이몬은 혼자 돌아와서 피기에게 이야기한다. 랠프와 잭이 충돌-어두워지자 산에 올라갈 것을 결심한다. 로저만이 참석한다. 잭이 짐승을 보러 먼저 간다. 세 명의 소년들은 보러 가서 도망간다.	인간 마음속의 난폭성 피-육욕 적대감, 증오	R. -다른 걱정 로저-모험적임 J.-증오, 지배하고 싶은 욕망, 공격성
8 / D	잭이 지도자인 랠프를 교체하려고 모임을 소집한다. 다른 소년들은 반대한다. 그는 마음대로 진행한다. 피기는 해변가에 불을 지필 것을 제안한다. 합창단은 잭과 합세한다. 잭은 맷돼지를 막대기에 꽂아 맷돼지 머리만 남겨 놓는다. 사이몬은 그들을 지켜본다. 그는 자기에게 이야기하는 파리대왕의 소리를 듣는다. 잭과 사냥꾼들은 불을 습격하고 다른 소년들을 자기들의 잔치에 초대한다.	일이 잘못되어 가는 이유 마음 내부의 악	P. -J.의 나감에 안심함 J.와 사냥꾼들 - 욕구의 재미, 페인트 뒤에 있는 금기사항 상실, 살해의 충족 S. -사람들에 대한 인식

9 / A	사이몬은 산에 올라가서 죽은 낙하산 병사를 본다. 랠프와 피기는 잭의 향연에 가서 음식을 먹는다. 폭풍이 분다. 소년들이 가짜 사냥놀이를 하며 춤을 춘다. 사이몬은 그들 사이로 기어가다가 짐승으로 오인되어 죽음을 당한다. 낙하산은 바다로 날아간다. 사이몬의 시체가 바다로 떠내려 간다.	권력/권위, 폭력 의식(義式)의 중요성 군중폭력, 군중심리	S. –합리적인 것을 행하지만 그것의 의사소통에 실패한다. 소년들은 과격한 의식(義式)에 사로 잡혀 있음
10 / B	소년들은 전날밤의 사건들을 인정하지 않으려고 한다. 서로 숨기고 있다. 잭은 성벽에서 자신의 부대를 조직한다. 사냥꾼들은 피기의 안경을 훔치려고 캠프를 습격한다.	유죄	R.과 P. –유죄, 나쁜 양심 J. –격렬해지는 난폭성
11 / C	랠프, 피기, 그리고 쌍둥이는 피기의 안경을 되찾기 위해 성벽으로 간다. 잭은 쌍둥이를 잡아올 것을 명령한다. 잭과 랠프는 싸운다. 로저가 거대한 바위를 밀기 시작한다. 피기가 바위에 부딪쳐 바다로 떠내려 간다. 랠프는 추격해 오는 창을 피해 도망간다.	은폐된 채색이 잔인성을 돋굼 내재한 잔인성이 게임을 즐기도록 이끔	J. –의기양양한 권력 R. –공포에 질림
12 / D	랠프는 추방당한다. 파리대왕의 두개골을 부순다. 그는 감시중인 샘과 애릭에게로 기어 올라간다.		

	그들은 랠프에게 다음날 잡힐 것이라고 말한다. 랠프는 덤불 속에 숨는다. 잭은 바위를 아래로 내던지고 숲에 불을 지른다. 랠프는 덤불 사이로 도망다닌다. 랠프는 해변으로 달려 나간다. 배의 장교들이 소년들을 구출하기 위해 나타난다.	소년들 내부의 혼돈, 잔인성, 난폭성 야만성 무지의 끝 인간 마음에 있는 어둠	R. - 사냥감에 대한 공포 J. -완전한 권력, 잔인성

2) 몽타지

이미 살펴본 표 2에서와 같이 작가의 생애를 몽타지로 사용하는 것과 동일한 방식으로 다양한 측면, 즉 플롯, 인물, 배경 등은 점점 증가하는 시각적 제시를 위한 기초를 이룰 수 있다. 잡지그림, 뎃상, 사진, 몇 편의 창작문이나 비평작품으로부터의 적절한 발췌문, 학생들이 그리거나 쓴 인물의 스케치 등도 단계적으로 더해질 수 있다.

3) 그래픽에 의한 제시

여기에는 차례로 배열된 다이어그램이나 특정 작품의 여러 가지 다른 요소들에 초점을 맞춘 시각적인 제시의 형태들이 있다. 몇 가지 예를 아래에 들어본다.

첫째, 플롯의 전개를 제시한다. 예를 들어, 만약 교사가 길이가 긴 읽기자료를 열 부분으로 나누려고 계획한다면 그 궤도는 열 부분으로 구성되고, 각 부분에는 작품의 그 부분에 무엇이 일어나는지를 어떤 구체적인 방법으로 예시하게 된다. 기억할 만한 인용문들이 더해질 수도 있다. 각 부분은 학생들에게 작품의 그 부분에서 어떠한 특징을 기억나게 하는 상징적인 형태로서 포착되어질 수 있다. 이에 대한 예는 「로미오와 줄리엣」에서 제시되고 있다(표 15 참조).

둘째, 등장인물들의 제시, 그리고 그들이 이야기 속으로 소개되고, 서로간에 성장, 변화하는 관계 등을 제시한다.

이것들은 하나의 커다란 학습판 모양으로 만들 수 있는데, 거기에는 작품을 읽어가는 과정에 따라 새로운 정보를 기입하는 것이다. 시각적 흥미와 기억력을 높이기 위해 각 인물들은 다른 색깔로 표시될 수 있다. 직선적인 순서에 따르지 않는 형태가 사용될 수도 있다. 예를 들어, 다양한 인물들에 대한 정보는 벽의 궤도에 그려왔던 각 인물의 대략적인 윤곽들에다 점차적으로 첨가한다. 등장인물의 성격발전의 흐름은 특정 인물의 운명이나 도덕성의 흥망성쇠를 보여주는 파도치는 모양으로 나타낸다. 마지막으로 인물들간의 관계는 주사위 놀이판 모양의 형태 위에다 그래픽으로 묘사한다(사다리 모양들은 사이가 가깝고 우호적일 때를 위해, 뱀 모양들은 갈등이나 불화를 위해 사용되어진다).

셋째, 행동이 일어나는 배경을 제시한다. 표준적인 직선형의 전개 형태 위에 제시하는 상상력의 변화는, 학생들이 만들기에 보다 더 흥미롭고 기억히기에도 보다 더 쉬운 것으로 판명될 때가 많다. 「파리대왕」에서 배경을 묘사하는 데 사용된 별표 다이어그램은 작품에서 배경의 변화가 있는 여러 지점에서 반복하여 사용될 수 있다. 그리하여 이것은 눈덩이 불리기식의 변이형을 제공하게 된다.

벽걸이 궤도나 도표들은 각 그룹의 학생들이 학급 전체의 도표에서 계획한 한 가지 순서를 책임지게 하는 방식의 교실수업에 기초를 둔다. 서로 다른 집단들은 교대로 왜 각각의 독특한 항목이나 상징을 선택했는가에 대해 토론을 이끌어내면서 그들 자신만의 것들을 제시할 수도 있다. 후자를 선택하면 구두활동을 자극시키는 데 유용한 것과는 별도로 문학비평의 정의적 해석이라는 생각을 깨뜨리는 데 도움을 준다. 즉 다른 대답들이 가능하고 유익할 수 있다는 사실을 깨우쳐 줄 수 있다.

재평가 하기

작품의 내용을 개관하기 위해서는 그 작품의 여러 지점에서 특별한 연습문제를 다시 풀어나가는 학습활동을 함으로써 유지될 수 있다. 예를 들어, 동기와 성격에 대한 첫 통찰을 구체화하기 위해 사용되었던 눈금 친 도표는 교사가 보관할 수 있다. 학생들은 그 이후의 여러 장에서 배운 것을 다시 익히기 위해 앞에서 사용한 것과 똑같은 눈금 친 도표의 두번째 복사물을 받아서 빈칸에다 다시 써 넣는다. 여기에는 학생들이 그 인물에 대해 좀더 많이 얻은 지식을 서술한다. 초반과 후반의 견해들을 비교하면 교훈을 얻게 된다.

계속하여 예상해 보기

이것은 모든 학생들이 거의 같은 속도로 작품을 읽어나가고 있는 상황에서 가능하다 — 그들은 읽고 있는 이야기에서 앞으로 초반부 무렵에 있을 법한 사건을 예상해 보도록 지시받는다. 그리고 그 뒤의 단계들에 가서 다시 그러한 예상을 해 본다. 이러한 방법은 교사나, 또는 더욱 좋은 것은 학생들 중의 한 사람이 적절한 질문을 던져 구두활동의 형식을 취하게 함으로써 책을 계속 읽어 나가게 하는 추진력을 준다. "어떤 일이 일어날 것 같은가?", "X라는 인물의 운명은 어떻게 될 것 같은가?" 등과 같은 질문을 하는 것이 그러한 예이다.

한편 이것은 객관식 형태로도 가능하다: "자, 여기 세 가지 가능성들이 있는데 이것들 중에서 어떤 일이 정말로 일어날 것 같은가? 왜 그렇게 생각하는가?"

학생들이 흥미를 가지는 형태로서 다음과 같이 변형시킨 형태들도 있다. 작품의 첫번째 부분을 읽은 후에 그들은 다음과 같은 일련의 질문들에 대해서 글로 써 넣는 대답을 해야 한다. 이것은 「파리대왕」에 관한 질문들이다.

I think Piggy will..

I think the children will/ will not be rescued because..........................

I think the greatest danger they face is...

I think they will succed in...
I think they will fall in ....
I think they will find it easiest to ....
I think they will find it hardest to ....

이것들은 따로 보관했다가 몇 개의 단원이 끝난 후에 다시 학습한다. 예상들이 아직 유효한가? 왜 그렇게, 또는 그렇지 않게 생각하는가? 새롭게 알게 된 것들에 비춰볼 때 그것들을 어떻게 수정하겠는가?

아래와 같은 이러한 질문들의 변형형태도 역시 읽은 글의 이해력을 측정하는데 중요한 요소가 되는 읽기 기술을 훈련시킬 수 있다. 일련의 사실들로부터 있을 법한 결과들을 추론해 내어야 하는 것이다. 앞에서 읽었던 몇 개의 장들로부터 추론하여 다음과 같은 빈칸을 완성시킨다.

In this chapter, we see the beginnings of conflict between Jack and Ralph. From this wc can foresee that .... Jack taunts Piggy and won't let him speak. This may lead to ....

이러한 해석에서처럼 사실들을 강조하는 것은 학생들이 지금 읽고 있는 이야기에서 여러 사건들의 있을 법한 결과들에 주의를 기울이도록 훈련시킨다. 이렇게 한번 하고 나면 그들은 긴 작품의 다음 부분들을 위한 과정을 스스로 시작할 수 있다. 즉 그들은 그룹활동을 하면서 방금 읽은 글로부터 추론 가능한 여러 가지 사실들을 추출해낸다. 각 그룹에서 추론된 여러 사실들은 다른 그룹으로 넘겨지고, 넘겨받은 그룹은 그것을 가지고 가능할 수 있는 결론을 이끌어내는 것이 그들의 과제가 된다.

결정의 핵심들을 찾기

한 권의 작품을 읽어 나갈 때 책의 어느 지점에 이르게 되면, 교사는 학생들이 문장이나 단락 단위로 다음과 같은 유형의 질문에 대답하도록

요구한다: 왜 X가 이런 결정을 내렸는가? 왜 그런 조치를 내렸는가? 왜 마음을 바꾸었나? 이에 대한 몇 가지 예들이 아래에 있다.

* 왜 리프레가 디키 그리니프를 죽이기로 결심했는가?
  (패트리샤 하이스미스, 「재능있는 리프레씨」)
* 왜 데이지가 톰과 함께 머무르는가?
  (스콧트 핏츠제랄드, 「위대한 갯츠비」)
* 왜 리자는 히긴스가 그렇게 무례하게 구는 데도 함께 머무르기로 결심했는가?
  (죠지 바나드 쇼, 「피그마리온」)
* 왜 사람들은 계속해서 피셔 박사의 파티에 가는가?
  (그라함 그린, 「피셔 박사」)

교사는 학생들의 답을 모은다. 그리고 나서 최대한의 범위에 걸쳐 여러 가지 이유를 나타내는 대답들을 선택하여 기록하거나 타이프로 친다. (다시 복사하는 것이 다소 지루한 일이 될 수도 있으나, 교사는 누가 어떤 대답을 했는지 모르게 하여 필요하다면 신중하게 언어 교정을 보아도 괜찮다). 나중에 학생들이 계속 뒷부분을 더 읽어 나갈 때 선택해 둔 것들은 그들이 함께 보도록 핀을 꽂아서 고정해 놓거나 복사가 가능한 경우에는 그들에게 답을 나누어 준다.

학생들이 자신의 답을 써 보면, 그것은 물은 질문에 대한 그들의 생각에 영향을 끼칠 수 있기 때문에, 부가적인 지식이 획득되었는지의 여부와 어떤 새로운 답이 지금 주어져야 하는지, 그리고 어떤 답들이 다른 답들보다 더 완전하고 질문의 의도에 가까운지에 대한 이유 등을 평가하는데 더욱 용이하게 된다.

좀더 수준이 높은 학생들에게는 이러한 활동이 다음과 같은 언어학습에 매우 유용하게 사용될 수 있다: 문장이나 단락들에 있어 잘못된 오류를 교정하지 않고 그러한 오류들을 그대로 두거나, 또는 한 가지의 특정 형태만 남겨두고 다시 쓰거나 타이프를 친다(예를 들면, 관사나 동사의 시제 등의 생략).

그룹으로 수업에 참여하고 있는 학생들은 그들이 얼마나 많은 오류를 찾아서 바르게 교정할 수 있는가를 안다. 이런 수업방식은 보통은 학생들에게 흥미롭지만 너무 자주 사용하지 않는 것이 바람직하다. 왜냐하면 아이디어들이 표현된 방식을 아주 자세히 검토한 후에 문장들이 무엇을 명료하게 나타내고 있는지에 관해 토론하는 것이 어려운 경우가 자주 있기 때문이다. 많은 다른 수업활동에 있어서와 마찬가지로 이러한 활동에는 학생들이 하고 있는 수업활동의 종류를 다양하게 하고 균형을 맞추려고 노력하는 것이 중요하다.

계속되는 일기 쓰기

교사는 긴 작품이 전개될 때 학생들에게 여러 사건과 느낌들을 기록하는 일기를 쓰게 한다. 학생들은 자신들이 서로 다른 작중인물들이라고 상상할 수 있다. 그래서 작품에서 각각 새로운 상황이 전개될 때, 그들의 인물이 썼을 일기를 쓸 수 있다. 이것은 여러 가지 다른 시각에서 쓰여질 수 있는 어떤 일기들을 확실하게 보여준다. 교사는 작품의 마지막 부분에 이르러 일기들을 비교하고 토론할 기회를 제공하는 것이 중요하다. 교사는 쓴 일기들의 전시회를 조직할 수도 있다.

벽 위의 파리로 상상하기

학생들은 어느 등장인물의 역할을 떠맡는 대신에, 번갈아 가면서 '벽위의 파리들'로서 행동할 수 있다. 그리고 그 파리들은 눈에 보이지는 않지만 그들 자신으로서 작품에 존재하고 있다고 상상할 수 있다. 그러므로 그들의 일기는 자신들의 여러 가지 관찰과 논평들을 지닌다. '벽위의 파리'의 견해를 누적적으로 쌓아 올리는 책임은 공동의 것일 수 있다. 교사는 긴 작품을 교실의 학생수 만큼 많은 부분들로 나눈다. 그런 다음에 학생들은 각자 어떤 번호를 쓰고 그 번호에 일치하는 작품의 어느 부분에 대해 논평을 쓰는 책임을 진다. 교사는 이것들을 벽걸이 궤도 위에 붙이거나, 아니면 특별히 이 목적을 위해 보관해둔, 잘 꾸며진 책에 넣어 학생마다 한 부분씩을 맡길 수 있다. 보호 플라스틱 사이에 구멍을 낼 수 있는 바인더가 여기에 사용될 수 있는데, 이 활동에 이상적인 것처럼 보인다. 학급의 수준이나 우선순위에 따라, 교사는 학생들이 쓴 논평들을 합쳐서 책이 되게 하기 전에, 교정하기로 결정하거나, 각 학생들이 만들어낸 그대로의 결점상태로 둘 수 있다. 읽기가 진행됨에 따라 눈덩이 불리기식의 벽걸이 궤도나 노트들에다 다른 쓰기 과제들을 비슷하게 첨가할 수 있다.

언어 연구과제 수행하기

이것은 학생들이 작품을 계속하여 읽어나갈 때 그룹으로 수행할 활동인데, 각 집단은 앞으로 연구할 하나의 특별한 언어의 양상들을 할당받는다. 「로미오와 줄리엣」을 위해 사용된 예를 과제지 33에서 보기 바란다(작품을 읽으면서 최대한의 '재담'을 수집하고 노트에 기록해서 재담의 두 가지 의미와 그 효과가 무엇인지를 결정하라는 요지의 연구과제이다).

제 5 장 하이라이트들을 이용하는 활동

일단 집에서 해오는 읽기로 지원을 받고, 눈덩이 불리기식 활동들에 의해 작품의 이야기나 인물창조에 대해 증가되는 감각을 발전, 유지시킴으로써 교사는 작품의 하이라이트들을 이용하기 위한 상상적인 활동을 추가하여 무엇을 더 선택할 수 있다. 이와 같이 하여 도입한 활동들은 학생들이 그 문학작품을 탐색하고 그 작품에 대한 학생들 자신의 반응을 표현하도록 더욱 더 촉진시켜 줄 것이다. 더구나 교사의 선택이 현명하다면, 이러한 활동은 학생들이 소설이나 희곡의 극적인 내용에 열중할 때 교사가 학생들의 한두 가지 이상의 언어기술의 특별한 결점들에 관심을 가지도록 해줄 것이다.

이 장에서 설명되는 활동들은 읽고 있는 특정한 문학작품의 형태나 학생들의 유형과 수준들에 따라 수정되거나 개작될 수 있는 아이디어나 모형들이다. 이러한 활동들은 작품의 여러 다른 지점에서도 이용될 수 있음을 다시금 강조한다.

비록 이 활동들의 대부분이 언어기술이라는 표제 아래 분류되기는 하지만, 그것들 중의 많은 활동은 몇 가지의 언어기술들을 통합하거나, 특히 그룹들로 행하는 구두활동에 대한 자극으로서 문학작품을 이용한다는 우리 교사의 바램을 반영하고 있다. 우리는 이 활동의 결과가 학생들의 목표언어에 대한 다방면에서의 능력을 총체적으로 향상시켜 줄 뿐만 아니라 목표언어로 된 문학을 즐길 줄 알게 해 주리라 믿는다.

작문활동

문학작품들은 교실에서 재미있는 작문활동을 할 수 있는 풍부한 문맥들을 제공한다. 여기서 우리는 작문의 요소를 가진 다양한 활동들을, 많은 것이 자연스럽게 놀이로 변하지만, 토론 및 후속적인 연극놀이로 분류하였고, 그렇게 해서 다양한 언어기술의 배양을 위한 연습활동들로 발전되게 하였다. 이 장의 방향은 통제된 작문활동에서 한층 더 창의적인 작문활동으로 발전하게 된다.

연결어를 이용하여 요약문 쓰기

교사는 학생들에게 연결어들의 목록을 제시한다. 예를 들면 다음과 같다: furthermore, however, to sum up, nevertheless, meanwhile, to make matters worse, even so, on the other hand

학생들에게 집에서 읽을 글을 정해 주고 다음 수업시간에 두 명씩 짝이 되어 목록에 있는 연결어를 적절히 사용해서 이 부분에 대한 요약문을 쓰게 한다. 교사는 그들에게 최대한으로 많은 단어를 주며, 그러한 결과에 대해 비교와 토론의 시간을 갖도록 한다.

다음 수업에서는 후속활동으로서 같은 연결어들을 여러 장의 작은 종이 쪽지에 써서 상자에 넣고 학생들에게는 조금 더 읽을 글을 집에서 읽어오도록 정해준다. 이제 학생들에게 연결어가 적혀 있는 종이 쪽지를 하나씩 뽑게 하고, 그룹으로 나누어 그들이 새로 읽은 글의 사건을 자기가 뽑은 연결어를 이용해서 차례로 이야기해 나가게 한다. 만약 그 연결어를 사용하는 것이 가능하지 않을 때는 전혀 다른 연결어를 대체하여 사용하도록 허용하고, 그 연결어를 종이 쪽지에 적어서 이미 다른 연결어를 모아 놓은 상자에 추가로 넣는다. 연결어를 반복 사용하는 것은 금지된다.

이와 비슷한 활동을, 글의 전개를 논리적으로 명백하게 해주는 표식어를 이용해서 해볼 수 있다. 예를 들면 다음과 같은 것이 있다: 'one reason for this…', 'take for example…'. 이 활동은 학생들이 생각을 연결하는 방식들을 잘 인식하게 해주기 때문에 에세이를 쓰는데 유익한 준비활동이 된다.

요약문을 다시 요약하기

요약작업의 한 가지 훌륭한 방법은 점차 나아가는 단계적인 방법이다. 학생들을 세 그룹으로 나누고, 각 그룹은 최대수, 이를테면 70개의 단어를 가지고 읽은 부분을 요약해서 적는다. 그런 다음 각 그룹이 요약한 내용을 다음 그룹에 전해주면 그 그룹은 절반 길이의 글, 즉 35개의 단어로 단축하고, 다음 세번째 그룹은 다시 반으로 17개 단어를 사용한 글로 단축한다. 그렇게 해서 각 그룹은 모두 세 가지의 요약문을 만드는데 모두 참여하게 된다. 맨 마지막에 만들어진 요약문들은 큰 소리로 읽어 공개되고 서로 토론한다.

창의적인 대화문 쓰기

대화문들을 적는 것은 학생들이 등장인물이나 소설의 상황에 대한 자신의 견해를 개발할 수 있는 좋은 방법이다. 대화의 주고 받음은 학생이 목표언어를 충분히 다루지 못하더라도 그것들이 언어구사에 효과적인 것이 되도록 아주 단순해야 한다.

문학작품에 기초를 둔 대화를 만들어 내는데 가장 명백하고 성공적인 방법은 대화가 사용되지 않은 장면을 선택하여 발생할 수 있었던 대화를 학급의 학생들이 상상하게 하는 것이다. 그런 후에 그러한 상상을 그룹이나 짝을 지어 글로 쓰도록 한다. 예를 들면, 한 등장인물이 어느 장면에 나타나면 그 문학작품 자체에는 없는 어떠한 대화를 그 이전에 같이 있었던 다른 사람과 했을 것이라고 생각하여 그것을 적어 보라고 한다. 작품에서 혼자 있지 않는 등장인물들은 독자의 상상력을 통해 그런 기회를 부여받을 수 있게 될 것이다. 시에서도 역시 대화문 쓰기를 할 수 있는 훌륭한 문맥들을 제공할 수 있다. 그런 예들은 9장에 제시되어 있다. 이와 같은 과업을 하기 위한 정확한 형식이 어떤 것인지는 각 문학작품에서의 특별한 상황에 따라 달라지는 것은 말할 것도 없다. 예를 들면,「파리대왕」에서는 학생들에게 하나의 독백을 써 보라고 할 수 있고, 짧은 희곡 「모래상자」에서는 작품을 읽은 다음에 스케치를 해보라고 할 수 있다. 이러한 모든 경우에 글로 쓴 대화들은 훌륭한 역할극 놀이나 연극을 위한 토대가 될 수 있다. 학생들은 보통 자기 자신의 작품을 연극으로 공연해 보기를 좋아한다.

또다른 대화를 만드는 인기있는 방법은 학생들에게 '돌아가면서' 그러한 대화를 적도록 하는 다음과 같은 방법이다.

교사는 장면을 설정하고 각 학생들은 자신이 등장인물 A라고 생각하면서 첫 문장을 쓴다. 그리고 나서 그들 오른쪽 학생에게 종이 쪽지를 건넨다. 모든 학생들은 제각기 자기가 받은 대화를 읽고 자신은 등장인물 B가 되었다고 상상하며 종지 쪽지에 적힌 말의 답변을 적는다. 다시 그 종이를 자신의 왼쪽 학생에게, 즉 처음 그 대화를 적은 사람에게 돌려 준다. 각각의 학생은 다시 등장인물 A가 되어 그 대화의 등장인물 B에 대한 답을 쓴다. 이런 활동이 끝났을 때, 각각의 학생들은 두 개의 대화문을 만드는데 기여하게 되는데, 하나는 등장인물 A, 또 하나는 등장인물 B의 역할을 하게 되는 셈이다. 이런 방법은 종종 대화문을 적는 것을 즐겁게 만드는데, 그 이유는 의외의 놀라움이라는 요소가 있기 때문이다. 즉 각각의 학생들이 다른 학생에 의해 쓰여진 대화에 반응을 해야하는 데 연유한다. 그것은 또한 학급의 크기에 관계없이 적합하다는 장점이 있다. 이러한 예는 「로미오와 줄리엣」에서 로미오와 늙은 카푸렛 사이에 상상적으로 만들어진 대화에서 찾아볼 수 있다(제 7장 참조).

등장인물들의 속 마음 쓰기

학생들이 점차 상상력을 동원하는 활동에 익숙하게 되면 교사는 학생들이 행동과 외모의 외부세계와 사상과 감정의 내부세계 사이에 존재하는 창조적인 상호작용을 인식하기를 원한다. 교사는 이러한 두 가지 세계에 대해 다양한 단어들이 작품 내에 주어져 있다는 사실에 대해 학생들이 알아 차리기를 역시 희망한다. 즉, 때때로는 독자들에게 등장인물이 말하거나 행동한 것만을 제시하지만, 어떤 때에는 등장인물이 생각하고 있는 것들을 들려준다. 또 때때로는 작중 화자의 논평을 들려주지만, 때로는 그렇게 하지 않기도 한다. 독자들이 제시된 단어를 해석해야 하고, 어떤 의미에서는 본문에서 단순하게 제시만 되어져 있는 하나의 새로운 세계를 창조하기 위해 해야 할 추측사항들이 있다. 아래에 제시한 과업은 학생들이 이런 작업을 명백히 하는데 도움을 줄 수 있다. 그렇게 하는 과정에서 학생들은 상상의 세계 자체와 작가가 구술적, 극적 기호에 의해 창조하고 있거나 독자가 그것을 재창조하게 되는 복잡한 상상력의 세계에 대한 충분한 이해를 하게 된다. 이러한 작업은 간단하다: 학생들에게 문학작품 속에 제시되어 있는 외면적 대화에 병행할 내면적 대화를 써 보도록 한다. 이것을 더욱 시각적이며 구체적이고 재미있게 만드는 한가지 방법은 '전화대화'라는 시에서 그 예가 잘 나타나 있다(9장의 과제지 56 참조). 여기에는 만화 그림이 그려져 있고 그림들은 등장인물이 말하는 것을 보여준다. 학생들은 등장인물들의 속 마음들을 빈칸에 채워 넣는데, 그것은 비록 입으로 말을 한 것은 아니지만 각자가 동시에 느끼는 생각과 감정들을 나타내기 위한 것이다. 그러나 그림이 필수적인 것은 아니다. 과제지 20은 페트리샤 하이스미스가 지은 「재능있는 리프례씨」 중의 중요한 장면을 위해 만들어진 것인데, 여기서 실제로 발화된 대화는 왼쪽에 제시되어 있고 오른쪽에는 동반되는 학생들의 생각을 적도록 했다. 이 경우 적어 넣을 대화를 위한 단서들이 실제로 서술된 이야기에 이미 주어져 있고 (예를 들면, 작가는 이 장면의 시작 부분에 당황해 한다고 말한다), 이 대화와 나란히 써 넣을 내면적 대사를 구성하는데 이러한 단서들이 고려되어야 한다는 사실에 학생들은 주의를 기울여야 한다.

과제지 20

「재능있는 리프례씨」의 69-70 페이지를 읽으시오. 그곳에는 디키가 자신의 방으로 들어오며, 톰이 자기 옷을 입어 보고 있는 것을 발견하게 된다. 왼쪽은 실제로 그들이 상대방에게 주고 받는 대화이고, 오른쪽은 두 사람이 각자 마음속에 생각하고 있는 내용이다. 여러분의 짝과 함께 각 등장인물이 정말로 마음 속에 생각하고 있을 것이라고 여겨지는 것을 적으시오. 처음 두번째까지의 부분은 완성되어 있으나 이것이 여러분의 생각에 그들이 실제로 생각하고 있을 것을 반영하지 못하고 있다면 바꿀 수도 있다. 소설가는 본문 중에 어떤 실마리들을 제공하고 있음을 기억해야 한다.

각 등장인물이 말하는 것	마음속에 생각하고 있는 것
디키 : 너 뭐하고 있니?	어떻게 감히 내방에 몰래 들어와서 내 옷을 입어보고 있는 거야! 나 참 기가 막혀서!
톰 : 어머 깜짝이야. 톰 : 디키, 디키, 미안해, 미안.	어떡하지? 숨을 곳이 없을까? 세상에, 얘가 알아버리다니 정말 미워.
디키 : 옷 벗어 놓으면 좋겠어. 신발까지! 너 미쳤니?	
톰 : 아니, 너 마르기와 화해했니?	
디키 : 마르기와 나는 사이가 좋아. 내가 또하나 분명이 말하고 싶은 것은 내가 동성연애자가 아니라는 거야. 네가 어떻게 생각하는지는 모르지만.	
톰 : 동성연애자라고? 나는 너를 그렇게 생각해 본 적이 없어.	
디키 : 그런데 마르기는 네가 동성연애자라고 생각해.	

톰 : 왜? 왜 그 여자가 그렇게 생각하는 거지? 내가 어쨌길래?	
디키 : 그건 바로 너의 행동 때문이지.	

도움 요청말을 쓰기

문학작품의 중요장면이 등장인물들 중의 한 명이나 몇 명이 지극히 어려운 곤경에 빠져 있음을 보여주는 경우가 자주 있다. 그런 상황에서 그러한 인물이 긴박하게 간청할 짧은 글을 학생들이 상상하여 써 보도록 한다. 위험이나 고뇌의 상태에서는 말을 해서 의사를 전달하는 것이 우선적이라는 것은 분명하다. 누구나 조금 이상한 철자나 문법적 실수가 전달할 메시지를 이해하는데 크게 방해되지 않는다면, 그러한 것에 대해 지나치게 걱정하지 않을 것이다. 글의 문맥은 서면 양식에 크게 자신이 없는 학생들에게 쓰기에 부담없는 자유로운 것이 될 수 있다. 실례를 들면 「파리대왕」에서 '병 속의 편지'를 들 수 있다. 교사는 학급의 각 학생들에게 이름이 하나씩 돌아가도록 각 인물들의 수에 대충 맞게 메모 용지에 피기, 랠프, 사이몬, 잭의 이름을 하나씩 쓴다. 학생들은 임의의 종이를 한장 뽑는다. 그런 다음 각각의 학생은 자기들이 뽑은 인물의 이름을 바로 자신이라고 상상한다. 그들은 비행기에서 떨어져 나온 텅빈 코르크 마개로 봉해진 병을 건져내어 집으로 보내는 편지를 써서 그 속에 넣고 새로 봉하여 해변가로 내려가 흘려 보낸다. 창의력이 풍부한 그룹들은 간단한 지시만 필요할 것이지만 보다 의존성이 강한 그룹들을 지도하기 위해서는 아래와 같은 지침을 줄 수도 있다:

부모님께 알릴 내용: 어디에 있는지
어떻게 지내고 있는지

부모님이 무엇을 해 주셨으면 하는지
가장 원하는 것이 무엇인지
섬에서 가장 좋은 것은 무엇인지
기타 등등

교사는 필요하다면 편지 형식과 사용할 언어를 미리 가르쳐 줄 수 있다. 만약 학생들이 그들의 정체를 밝히지 않는다면 재미있는 듣기 활동이 뒤따를 수 있다. 즉 각각의 학생들은 자신의 편지를 크게 소리내어 읽고, 나머지 학생들은 그 편지를 쓴 인물을 추측해 내려고 노력한다. 이 활동은 다양한 개성적 측면에 대해서 훌륭한 토의를 이끌어낸다. 아래의 표 7은 초보 단계의 학급에서 학생들이 쓴 '병 속의 편지'의 몇 가지 예들 중의 하나이다.

표 7

그리운 아빠, 이 편지가 아빠에게 도착되기를 희망하며 아빠가 꼭 이 편지를 찾게 되기를 확신해요. 우리에겐 사고가 났고, 무슨 일이 일어났는지 정확히는 모르지만 비행기에서 떨어졌어요. 지금은 모두가 따뜻한 섬에 있는데, 이 섬은 굉장히 좋은 곳 같아요. 아빠, 소년들은 저를 대장으로 선출했어요! 그리고 전 그들을 잘 이끌 수 있을 것 같아요. 합창단의 한 우두머리 소년이 있긴 하지만, 아이들은 그를 좋아하지 않고 저는 그가 어른들이 아무도 없는 상황에서 어떤 행동을 취해야 하는지 정말 모르고 있다는 생각이 들어요. 그는 단지 재미있게 놀고 모험만을 바라지만, 할 수 있을 때에도 돼지 한 마리 죽이지 않았어요. 아빠, 아빠는 저에게 어떻게 생존해야 할지 가르쳐 주시겠죠? 우리는 집을 지어야 하고 충분한 물과 음식이 필요해요. 그리고 아빠, 우리는 큰 신호로 불을 밝히고 있어요. 그래서 아빠가 이 부근에서 우리를 구출하기 위해 저를 찾으실 때 어디에 있는지 보실 수 있을 거예요.

아빠, 아빠가 오셔서 우리를 데리고 가실 때까지 이 환경을 극복해낼 것을 약속할께요.

사랑하는 랠프

추신 : 아빤 항상 튼튼하고 강한 아들을 기대하고 계셨죠?

(편지 원문)

Dear Daddy,
I hope this letter will reach you, but I'm quite sure you will find it.
- we had an accident, I don't know exactly what had happened, but we were dropped out of the plane. All boys are now on an island where it is very warm and it seems to be a good island.
- Daddy, the boys elected me to be their chief!
And I'm sure I'll be able to lead them, there's another boy who is a head-boy of a choir, but they don't like him and I think he doesn't really know how to behave in such a situation without any grown-ups. He wants only fun and adventure, but he didn't even kill a pig when he could - Daddy, I know, what you taught me how to survive, don't I? We have to build shelters and to provide for enough water and food. And - Daddy - we were lightening a big signal fire so you can see where we are when you're looking for me in this area to rescue me and the others.
Daddy, I promise you I'll be able to cope with the facts until you come and fetch us.

Love, Ralph

PS: You always wished
to have a tough, strong
son, didn't you?

그러나 이러한 활동을 위한 상상은 수없이 많은 다른 작품에 따라 변경될 수 있는 것이다. 예컨대, 죤 파울즈가 지은 「수집가」에서 소녀가 밀수하려는 것이 무엇인지를 써 보도록 할 수 있다. 또는 핏츠 제랄드가 지은 「위대한 갯츠비」에서 윌슨 부인이 남편에 의해 감금당했을 때 톰에게 가지고 가려했던 것이 무엇인지, 혹은 「로미오와 줄리엣」에서 수도승 로렌스가 로미오에게 무엇을 보내려고 했는지, 알더스 헉슬리의 「새 세계에 용감히 맞서라」에서 구조해 달라고 부탁하는 보호구역에 썼던 것이 무엇인지 학생들에게 글로 써 보도록 한다.

시 쓰기

외국어로 시를 쓴다는 것은 전체적으로 아주 자유롭고 형식에 구애받지 않는 한 즐거운 것이 된다. 그것의 목표는 문학적 상황에 대해 개인적으로 느껴진 반응을 명백히 하는 것이다. 그러므로 일반적으로 리듬이나 운율이라는 통제를 가하지 않는 것이 바람직하다.

한편 형식에 관한 제약들은 상당히 소득이 있을 수도 있다. 예를 들어, 학생들은 자기가 쓴 시의 형식이 죠지 허버트의 유명한 예들에서처럼 중심 주제를 재창조해 내는 경우 일반적으로 시 쓰는 것을 즐기게 된다. 다양한 일본시의 모델에서처럼 몇 개의 정해진 음절들로 이루어지는 시, 또는 시의 첫 행의 처음 몇자가 이름으로 시작된다든지 하는 시들이 인기가 있다. 아래에 간단하게 일본시 '당가'에 맞추어 외국 학생이 쓴 예를 소개한다. 이것은 31음절로 된 5행시로 구성되는 시형식이다. 제1행부터 제5행까지가 차례대로 5음절, 7음절, 5음절, 7음절, 7음절로 이루어진다. 「파리대왕」에 나오는 섬의 움직임 장면에 대해 고급반 수준의 다언어 사용 학생 그룹이 창작한 '당가'를 보면 다음과 같다.

Island movement

Surging sea below (5음절)
Pigs crashing through dry bushes (7음절)
Palms, wind shimmering (5음절)
Shoot light in myriad shafts (7음절)
The beast's ear is flickering. (7음절)

믿을 만한 비문학적 형태들을 사용하기

문학작품의 맥락 속에 유입될 수 있고 어떤 글을 쓰도록 자극하는데 이용될 수 있는 많은 비문학적 형태들이 있다. 다음에 예시한 각각의 예에서 교사는 학생들에게 처음에 믿을 만한 모델을 보여준다. 그렇게 하면 그들은 일반적인 지면 배치, 문체, 길이, 그리고 언어역(言語域) 등에 대해 어떤 인식을 얻게 된다.

1) TV나 라디오 연속물의 안내글 쓰기

학생들은 그들이 공부하는 작품이 라디오나 TV에 연속물로 방송된다고 상상한다. 교사는 그들에게 먼저 신문이나 잡지에 있는 'TV와 라디오 안내' 부분의 한 가지를 보여준다(아래 표 8 참조). 그리고 나면 그들은 작품의 한 가지 특정 장면에 대해 그것을 출판하기 위해서 하는 것처럼 아주 간결한 설명문을 써야 한다. 이것은 역시 눈덩이식으로 계속 증가되어 가는 활동으로 이용될 수도 있다.

표 8

9 February **MONDAY RADIO**

art of the Summer Term.
sive Mr Beeston, and a
ed teacher: a pre-occupied
rown, and – 'where have
children gone? . . .'
rchant ....ROY SPENCER
son........ROSEMARY MILLER
.....PRUDENCE OLIVER
....ROBERT LYNAM
DENHAM

know that *how* you give birth
can matter a great deal.
Corinne Julius visits one of the
Caesarian Support Groups
which have been growing up
round the country.
Serial:
The Diary of a Good Neighbour
by DORIS LESSING
abridged in 12 episodes
by MEG CLARKE
Read by **Janet Suzman** (1)
Jane Somers, a successful
magazine journalist, feels that
she failed both her husband and
her mother when they were
dying of cancer. But then life
presents her with a second
chance in an unlikely encounter
with an old woman – Maudie
Fowler.
(Music: Claude Bolling's Suite for
cello and jazz piano)
Editor SANDRA CHALMERS

1.55-3.0 *VHF/FM*

6.0 ... O'Clock News
with PETER DONALDSON
Half an hour of reports
from the BBC correspondents
around the world
including **Financial Report**

6.30 The News Quiz
The last seven days from a
peculiar viewpoint, the chair of
Barry Took. Trying to make
sense of it, *Private Eye*'s
Richard Ingrams, his gifted
satirist **John Wells**, *Observer*
Editor **Donald Trelford** and
Punch supremo **Alan Coren**
Written and compiled by
JOHN LANGDON with the
Producer HARRY THOMPSON. *Stereo*
(Broadcast on Saturday at 12.27 pm)

7.0 News

Kaleid...
Presented by Micha...
Producer JOHN BOUNDY
Editor ANNE WINDER
(Re-broadcast tomorro...

10.15 A Book at ...
Missing Persons b...
abridged in ten pa...
DONALD BANCROFT
Read by **Patricia R...**
6: *The Prodigal. St...*

10.30 The World
Presented by Davi...
Editor BLAIR THOMSO...

11.15
The Financial W...

11.30 *LW*

...ELY *(R) (e)*

...ernoon Play
...Lesson
CAMPBELL. *Stereo*
...Saturday at 7.0 pm)

...oscope

...n explores the past
...nt of Russian art
which currently
...ondon's Barbican

...st Friday)

by **Gordon Clough**
...**ie Singleton**
...K LEWIS
...n VHF/FM 5.50-5.55 pm

A week...y review of discove...
and developments from the
world's leading laboratories.
Producer GEOFF DEEHAN
(Re-broadcast next Saturday)

8.15 The Monday Play
The Diary by BRIAN GLANVILLE
with **Mary Ellis** as Alice
Jane Asher as Helen
and **Robert Harris** as Vanbrugh
In her villa outside Florence,
Alice lives the life of a great
lady, waited and doted on.
However, her mother was a
particular friend of Edward VII
and her daughter is a raffish
bohemian. There are skeletons
in her cupboard – and in her
diary!
Clovis ....HENRY STAMPER
The Rev Deeley ....PETER MARINKER
Holmes ....KERRY SHALE
Giuseppe ....TIM REYNOLDS
Directed by GRAHAM GAULD
Stereo (Re-broadcast next Saturday)

...grammes w...
on Wednesdays from ... on
BBC2. Other material –
software, print support, slides
available from BBC Enterprises.
The following programmes are a
selection of short self-help units.
The CSA programme should be
used in conjunction with the
CSA software pack.
12.30 1: *Control*
12.40 2: *Making Things Move*
12.50 3: *Materials and Components*
1.0 4: *Structures* (CSA)
Producer JULIAN COLEMAN. *Stereo (e)*

Note
******Approximate time*
Programmes can only be received in stereo by switching to VHF/FM
(R) denotes repeat
(e) This programme may be recorded by educational institutions for non-commercial use. For details write to: BBC Education, Villiers House, London W5 2PA

2) 신문기사 쓰기

선택한 하이라이트 장면에 대해 한편의 신문기사나 특집기사를 쓰게 할 수 있다. 학생들은 가능하다면 진짜 신문기사들의 예를 한 가지 이상의 출판물 형태로 보게 된다. 그들은 마치 그러한 신문들 중의 한 가지를 위해 기사를 쓰는 것처럼 문학작품 속의 여러 사건들에 관해 기사를 쓴다. 그들에게 하나의 촉진제로서 표제와, 쓸 수 있는 최대한의 단어들을 제시할 수 있다. 이것을 위해 「파리대왕」을 기초로 만든 예를 보자: 학급의 학생들은 세 그룹으로 나누어지며, 각 그룹은 나머지 두 그룹과는 다른 표제로써 하나의 특정 신문을 위해 기사를 쓰는 기자들로 구성된다. 세개의 과제지가 각 그룹에게 다음과 같이 주어진다.

신문 **A**

데일리 머큐리지는 뉴스 보도를 선정적으로 다루고 과장하는 경향이 있다. 이 신문은 폭력을 강조하고 형용사를 많이 쓰는 것을 좋아한다. 그리고 대체적으로 젊은이들에게 반대 성향이어서 그들의 범죄를 공격할 수 있는 기회가 있으면 환영한다.

과제 : 1. 한 그룹이 되어 사이몬의 죽음에 관한 기사를 싣기 위한 표제에 관해 결정하시오.
2. 그 집의 구조를 기억하면서 죽음을 둘러싸고 있는 사건들을 묘사하기 위해 사용할 형용사들과 어구들을 고안해 내시오.
3. 개인적으로 그날 저녁 그 섬에서 일어났던 일이 무엇인지에 대해 120 단어들로 된 하나의 기사를 쓰시오.

신문 **B**

웨스턴 뉴스지는 한 사건에 관련된 어떤 개인들에 관해서 인간적 각도에 초점을 맞추고, 그리고 많은 세부사항을 제공하는 신문이다.

이 신문은 선정적인 접근을 경시하며, 쟁점들을 둘러싼 이슈들을 검토하는 일이 거의 없다.

과제 : 1. 한 그룹이 되어 사이몬의 죽음에 관한 기사를 싣기 위한 표제에 관해 결정하시오.
2. 그 집의 구조를 기억하면서 죽음을 둘러싸고 있는 사건들을 묘사하기 위해 사용할 형용사들과 어구들을 고안해 내시오.
3. 개인적으로 그날 저녁 그 섬에서 일어났던 일이 무엇인지에 대해 120 단어들로 된 하나의 기사를 쓰시오.

신문 C

모닝 그로브지는 본질적으로 진지한 신문이다. 이 신문은 선정주의를 증오하며, 개인의 인간성에 지나치게 관심을 가지고 저변에 놓인 이슈들을 조사해 내려 애쓴다.

과제 : 1. 한 그룹이 되어 사이몬의 죽음에 관한 기사를 싣기 위한 표제에 관해 결정하시오.
2. 그 집의 구조를 기억하면서 죽음을 둘러싸고 있는 사건들을 묘사하기 위해 사용할 형용사들과 어구들을 고안해 내시오.
3. 개인적으로 그날 저녁 그 섬에서 일어났던 일이 무엇인지에 대해 120 단어들로 된 하나의 기사를 쓰시오.

3) 보고서 쓰기

이것을 통해 좀더 공식적인 언어역이나 비개인적인 종류의 글을 연습한다. 각각의 경우, 사전에 예문들을 공부함으로써 보고서 양식의 관례에 대해 학생들이 익숙해지는 것이 필요하다. 여러 가지로 다른 종류의 보고서들에는 짧은 회의록이나 보험계약서, 경찰보고서, 혹은 「파리대왕」을 위해 만든 아래와 같은 학교 보고서들이 있다. 학급의 학생들은 자신들이 선생님이 되어 아동의 생활발달 상황이나 학업 성취도 등에 관해 보고서를 쓰고 있다고 상상한다.

표 9

이름: 패트릭 마르틴
출석과 시간지키기:
(특별한 경우만 평할 것)

학년 : 4 학급 번호 : 38 키 : 11야아드 3인치

읽기와 이해력	
쓰기 활동	
철자	
수학(컴퓨터와 개념)	

다른 교과목들에 대한 일반적 평가

학급교사

교장

4) '고통받는 아주머니'형의 신문칼럼 쓰기

신문에서 '고통받는 아주머니'를 위한 충고를 구하는 생각에 기초를 두고 그룹별 쓰기 활동이 활용된다. 실례는 모래상자를 위한 과제지 43A와 43B에 제시되어 있다.

5) 묘비명 쓰기

사망한 인물에 관한 묘비명을 위한 평문 쓰기! 한번 더 이를 위한 보기가 주어질 수 있다면 표 10이 최상의 것이 된다. 이것은 한 인물에 대해 아주 간단하게 평가하는데 쓰이는 뛰어난 구실이 되며, 항상 학생들에게 매우 인기있게 보이는 글쓰기가 된다. 아래의 예들을 참고할 수 있다.

표 10 묘비명 예들

과제지 21 사이몬의 묘비문

위의 표 10에 있는 묘비명들을 보고 그것을 참조하여 아래의 비석 위에 '여기 사이몬이 누워 있다'로 시작하여 사이몬을 위한 적절한 기념문을 쓰시오.

6) 실종된 인물의 포스터 쓰기

이것은 많은 문학작품에 적용될 수 있는 형태이다. 교사는 학생들에게 아래와 같은 포스터(표 11)를 보고, 다음의 예와 같은 실종된 인물에 대한 글을 쓰게 한다.

- 「파리대왕」에서 사이몬을 위한 글
- 「피그마리온」에서 리자의 아버지가 히긴스 교수의 집에서 그녀를 따라 잡기 이전의 리자를 위한 글
- 「수집가」에 등장하는 희생자를 위한 글
- 알라스디엘의 「별」에서 어린 소녀를 위한 글, 등등

표 11

MISSING

Have you seen this girl?
MARCIA, aged 14, was last seen on 12 January in Tooting, South London.
She is 5ft 1in tall, has grey–blue eyes and short, blond hair.
At the time she went missing she was wearing dark blue corduroy trousers, a beige jumper and a black woolly jacket.

Anyone knowing the whereabouts of this girl should get in touch with the Tooting Police:
TELEPHONE (01) 630 1121

듣기와 읽기 활동들

수업에서 문학 교재의 몇 개의 절, 특히 대화를 포함하고 있는 극적인 장면들을 읽으면 그것과 관련된 대화들에서는 목소리를 통해 또다른 차원이 더해질 수 있기 때문에 외국어 학습자들의 듣기연습에 매우 유용하다. 만약 그 작품의 카세트나 녹음된 교재를 이용할 수 있다면, 마치 비디오 녹화물처럼 도움이 될 수 있다. 그러나 교사가 한 부분을 읽는 것도 역시 학생들에게 즐겁고 편안할 뿐만 아니라 가치있는 것이다. 교사는 몸짓, 동작, 얼굴표정, 혹은 흉내내어 강조하는 것 등으로써 의미를 나타낼 수 있는데, 예를 들면 'sl…o…o…wly'처럼 오래 끌어 말하거나, 'in a twinkle'을 아주 활발하게 말하거나, 'tearfully'를 음성에 눈물을 머금고 말하는 것 등이다. 모국어 화자가 아닌 교사들은 때때로 학생들에게 큰 소리로 읽어주는 것에 대해 지나치게 조심스러워 하는데, 만약 그렇게 한다면 매우 효과적일 수 있다. 왜냐하면 완전한 발음이나 강세 형태보다는 분위기를 조성하고 의미와 극을 소통시키는 것이 훨씬 더 중요하기 때문이다.

때때로 학생들에게 학급의 상황과 특정 그룹에 적합하다면 재미를 위해 단지 듣기만 하라고 할 수도 있다. 많은 학생들이 이것을 즐긴다. 그렇게 하면 작품에 대해 환상적인 반응을 만들어 내어 그것에 열중하게 하는데 정말 도움이 된다. 이따금씩 학생들은 눈을 감은 채로 듣는 것을 좋아한다. 이렇게 하면 어떤 때에는 그들로 하여금 너무나 자기 의식적인 상태를 느끼게 할 수 있다. 확실히 특정 그룹들에게 활동들이 어울리게 조정하고 다양하게 바꾸는 것이 중요하다. 다음 수업시간에는 특별한 목적을 위해 과제지들을 곧바로 들어보는 것으로 시작할 수 있다.

듣기

적당한 준비과정 뒤에, 학생들은 짧은 작품의 이야기 전체나, 긴 작품의 경우 특정 부분을, 인쇄된 책을 읽기 전에 듣는다. 이것은 시와 단편작품들에 적용하면 좋다.

어느 한 부분을 듣게 하면 비록 학급의 일부 학생들이 벌써 그 교재를 읽었다 하더라도 풍요롭게 해주고 재미있는 것이 될 것이다. 그러한 부분을 듣는 경험은 항상 어떤 새로운 세부사항을 전면에 드러나게 한다. 듣기를 끝낸 후에 개인적인 반응을 메모나 낙서의 형태로 써보도록 장려할 수 있다. 학급의 학생들은 마음을 편안하게 하여 작품의 녹음이나 선생님이 읽어주는 것을 듣고 나서 선생님이 나눠주는 종이에 지금까지 들은 사건들에 대한 반응에서부터 마음 속에 떠오른 것까지 무엇이든 다 적는다. 이것들을 읽어 보게 한 후, 학생들을 몇 개의 그룹으로 나누고 그들이 원하면 자신들이 기울인 노력에 대해 토론한다. 학생들은 처음에는 들은 부분의 문장구조가 형식을 제대로 갖추지 않은 데에 당혹해 할 것이다. 이 활동의 이점은 학생들이 듣고 있는 동안 마음이 풀어져 있으면서도 활성적이 되는 점에 있다. 교사는 비록 그들이 아무것도 생성해 내지 못한다 하더라도 별 문제가 아니라고 강조할 필요가 있다.

읽기나 듣기에 수반하는 활동들

읽기와 듣기 활동들은 함께 묶을 수 있는데, 왜냐하면 학생들이 교재를 들을 때 읽기를 돕도록 고안된 많은 과제지들을 유용하게 사용할 수 있기 때문이다. 읽기와 듣기의 두가지 기술을 함께 촉진시키기 위해 사용되는 몇가지 과업의 예를 들면 나음과 같나:

1) 분류표의 사용

이것은 특정 작품의 여러 가지 양상들에 초점을 맞출 수 있다. 예컨대 인물이나 플롯의 전개, 묘사적 언어, 제기된 문제들에 대한 태도 등.

「파리대왕」을 위해 이 예를 사용해 보면, 예컨대 교사는 학생들에게 집에서 읽을 부분으로 '수요일'과 '목요일'의 장면을 정해 준다. 그들이 수업시간에 왔을 때 이제는 그 집에 사는 사람들을 예시하게 하여, 다음과 같이 제시한 목록표에다 그들이 어떤 사람들인지 묘사하게 한다 (보다 고급반이라면 곧바로 작품을 들려주고 그것을 목록표의 빈칸에 쓰도록 할 수 있다):

집에 사는 사람들
나이
외모
성격
작중 화자가 이들에 대해 생각하는 것

2) 작품 내용에 맞는 진술문들을 골라 순서 바로잡기

학생들이 작품의 어떤 부분을 읽게 한 후, 틀린 것이 포함된 여러 개 중에서 내용에 맞는 진술문 항목들을 고르고 순서를 바로 세우게 한다. 틀린 진술문 항목을 골라 ×표를 하게 한다.

3) 지그쇼식 읽기 및 듣기

전통적인 지그쇼(짜른 부분들을 맞추어 본래 이야기대로 하기: 역자주) 활동에서는 이런 종류의 읽기나 듣기는 원작의 이야기에 차이를 만든다. 여러 그룹에게 각각 다른 교재나 녹음된 것을 준다. 서로간에 협의를 통해서 완전한 이야기를 재구성해야 한다. 이것은 가치있는 읽기 연습과 구두 연습을 제공한다.

4) 나는 너가 한 말을 알지마는 그것으로 네가 뜻하는 것이 뭐니?

특정 발화가 여러 상황에서 실제로 뜻할 수 있는 것을 공부하는 것은 읽기나 듣기에 병행 할 수 있는 활동이다. 앞에서 예시한 바 있는 「파리대왕」이 있는 장의 과제지 19를 위해서는 인쇄된 지면이나, 혹은 이러한 특정 부분을 녹음시킨 카세트를 사용할 수 있다.
이와 같은 듣기 과업들은 학급이 작품 전체를 읽는 데는 물론이고 중심적인 하이라이트 부분에도 사용될 수 있다.

5) 다른 작품들을 병행하여 읽기

많은 문학작품들은 교사가 학생들이 생각하고, 토론하기를 원하는 큰 쟁점이나 주제들에 관해 어떤 진술들을 제시하거나 의문을 제기한다. 때때로 한 권의 책에서 주제들은 다른 출처를 매개로 할 때 더욱 더 두드러지게, 혹은 보다 더 철저하게 조사되어 질 수 있다: 이러한 주제들을 위해서는 비슷하거나 대조되는 단편, 소설, 시, 수필, 신문기사, 또는 비평문들을 통해서 읽기과제(전체나 발췌된 형태로서)로 정해 주어서 읽게 한 후에, 학급토론에서 비교, 대조, 혹은 대응되는 것을 이끌어 내게 할 수 있다. 예를 들면, 「파리대왕」의 중심 주제는 자신의 사회에서 통제나 지원으로부터 단절된 경험과 관련되어 있다. 같은 주제가 발란틴의 「산호섬」이나 스티븐슨의 「보물섬」과 같은 잘 알려진 소설이나, 발리의 희곡 「뛰어난 크리츠톤」, 그리고 최근의 비소설 작품인 루시 어빈의 「캐스트웨이」와 같은 작품에서도 나타난다. 「파리대왕」에 나타나는 어떤 양상들에 대한 토론을 보완하기 위해 참고로 사용된 「산호섬」에서 발췌한 예문들이 아래(과제지 22, 23)에 주어져 있다. 병행되는 다른 작품들의 예가 단편소설이나 희곡에 관해 뒷장에 가서 논의된다.

다독식 독서 습관을 촉진하기 위해서 학급 내의 여러 다른 그룹들에게 병행하여 읽어야 할 작품들을 나누어 줄 수 있다. 이렇게 하고 나면 새로운 그룹을 구성하는데, 그 그룹의 구성원들은 각각 다른 작품들을 읽었던 학생이다. 학생들은 제각기 그 그룹의 다른 학생들에게 읽었던 이야기를 말하고, 그것에 관해 자신의 결론을 표현해야 한다. 그룹이 해야 하는 과제는 하나씩 병행하여 읽은 작품들과 중심으로 삼고 있는 연구대상 작품 사이에 최대한의 병행관계를 확립시키는 것이다.

과제지 22

세 명의 어린 선원, 18살 먹은 잭, 15살의 랠프, 14살의 피터킨은 배가 난파된 후에 아무도 살지 않는, 그들만이 있는 것을 발견하게 되는 「산호섬」의 아래 발췌 부분을 읽으시오. 그리고 아래 빈칸을 알맞은 인용문으로 채우시오.

This was now the first time that I had looked well about me since landing, as the spot where I had been laid was covered with thick bushes, which almost hid the country from our view. As we now emerged from among these and walked down the sandy beach together, I cast my eyes about and truly my heart glowed within me and my spirits rose at the beautiful prospect which I beheld on every side. The gale had suddenly died away, just as if it had blown furiously till it dashed our ship upon the rocks, and had nothing more to do after accomplishing that. The island upon which we stood was hilly, and covered almost everywhere with the most beautiful and richly-coloured trees, bushes and shrubs, none of which I knew the names of at that time except, indeed, the cocoa-nut palms, which I recognised at once from the many pictures that I had seen of them before I left home. A sandy beach of dazzling whiteness lined this bright green shore, and upon it there fell a gentle ripple of the sea. This last astonished me much, for I recollected that at home the sea used to fall in huge billows on the shore long after a storm had subsided. But on casting my glance out to sea, the cause became apparent. About a mile distant from the shore, I saw the great billows of the ocean rolling like a green wall, and falling with a long, loud roar upon a low coral reef, where they were dashed into white foam and flung up in clouds of spray. This spray sometimes flew exceedingly high, and every here and there a beautiful rainbow was formed for a moment among the falling drops. We afterwards found that this coral reef extended quite round the island, and formed a natrual breakwater to it. Beyond this the sea rose and tossed violently from the effects of the storm; but between the reef and the shore it was as calm and as smooth as a pond. My heart was filled with more delight than I can express at sight of so many glorious objects, and my thoughts turned suddenly to the contemplation of the Creator of them all. I mention this the more gladly because at that time, I am ashamed to say, I very seldom thought of my Creator, although I was constantly surrounded by the most beautiful and wonderful of His works I observed, from the expression of my companion's countenance, that he too derived much joy from the splendid scenery, which was all the more agreeable to us after our long voyage on the salt sea. There the breeze was fresh and cold, but here it was delightfully mild; and when a puff blew off the land, it came laden with the most exquisite perfume that can be imagined.

	「산호섬」	「파리대왕」
1. 해안/해변 색깔, 소리, 냄새 단어들 직유와 은유		
2. 바다/산호초호 색깔, 소리, 냄새 단어들 직유와 은유		
3. 나무들/식물 색깔, 소리, 냄새 단어들 직유와 은유		
4. 중요 인물들의 반응들		랠프 잭 피기

어느 묘사가 :

더 간결한가?		
더 생생하고 화려한가?		

더 구체적인가?		
은유적인가?		
더 시적인가?		
여러분이 더 좋아하는 것은?		

과제지 23

잭과 랠프가 선잠을 자고 있는 돼지 일가족과 우연히 마주치는 때가 나오는 「산호섬」에서 발췌한 아래 부분을 읽으시오. 「산호섬」에서의 잭과 랠프, 그리고 「파리대왕」에서의 잭과 랠프, 이들 양자 사이에 나타나는 태도의 차이점을 간략히 적으시오.

The ground at the foot of this tree was thickly strewn with the fallen fruit, in the midst of which lay sleeping, in every possible attitude, at least twenty hogs of all ages and sizes, apparently quite surfeited with a recent banquet.

Jack and I could scarce restrain our laughter as we gazed at these coarse, ill-looking animals while they lay groaning and snoring heavily amid the remains of their supper.

'Now, Ralph,' said Jack in a low whisper, 'put a stone in your sling – a good big one – and let fly at that fat fellow with his back toward you. I'll try to put an arrow into yon little pig.'

'Don't you think we had better put them up first?' I whispered; 'it seems cruel to kill them while asleep.'

'If I wanted *sport*, Ralph, I would certainly set them up; but as we only want *pork*, we'll let them lie. Besides, we're not sure of killing them; so, fire away.'

Thus admonished, I slung my stone with so good aim that it went bang against the hog's flank as if against the head of a drum; but it had no other effect than that of causing the animal to start to its feet, with a frightful yell of surprise, and scamper away. At the same instant Jack's bow twanged, and the arrow pinned the little pig to the ground by the ear.

'I've missed, after all,' cried Jack, darting forward with uplifted axe, while the little pig uttered a loud squeal, tore the arrow from the ground, and ran away with it, along with the whole drove, into the bushes and disappeared, though we heard them screaming long afterwards in the distance.

(Returning to their encampment, the two boys do not find their companion Peterkin but they soon hear 'a chorus of yells from the hogs, and a loud hurrah.')

We turned hastily towards the direction whence the sound came, and soon descried Peterkin walking along the beach towards us with a little pig transfixed on the end of his long spear!

'Well done, my boy!' exclaimed Jack, slapping him on the shoulder when he came up; 'You're the best shot amongst us.'

여러 가지 구두 활동들

현재 다루고 있는 장의 모든 범주들 중에서 '구두활동'의 범주는 가장 적게 포함되어 있다. 그것은 우리의 학습 활동들이 대부분 증진시키고자 하는 것이 어떤 언어습득 기술이든지 간에 구두적 요소를 결합해 있기 때문이다. 예를 들면 학급활동의 대부분은 구두연습을 자극하는 그룹활동에 기초하고 있다. 더 자세하게 문학작품들을 조사하도록 이끄는 준비단계의 시간계획은 이와 비슷하게 구두반응을 이끌어내기 위해 고안되어 있다. 집에서 할 읽기에 동반되고 있는 많은 과제지들은 다음 수업에서 구두 피드백과 토론을 이끌어 낸다.

그러므로 다음에 설명하는 것들은 구두훈련 기술을 증진시키는데 특별히 보다 더 유익할 수 있는 몇 가지 활동들을 개관해 본 것이다. 이것의 대부분은 이 저서에서 작품들을 전체에 걸쳐 다룬 맥락 안에 나타내었다 (7, 8장 참조). 물론 어떤 하나의 작품으로 이에 대한 전체 영역을 모두 다룰 수는 없다. 그러한 활동들은 한 권의 작품을 읽고 그것을 구어 습득을 증진시키는 일과 연결하기 위해 선택할 수 있는 몇 가지 방안들로 제공되는 것일 뿐이다.

이 장은 음운론을 강조한 두 가지 활동으로부터 시작하여 조직적인 토론을 통한 좀더 창의적인 활동들에 이르기까지 진행할 것이다.

1) 소단위 부분별로 크게 읽기

이 활동은 학생들이 억양, 리듬, 강세, 또는 구어 등의 여러 자질들에 대한 인식을 개발하는데 목표를 둔다. 이 활동을 위해 한 문학작품의 잘 알려진 어느 부분에서 극적인 대화편을 선택하는 것으로 출발하는 것이 좋다. 그런 다음에 이 활동은 다양한 형태를 취하여 진행될 수 있다. 하나의 접근법으로 학생들을 세 그룹으로 나누고 발췌문 중에서 각각 다른 부분을 공부하게 하는 것이다. 그들은 말없이 같이 읽은 다음에 중요강세를 표시하도록 애쓰며, 화자들의 태도와 감정에 대해 토론하면서 그와 같은 감정을 불러 일으킬 수 있는 어떤 특정한 단어들을 알아낸다. 의미단위 다음에 잠시 쉬거나 특별한 목적을 위해 쉬는 휴지에 대해서도 논의한다. 교사는 필요할 때는 도움을 주기 위해 나서지만 실제로 발췌부분을 어떻게 하는가에 대한 모델은 시범보여 주지는 않는다.

이와같은 준비단계가 끝난 후에 각 그룹들은 발췌된 부분을 읽을 발표자와, 리듬을 유지하고 격려하며 피드백을 해줄 지휘자를 결정한다. 리허설 뒤에 각 집단은 바른 순서에 따라서 공연을 한다. 학생들은 이렇게 하는 과정에서 시를 포함하여 문학작품을 공부해 왔던 학급의 학생들과 함께 몇 개의 발췌문들을 준비하고 프로그램을 구성하여 종료과정을 위한 연주회를 공연할 수도 있다.

쇼의 「피그마리온」에서 발췌한 다음의 발췌문은 이와 같이 소단위별로 큰 소리로 읽는 훈련을 위한 좋은 예이다. 시의 경우 더 자세한 예는 뒷장에 나와 있다.

히긴스: [밖에서 체념하듯 화를 내며]
제기랄, 내 슬리퍼를 어떻게 했지? [그가 문에 나타난다]

리 자: [슬리퍼를 낚아채어 하나씩 온 힘을 다해 그에게 던진다]
당신 슬리퍼 거기 있어. 가져가. 오늘 하루 그 슬리퍼에 재수가 없기를 바래!

히긴스: [몹시 놀라며] 도대체! [그가 그녀에게 다가온다] 무슨 일이야? 일어나라구. [그가 그녀를 잡아 당겨서 세운다] 뭐가 잘못 된 거야?

리 자: [숨을 헐떡이며] 당신에겐 잘못이 없겠지. 내가 내기에서 이긴 거야. 난 상관없다고 생각해.

히긴스: 당신이 내기에 이겼다고! 당신이! 이 주제넘은 벌레! 내가 이겼어. 무엇 때문에 내게 슬리퍼를 던진 거야?

리 자: 당신 얼굴을 후려 갈기고 싶어서지. 죽이고 싶다구. 이기적인 야만인. 왜 그 빈민가 시궁창 속에 나를 내버려두지 않았어? 이젠 다 끝나버린 걸. 당신은 신에게 감사하겠군. 이젠 나를 그 곳으로 다시 내던지겠지, 그렇지? [그녀는 미친듯이 손가락을 편다]

히긴스: [싸늘하게 놀라 그녀를 바라보며] 인간이란 결국 신경질적인 존재야.

리 자: [숨막힐 듯한 분노의 비명을 지르며, 본능적으로 손톱을 세워 그의 얼굴에 달려든다]!!

히긴스: [손목을 잡으며] 아! 이런 고양이 같은. 어떻게 감히 내게 분통을 쏟아 놓을 수 있는 거야? 앉아서 진정하라구. [그는 그녀를 안락의자로 거칠게 밀어버린다]

리 자: [우세한 힘의 무게에 눌려] 나는 어떻게 되는 걸까? 어떻게 되는 거지?
히긴스: 제기랄, 당신이 어떻게 되는지 내가 어떻게 알아? 당신이 어떻게 되든 그것이 뭐 중요해?
리 자: 당신은 상관이 없겠죠? 그렇다는 걸 난 알아. 내가 죽는대도 상관하지 않겠죠. 난 당신에게 아무 의미도 없어--저 슬리퍼만도 못해.
히긴스: [천둥같이 큰소리를 지르며] 저 슬리퍼들!
리 자: [쓰리게 체념하며] 그 슬리퍼들. 그건 지금 아무런 의미도 없어.
(「피그마리온」 4막에서)

2) 구두요약

학생들이 집에서 읽어온 단락을 구두로 요약하게 하는 것은 훌륭한 연습의 기회를 제공하고, 또 교사에게는 학생들의 읽기가 실제로 행해졌는지를 점검할 수 있게 한다. 두 세명의 학생들은 간단한 변화를 주면서 집에서 읽어온 단락을 요약하여 카세트에 녹음한다. 학급의 학생들은 요약한 세 가지를 모두 들은 후에 그들 사이의 차이점이나 누락된 것을 기록한다.

3) 옳은 진술 선택하기

이것은 구체적인 과업을 통하여 토론에 활기를 더한다는 생각에 기초한 일련의 활동들 중에서 일차적인 것이다. 이러한 기법은 문학작품을 토론할 때 특히 효과적인데, 지나친 추상화나 교사의 주도적 역할을 피한다면 학생들에게 스스로의 반응이 중요한 가치를 지닌다는 사실에 대한 신념을 형성시킨다.

'옳은 진술 선택하기'는 용이하게 조직할 수 있는 활동이다. 그것은 본질적으로 열려 있는 여러 개의 진술문들 중에서 고르는 선택에 기초한 토론이라고 볼 수 있다. 학생들은 인물, 사건, 주제 등에 관한 진술의 일람표를 제공받는다. 그리고 나면 그들은 개인적으로, 혹은 그룹별로 자신의 견해와 가장 가까운 것을 선택한다.

예를 들면, 죤 파울즈의 소설 「수집가」에서 한 여자가 낯설고 고독한 젊은이에 의해 어느 한적한 시골집에 납치되어 감금된다. 여기서 학급의 학생들에게 다음의 진술이 주어진다:

1. 남자는 여자에게 성적으로 이끌려 여자를 납치한다.
2. 남자가 여자를 납치하는 것은 자신감의 결여 때문이다.
3. 정신이상 상태에서 남자는 여자를 납치한다.
4. 남자는 여자를 전적으로 소유하고 싶어서 납치한다.
5. 남자는 여자를 죽이고 싶어서 납치한다.

학생들은 선택한 후에 개인별로, 혹은 그룹별로 선택의 이유를 제시한다. 이 단계에서 더욱 활기찬 내용을 이끌어낼 수 있는 방법은, 학생들이 그렇게 선택한데 대한 이유를 제시하게 하는 것 보다는 나머지들을 선택하지 않은 이유에 대해 하나씩 설명하게 한다. 이렇게 하면 여타 가능할 수 있는 대체안들에 대해 보다 더 많은 대화를 이끌어낼 수 있다.

4) 설문지에 기초한 토론

일반적으로 설문지는 토론에 활기를 불어 넣는데 매우 유용하게 쓰인다. 간단한 종류는 동의/반대/모르겠음과 같은 답을 체크할 난이 있는 간단한 진술문들을 나열한다. 이 난들은 학생들이 다음 수업을 미리 준비하기 위한 것이며, 그들이 집에서 그곳에 체크하도록 과제지를 미리 준다. 과제지 24는 알더스 헉슬리의 「신세계에 용감히 맞서라」에 기초한 것이다.

과제지 24

해당 사항에 체크 하시오.

	동의	반대	모름
1. 보카노브스키 과정은 아이가 어디에 있는지를 알면서 자라기 때문에, 자연출산의 대안으로 허용될 수 있다.	☐	☐	☐
2. 「신세계에 용감히 맞서라」에는 보다 더 오래 살기 위해 젊음을 유지하는 것이 매력적인 인생의 모습으로 나타나 있다.	☐	☐	☐
3. 개인의 감정을 통제하는 것은 시간의 낭비와 생산적인 에너지의 소모를 막는 효과적인 방법이다.	☐	☐	☐
4. 짧은 관계들을 여러번 거치는 것이 결혼생활의 중압감을 극복하는 현실적인 대안이다.	☐	☐	☐
5. 「신세계에 용감히 맞서라」에서, 성적 관계는 단순하고 직접적이면서 불안이나 죄책감을 일으키지 않기 때문에 더 나은 것으로 표현되어 있다.	☐	☐	☐

5) 도표와 과제지들에 기초한 토론

토론을 이끌어내는데 쓰이는 도표나 과제지들의 형태는 거의 무한이다. 「파리대왕」에서 '집단의 힘'에 관한 과제처럼 학생들이 그들 자신의 경험과 느낌을 말하도록 하여 그들의 개인적인 반응을 이끌어 내게 한다(아래 과제지 26 참조). 또는 「파리대왕」에서 작중인물들이 난국을 극복하기 위해 시도하는 여러 가지의 문제 '해결방안'을 열거하고 가장 잘 부합되는 작중인물과 연결짓게 하는 '짝짓기 활동'을 학생들에게 하게 한다

(아래 과제지 25 참조). 아니면 「파리대왕」에서 작중인물들 중의 '훌륭한 지도자'를 중요성에 따라 순위를 매기게 할 수 있다. 「로미오와 줄리엣」에서는 "만약 ~했다면 비극은 일어나지 않았을 텐데"라는 가정에 따라 작성한 일람표에서 옳은 것을 고르고 그룹별로 토론을 한 후, 왜 그런지 정당화하는 이유를 말하게 한다.

학생들이 다양한 작중인물들과 친숙해지게 만들고, 또한 인물들의 성격발전을 도표에 차트화하는데 사용되는 많은 과제지들과 도표들은 작품이 전개되어감에 따라 하나의 논쟁적 요소를 결합시켜서 토론을 활성화하는데 매우 유용한 것이다. 이러한 연습문제의 보기가 '화장실의 전쟁'에서 상당히 신비로운 주인공에 대해 학생들이 느끼는 반응을 이끌어내도록 뒷장에 제시되어 있다(과제지 55 참조). 하나의 과제지는 첫 번째 자극물로서 사용되고, 계속해서 아래에 설명되는 '연속표지'에서 표시를 하기 위한 연습으로 이어지게 된다.

과제지 25

「파리대왕」 제 8장의 시작 부분에서 소년들은 각자 그들이 처해 있는 난국을 극복하는 해결책을 제안한다. 오른쪽 란에 많은 해결책이 나열되어 있다. 각 소년의 이름을 그가 제안한 해결책과 짝지우시오.

Jack	Build rafts and sail away.
	Fortify the shelters.
	Build the fire on the shore.
Ralph	Climb the mountain and have another look.
	Go and live at Castle Rock.
Piggy	Change leadership
	Give up.
Simon	Pretend nothing happened.
	Group together and attack the beast.

과제지 26

여러분은 개인적으로, 혹은 다른 사람들과 함께 여러분 자신을 친구들 집단의 일원임을 증명하기 위해 놀랄 정도로 도전적이거나, 혹은 옳지 못한 어떤 행위를 해본 적이 있습니까?

그렇다 .... 그렇지 않다 ....

만약 '그렇다'이면, 그것은 어떤 것이었는지 다음 목록에서 적합한 것에 ✓표를 하시오.

☐ Stolen something from a shop, house, school, garden, car.
☐ Gone up to someone and asked a question or told them something.
☐ Eaten or drunk something unusual or daring.
☐ Hurt someone or something.
☐ Played a practical joke or trick on someone.
☐ Thrown something.
☐ Ridden or driven something in a daring way.
☐ Something else, name it: ....

그렇게 한 후에 어떻게 느꼈습니까?

지금 현재는 그것에 대해 어떻게 느낍니까?

만약 이와 같은 것을 결코 해본 적이 없다면 왜 그랬는지 설명해 주겠습니까?

6) 연속표지에 표시하기

이것은 작품을 읽어가는 단계에서 학생들에게 작품에 표현된 여러 가지 양상들에 대한 반응을 표현하게 하는 것이다. 학생들은 다음 예처럼 두 가지의 상반된 견해나 두 가지의 극단적인 성격 사이에서 연속선상의 한 지점을 선택하도록 한다.

① 종이 위에 표시하기.

예를 들어, 학생들은 아래와 같은 선 위의 한 지점 위에 작품의 중요 인물들의 성격과 가깝다고 생각하는 곳에 그들을 배치한다.

무감각 ———————————————————— 친절
진지함 ———————————————————— 천박함
강압적 ———————————————————— 연약함

그런 후에 구두로 하는 다음과 같은 후속작업이 뒤따른다: 위에서 완성시킨 형태들의 비교, 선택의 정당화, 함축된 의미들의 토론 등.

또다른 예를 「파리대왕」에서 들어 본다.

과제지 27

아래의 각 선 위에 등장인물들에 대한 지금까지의 여러분의 평가에 따라 각 인물들을 표시하시오. (피기는 ×, 랠프는 ○, 잭은 ★ 등으로 할 것).

자신감	낮음	————————————	높음
지능	낮음	————————————	높음
운동 중심주의	낮음	————————————	높음
감수성	낮음	————————————	높음
잔인성	낮음	————————————	높음
불안감	낮음	————————————	높음
친절성	낮음	————————————	높음
고독성	낮음	————————————	높음

② 교실의 벽을 따라 기대서기

교실 벽의 한쪽 끝은 한 극단, 다른 한쪽 끝은 그 반대를 나타낸다. 학생들은 자신의 견해를 나타내는 곳에 나가서 벽에 기대어 선다. 이러한 활동에서는 견해의 차이가 확연하게 드러나기 때문에 작품에서 중심적으로 강조되고 있는 여러 요소들을 토론하도록 학생들을 유도할 수 있다. 「파리대왕」에서 이 활동을 위한 예를 들어 보면 다음과 같은 것이 가능하다. 교사는 학급을 두 팀으로 나눈다. 각 팀은 짝지를 만들거나 아니면 세 개의 그룹이 되어 아래와 같은 과제지 28의 빈칸을 써 넣는다: 절반의 팀은 랠프의 견해를, 나머지 절반의 팀은 잭의 견해를 써 넣는데, 어떤 정보는 작품에 있는 것에서 취하고, 어떤 정보는 학생들이 그렇다고 상상하는 것을 사용한다. 랠프의 견해와 잭의 견해를 써 넣은 팀에서, 이것을 먼저 끝낸 한 그룹이 각각 앞으로 나와서 서로 만나고, 그들이 선택한 것들을 비교하며 토론한다. 각 그룹이 차례로 돌아가면서 학급의 나머지 학생들에게 이렇게 발표한 견해에 대해 그들 자신이 가지는 느낌을 표현하도록 요청한다.

랠프의 팀에서 대표자 한 명이 교실의 한쪽 모퉁이로 나가서 '랠프는 섬에서 행복하게 될 수 있는 방법은 규율에 따르는 것이다라고 말한다'라고 말한다. 잭의 팀에서도 대표자 한 명이 교실의 반대편 모퉁이로 나가서 '잭은 섬에서 행복하게 될 수 있는 방법은 사냥을 하고 재미있게 즐기는 것이다라고 말한다'라고 말한다. 이제 학급의 모든 학생들은 그들이 이들 두 사람의 견해와 얼마나 가깝고, 또는 얼마나 먼가를 표시하기 위해서 두 모퉁이 사이의 어느 한 지점을 택하여 벽에 기대어 선다.

과제지 28

랠프와 잭이 이 섬에 대해 가지는 태도에 대해 생각해 보고, 각 소년이 다음의 질문들에 어떻게 답할 것인지에 관해 짧은 글을 써 넣으시오.

Good things about the island. ....

Bad things about the island. ....

The most important thing to do on the island. ....

The most important quality in a leader. ....
The most important quality in a friend. ....
The way to survive. ....
The way to be happy. ....
A proverb that sums up a good attitude to life. ....
A motto. ....
An emblem (plant, flower). ....
An emblem (animal). ....

7) 규범 찾아쓰기

대부분의 문학작품은 행위규범과 권력의 계층적 제도가 포함된 여러 관계를 묘사하고 있다는 의미에서 하나의 사회적, 정치적 차원을 가지고 있다. 이러한 규범은 때로는 법칙이나 규칙 속에 명시적으로 드러나 있지만, 다른 경우에는 일련의 주어진 자료에서 추론을 통해 예상할 수 있는 것들도 있다. 다음의 여러 활동은 학생들로 하여금 작품 속에서 내적인 긴장을 형성시키면서, 드러나지는 않지만 내재화되어 있는 일련의 규범들을 명시적으로 표현하고 토론할 수 있도록 도와주기 위해 고안된 몇 가지 변이형들이다.

① 규칙 찾아내어 쓰기

교사는 학생들에게 그룹 단위로 그들이 읽고 있는 문학작품의 특정 상황에 적용되는 일련의 규칙을 고안하도록 한다. 학생들이 직접 그 장면 속에 있고, 자신의 규칙에 따라 어떤 결정을 실행한다고 상상하게 하거나, 혹은 책 자체의 맥락 속에 어떤 규칙이 내재되어 있는 것 같은지에 대해 결정하게 할 수도 있다. 「파리대왕」에서 한 가지 실례를 만들어 본 것이 아래 과제지 29이다.

과제지 29

「파리대왕」에 나오는 섬에 여러분이 작중의 소년들과 함께 좌초되어 있다고 상상하시오. 왼쪽 란에 있는 규칙위반 사항에 대해 내리게 할 처벌들 중의 하나를 고르거나, 아니면 여러분 자신의 처벌안을 제안하시오.

규칙위반 사항	제안된 처벌사항	
1. Not atending meetings.	a) No punishment.	☐
	b) Extra work.	☐
	c) Less food	☐
	d) Other(name your preferred punishment:	☐
2. Letting fire go out.	a) No punishment.	☐
	b) Extra work.	☐
	c) Looking after fire for a month.	☐
	d) Other:	☐
3. Attacking another boy with intention to harm.	a) No punishment.	☐
	b) Extra work.	☐
	c) Imprisonment.	☐
	d) Other:	☐
4. Hiding food.	a) No punishment.	☐
	b) Less food.	☐
	c) Extra work.	☐
	d) Other:	☐
5. Not using proper	a) No punishment.	☐

lavatory spot.	b) Extra cleaning duty	☐
	c) Spanking.	☐
	d) Other:	☐
6. Interrupting at meeting or speaking when you haven't got the conch.	a) No punishment.	☐
	b) Public apology.	☐
	c) Extra work.	☐
	d) Other:	☐
7. Not doing proper share of work – building shelters, etc.	a) No punishment.	☐
	b) Extra duties.	☐
	c) Public reprimand.	☐
	d) Other:	☐

② 어떤 방법으로…

규칙 대신에 학생들에게 작품 속에서 발견되는 사회적 상황과 대처하는 방법에 대한 조언을 명시하게 한다. 이러한 활동에는 상당한 다양성이 허용된다. 실례를 들면 다음과 같은 것이 포함될 수 있다:

1. 「위대한 갯츠비」: '사회적으로 성공한 사람이 되는 방법'
   활용할 수 있는 형식으로서, '사회적으로 성공한 사람이 되기 위해서 여러분이 해야 하는 것은: ....이다.'
2. 「신세계에 용감히 맞서라」: '행복해질 수 있는 방법'
3. 「수집가」: '납치자가 당신을 풀어주도록 설득하는 방법'
   교사는 이처럼 '어떻게......'의 방법을 확대하여 학생들 자신의 현재 상황에도 동일한 일람표를 작성하게 할 수 있다.

③ '그들은 어떻게 ......? 당신은 어떻게 ......?'에 대해 대답하기

이러한 활동에서 학생들은 가상적으로 자신을 문학작품의 특정환경 속

에 투입한다. 학생들에게 '여러분은 어떻게 할 것이가?'의 물음에 대한 일람표에 답을 작성하도록 하여 그룹 대다수의 의견을 이끌어내도록 한다.

예를 들어, 무리엘 스파크의 단편소설, '쌍둥이'에서 작중 화자는 옛 동창 제니와, 그녀의 남편 시몬을 방문하러 가는 불편한 경험을 하게 된다. 천사처럼 보이는 그 부부의 자녀들은 어른들의 세계에 대해 알 수 없는 갈등을 일으킨다. 학생들에게 과제지 30를 나누어 주어서 두 명씩 짝을 지어, 또는 그룹별로 답하게 한다.

과제지 30

'쌍둥이'의 끝 부분을 읽으시오.
여러분은 제니와 시몬 부부의 집에 머무를 예정이다.
1. 얼마동안 머무를 것인가?
2. 쌍둥이 중의 하나가 돈을 달라고 할 때 어떻게 응할 것인가?
3. 쌍둥이의 태도에 관해 제니와 이야기를 나눌 것인가?
   그럴 경우에 어떤 말을 할 것인가?
4. 부모와 자녀 사이에 참견할 것인가?
5. 시몬이 제니에 관해 어떤 사실을 이야기한다면 제니에게 그것을 언급해 줄 것인가?
6. 여러분이 방문을 마치고 돌아간 후에 시몬에게 편지를 받는다면 어떻게 할 것인가?

8) 빠진 부분 완성하기

장편 소설, 단편소설, 희곡, 시 등은 등장인물과 상황에 관해 오직 부분적인 묘사만을 하기 때문에 추론할 여지를 많이 남겨 놓는다. 여기서 교사가 그룹의 학생들에게 빠져 있는 요소를 추론하게 하고, 그런 후에 그러한 추론들을 토론하게 하는 것이다. 토론은 학생들 자신의 추리를 정당화하도록 함으로써 더욱 활기를 띨 수 있다. 즉 그들이 자신의 추리를 정당화하기 위해 작품 속에 이미 알려진 어떠한 사실들을 그것의 근거로 사용했는지 말하게 한다. 예를 들면, 그라함 그린이 쓴 「제네바의 피셔 박사」에서 우리는 이 의사의 배경이나 어린시절의 생활에 관해 아는 것이 거의 없다. 교사는 각 그룹에게 다음과 같은 일련의 질문을 한다:

피셔 박사의 학교생활은 어떠했는가?
친구는 많았는가?
좋아했던 과목은?
종종 말썽에 말려들기도 했는가?
부모와는 친밀했는가?
울음이 많았는가?
농담을 즐겼는가?

전체적인 수업에서 피드백 활동을 통해 각 그룹들은 그들의 답을 서로 비교한 후에 그러한 결론으로 이끌게 한 작품의 특정한 부분을 설명하게 한다.

9) 토론

많은 문학작품은 교실에서 흥미로운 토론을 불러일으킬 수 있는 논쟁적인 문제들을 제기하고 있다. 특히 시간이 상당히 짧게 제한되어 있다면, 정한 틀에 따라 토론을 진행할 때 외국어로 자신의 견해를 표현하는데 도움이 될 때가 많다.

이러한 예가 「파리대왕」을 통해 아래와 같이 진행될 수 있다. 이러한 예는 단편소설 '운명과 총알'에도 제시하였다(뒷장의 단편소설 참조).

제 4장에서 잭 편의 소년들 집단과 랠프 편의 소년들 집단 사이에 의견대립이 최대의 위기에 이른 순간에 피기가 바위성의 요새 안에 있는 야만인 무리에 대한 문제를 큰 소리로 아래처럼 세번 외친다:

'어느 것이 더 나을까? 잭처럼 몸에 색칠을 한 흑인들처럼 변장하여 들

어가는 것과 랠프처럼 행동은 하지 않고 감각을 예민하게 하여 가만히 있는 것 중에서.'

'어느 것이 더 나을까? 규율을 만들고 다수의 동의에 따르도록 하는 것과 밖으로 나가 동물들 사냥을 하면서 죽이는 것 중에서.'

'어느 것이 더 나은가? 법을 지키며 구조를 요청하는 것과 짐승들을 사냥하고 물건들을 마구 쳐부수어 버리는 것 중에서.'

학급의 학생들은 문명사회에서 법과 질서가 일차적인 중요성이 되어야 한다는 점을 일단 안건으로 상정한다. 1단계에서 학생들은 각자 찬반에 대해 가능한 많은 주장들을 생각해 보려고 애쓴다. 2단계에서 연설팀의 구성을 준비한다. 이것은 수업시간 중에 해도 좋고, 수업시간이 끝난 후에 만들어도 좋다. 세 사람이 한 조가 되어 조마다 찬반의견을 정하고 각 조마다 두 사람의 대표자가 나와 차례로 번갈아가면서 1, 2분 정도씩 의견을 말한다. 그리고 나면 제 3의 회원이 반박 의견을 개진한다. 청중석의 학생도 자유롭게 질문할 수 있다. 마지막 단계에서 이 동의안을 통과시킬 것인지, 부결할 것인지에 대해 전체 투표를 실시한다.

10) 친절하게 설득하기

이 활동을 위해 학생들은 한 쌍씩 짝을 지어 지정된 역할을 맡는다. 즉, 한 학생이 상대방에게 문학작품 속에 나오는 하나의 행동 과정이나 어떤 등장인물의 장점이나 단점을 설득시키려 한다. 예를 들면, 한 학생에게 죤 파울즈의 소설, 「수집가」에 등장하는 수집가의 친구를 위한 역할이 주어진다. 그의 임무는 패션 모델 쇼의 지배인(상대방 학생)에게 그 수집가는 그들이 찾고 있는 이상적인 사진사일 수 있다는 것을 설득시키는 것이다.

죠지 오웰의 「1984년」에서 한 학생이, 이 작품에 나오는 오브라이언의 친구가 되어, 간호장교를 설득시켜 그를 정신과 간호사로서 고용될 수 있게 노력한다. 그는 설득력 있는 사람이 되려고 열심히 노력하지만, 한편 다른 역할을 맡은 연기자는 이에 대해 날카로운 질문들을 하여 저항을 시도한다. 예를 들면, 너의 친구는 사람을 좋아하느냐? 그는 동정심이 많으냐? 그 사람이 지나치게 공격적이 아니라고 믿느냐? 등등.

도움을 필요로 하는 그룹들을 위해 여러 가지 독창적인 지침들이 역할 카드에 준비될 수 있다. 첫번째의 역할 연기를 시작하기 전에 설득하는 언어나 그러한 설득에 저항하는 언어를 연습하면 그것은 유용할 것이다. 교사는 필요하다면, 학생들이 필요로 할 그러한 설득을 위한 표현의 예시문들을 줄 수 있다.

설득자를 위해 도움이 되는 표현들

She's/He's ever so (+형용사)
She's/He's the most...
I've never met anyone who is as (+형용사) as she/he's.
Go on, give her/him a chance.
Why don't you give her/him a chance? You won't regret it.
She/He will not disappoint you/let you down.
Can't you see your way to letting him/her have a go?
She's/He's just the sort of person who....
If anyone can do it she/he can.

설득에 저항하는 사람을 위하여 도움이 되는 표현들

That's all very well, but...
She/He isn't really what I'm after/looking for.
She/He sounds a bit(+형용사).
She/He isn't quite what I/we have in mind.
I see your point, but...
I'm not convinced that she/he is the right person for the job/situation.
She/He must have one or two weak points.
I'm sorry but I only have your word to go on.

비슷한 활동이지만 '비난과 부정'의 형태를 위한 역할놀이를 「파리대왕」을 위해 시도할 수 있다: 학급의 학생들을 비난자와 부정자의 두 부류로 나눈다. 비난자들은 사이몬을 살해한 사람을 비난할 수 있는 최대한의 다양한 진술이나 질문을 생각해야 한다. 부정자들은 자기의 책임을 인정하는 것을 피할 수 있는 최대한의 많은 진술들을 생각해야 한다. 10분간의 준비시간이 지나면 학급의 학생들은 서로 얼굴을 마주보는 짝을 만들고, 이들이 각각 두 개의 원의 대형을 형성하게 한다. 교사가 손바닥을 한번 치면 비난자들이 말을 하고, 손바닥을 두번 치면 부정자들이 말을 한다. 학생들이 필요로 할 표현들이 아래에 있다.

비난하는 표현들	부정하는 표현들
Admit your guilt, murderer!	I was on the outside all the time.
You are responsible for Simon's death.	I was in a dream.
But you did murder him, even if you were in a dream.	I wasn't in my right mind. It wasn't me, honestly.
You are a murderer, aren't you?	I had nothing to do with it.
You are guilty, you can't deny it.	It was dark.
You are a cold-blooded murderer.	Why did you do it? I was frightened.
We know you were one of the murderers.	I couldn't see what I was doing, could I?

11) 즉흥적으로 연기하기

문학교재를 읽어가는 가운데 어느 시점에 가서 교사는 학생들이 그 이야기에서 만나는 사건들에 대해 대안이 될 수 있는 결말관계를 고안해 보도록 한다. 그런 다음 그들은 그러한 결과를 즉흥적으로 연극화하여 공연할 준비를 해서 학급을 위해 공연한다. 필요하다면 교사는 학생들이 시도할 수 있도록 한두 개의 가능성을 제공해줄 수 있다.

12) 가상적인 상상하기(여기서라면/ 거기서라면)

이 두 가지의 활동은 문학작품의 인물창조에 대한 학생들의 이해력과 감상력을 넓혀주기 위해 만들어진다.

① 여기서라면

교사는 학생들이 그 작품 자체의 일부분이 아닌 하나의 가상적인 상황 속에서 특정한 인물들이 어떻게 행동하게 될 것이며, 무엇을 느끼고 말할 것인가에 대하여 깊이 생각해 보게 한다.

가상적 상황의 아이디어는 학생 자신의 삶과 연결될 때 매우 성공적인 것이 될 수 있다. 예를 들면, 먼저 어떤 등장인물이 학생들이 살고 있는 마을에 있다고 상상해 보자. 그 인물은 어디로 갈까? 어디서 머물까? 그는 무엇을 먹을까? 무엇에 대하여 말할까? 어떤 물건을 살까? 이러한 상상을 하고 나서 이제 그는 학생들의 집이나 방으로 초청된다. 그는 어디에 앉을까? 방안에서 무엇을 주목하여 볼까? 대화는 무엇에 대해 할까? 세번째 단계에서, 그 인물은 어떤 반응을 하도록 요구되는 긴급하고 재미있는 하나의 새로운 상황에 놓여 있다고 가상한다. 이 인물이 있을 법한 반응에 대해 여러 가지로 예상해 본다. 예를 들면, 한 여인이 그에게 화급하게 달려와서 돈을 좀 달라고 요구한다. 왜냐하면 그녀는 자기가 가진 돈을 잃어 버렸는데, 집세를 지불하지 않으면 사는 집에서 쫓겨나야 하기 때문이다. 이 인물의 반응은 어떠하겠는가?

소규모의 학급에서 이것은 학생들이 환상에 취한 듯이 크게 고함을 지르면서 행하여질 수 있다. 보다 더 규모가 큰 학급에서는 이 활동을 위해 새로운 상황의 개요를 도표로 정리해 놓고 학생들에게 상상되어지는 그 인물의 반응을 써 넣게 하는 과제지를 활용하면 좋다. 교실에서, 또는 과제지의 경우는 집에서 이렇게 하는 것이 끝났을 때, 그룹별로 그 대답을 토론한다. 그러고 나면 전체적인 회의에서, 교사는 그 인물의 성격에 대해 학생들이 선택한 대답의 의미를 그들이 말하게 한다.

② 거기서라면

앞에서 말한 상황과는 역으로 된다. 문학작품 속의 인물이 아닌 어떤 사람을 그 상황 속으로 끌어들여 있음직한 행동, 반응, 그리고 영향 등을 토론한다. 예를 들면, 남자 주인공이 나오는 어떤 작품에서, 만약 그 주인공과 똑같은 여성을 등장시킨다면, 사건과 관계에 대해 어떠한 차이점을 만들게 할 수 있을까에 대해 학생들이 상상해 보도록 한다.

번갈아 가면서 그 반의 학생들 중에서 한 사람을 뽑아 작품의 어떤 특수한 상황에 빠져 들게 하여 어느 등장인물을 대신하거나 그와 연루되어지게 한다. 그러한 학생들의 환상에는 등장인물과 대체한 학생 사이의 행위와 견해의 차이점을 해소하는 것이 포함된다. 또는 두번째 경우로서, 한때 플롯 속으로 소개되었던 사람들과 사건들에 영향력을 시도하기 위해 그 대체 학생은 무엇을 할 수 있을까에 대해 학생들이 상상하게 하는 것도 포함된다. 이러한 활동은 일반적으로 생생한 토론을 제공하며, 역할극이나 즉흥극을 위해 각색될 수도 있다.

13) 역할극 놀이들로 꾸며보기

문학작품이 제공하는 정황은 역할극 놀이 상황을 만드는 것을 용이하게 한다. 그러나 때때로 학생들은 작품에 이미 생생하게 그려진 등장인물이나 사건들을 말로 묘사하는 것을 생각하면 상당한 두려움을 느낀다. 이러한 경우, 앞의 연습을 통해 실습해 보았던 상상적인 상황과 같이 원문에서 벗어난 별도의 상황들은 특별히 도움이 될 수 있다. 「파리대왕」의 활용을 하나의 실례로 들 수 있다. 그 작품에는 외딴 오지의 섬에서 궁지에 빠진 소년들이 정상적인 학교환경 속으로 되돌아오는 것을 학생들로 하여금 상상하게 한다. 많은 소년들 중의 한 학생이 학교 상담교사를 만나 보러 가도록 한다. 이전에 작성된 보고서에 따라 역할극 카드가 상담 교사를 위해 만들어진다. 학생들은 짝을 지어, 한 사람은 카드의 도움을 받아가면서 상담교사의 역할을 맡고, 다른 한 사람은 피상담 학생의 역할을 맡아서, 지금까지 이 소설을 읽으면서 알게 된 지식에 따라 이 인물에 대해 알고 있는 사실을 설명하는 가운데 상담이 이루어진다.

사이몬을 상담하도록 요청받은 상담교사를 위해 만든 역할극 카드의 예가 아래에 있다.

> 역할 카드: 상담선생을 위한 지침사항들
>
> 귀하는 사이몬을 상담하도록 요청한 바 있습니다. 지난번 그에 관한 보고서에서 그의 담임선생은 아래와 같이 기록하였습니다
>
> A dreamy boy who appears to be very reflective but has difficulty communicating with the others. Definitely a "loner". He sometimes seems quite disturbed.
>
> 사이몬에 관해 보다 더 많은 것을, 그리고 아래와 같은 사항들을 발견해내도록 노력하세요:
>
> - How he feels about the leaders of his group, Jack and Ralph.
> - How he feels about being on the island.
> - What he does when he goes off into the forest on his own.
> - What he would like to tell the others.
> - What he likes best on the island.
> - What he dislikes on the island.
> - Any other thing you feel would help you understand this boy.

보다 긴 소설이나 단편 소설을 가지고 역할극을 시행할 수 있는 성공적인 기법의 또다른 것으로서 작품에서 주제를 선택하고 병치되는 배경을 설정하지만 등장인물은 완전히 다르게 한다. 그리고 나서 원작 자체를 창작한 역할극과 비교한다.

예를 들면, 「신세계에 용감히 맞서라」에 등장하는 노예 죤이라는 인물은 소외감을 느끼다가 결국 자신을 파괴시켜 버리는, 새로운 사회의 패

턴에 들어선 어느 국외자의 운명을 나타내고 있다. 유사한 역할극은 지구에서 살기를 원하지만 언론매체의 주목을 받는 것을 괴로운 압력으로 여기는 최초의 외계인들(고맙게도 인간에 가깝고 영어를 말할 수 있는)의 곤경을 선택한다. 역할극은 기자회견이 포함된다. 그 회견에서 기자단은 질문들을 준비하며, 외계인들은 그들이 사는 사회에 대해 설명할 준비를 한다. 그들의 사회는 보다 더 자연적인 삶으로 되돌아가기 위해 과학기술을 최소화하였다.

이와 같은 유사 역할극은 셰익스피어 극처럼 특히 텍스트가 어렵거나 과거에다 배경을 설정한 극작품이면 나이가 더 젊은 학생들이 잘 한다. 「서쪽지방 이야기」는 아마도 「로미오와 줄리엣」의 인기있는 유사극 연출로서 인용될 수 있을 것이다.

14) 예고편 만들기

이것은 소설이나 다른 작품들을 극화하여 보다 더 다루기 좋은 과업을 학생들을 위해 수행하게 하는 또다른 방법이다. 영화를 보러 가거나 TV를 보는 사람은 소위 '예고편'이라는 개념을 잘 안다. 즉, 영화나 TV 프로그램을 선전하기 위해 제작된 짧은 광고 크립(맛보기)이다. 이것은 보통 그 영화를 격찬하는 화면 바깥의 해설하는 말로 구성되어 있으며, 그 영화의 액션들 중에서 가장 긴장되거나 가장 멋진 순간들로부터 뽑은 극히 짧고 호기심을 자아내게 하는 촬영장면들로 장식되어 있다.

그룹별로 학생들은 어떤 장에서 특별히 돋보이는 하이라이트 장면들을 사용하여 읽고 있는 작품을 선전하기 위해 2분짜리 예고편을 만드는 과업을 맡는다. 이것은 다음과 같은 방법으로 학급 학생들에게 연출된다: 한 학생(출연자)이 해설하는 말을 읽고, 다른 학생들은 적절한 시기에 맞추어 플롯의 극적인 하이라이트 장면들을 연기하거나, 아니면 그러한 것들을 단지 행동으로 묘사하기 위해 움직이지 않고 고정시킨 몸자세를 취한다. 다른 학생보다 상상력이 부족하거나 남보다 더 수줍음을 잘 타는 학생일지라도 이처럼 간단한 장면들에 포함되어 있는 제한된 연기를 연출해 낼 수 있다는 것을 우리는 알게 되었다. 이 활동은 일반적으로 매우 즐겁고, 그룹들이 다르면 그 그룹들은 작품의 아주 극적인 순간을 그토록 다양하게 해석하여, 연출하는 데서 생겨나는 재미있는 토론을 만들어 내게 한다. 한 가지 실례로서 단편소설 '스레드니 바쉬타르'를 들 수 있고(단편소설의 장 참조), 또다른 실례는 「파리대왕」을 통해 다음과 같이 만들 수 있다. 학생들은 「파리대왕」의 영화 각색 책임자가 되어 영화를 광고하기 위한 예고편 부분으로 대화의 몇 가지 발췌문들을 편집하고 있다는 말을 듣는다. 교사는 이 장의 예고편에 30초를 할당하였다. 학생들은 그룹별로 영화감독과 영화각색 책임자로서, 총 30초 동안의 촬영시간에 간단히 연결하여 편집할, 중요하다고 생각되는 잘라 놓은 조각들을 선택한다. 각 그룹의 학생들은 선택을 하고, 시간을 정해 보고, 예행연습을 한 후에 상연한다. 그리고 나면 각 그룹 사이의 차이점들을 토의한다. 작품 전체를 위한 예고편이 드디어 제작되면 이제는 이 작품의 제 3장을 위해 선택한 부분들을 검토하고 수정해 나간다.

많은 지원이 필요한 그룹을 위해서, 교사는 이 작품의 제 3장에서 대화 발췌문들을 위한 범위를 제시하여 주고, 학생들에게 가장 중요하고 극적인 부분을 선택하게 하여 30분짜리 예고편을 만들게 할 수도 있다. 또한 교사는 그들이 그렇게 발췌한 문구들 중에서 분위기, 배경, 진행상황과 사건들을 가장 잘 나타낼 수 있는 것이 어느 것인지 평가해 보게 할 수도 있다. 아래에 보인 것은 제 3장에서 뽑아낸 대화 발췌문들의 몇 가지 예이다.

'내가 멧돼지를 잡을 수만 있다면.' (p.60)

'내가 사냥하고 있는 것이 아니라 사냥당하고 있다는 것을 느낄 수 있을거야.' (p.57)

'그들은 말을 하면서 소리를 질러. 다른 몇몇 소년들조차도. 만약에...만약에 비록 여기가 멋진 섬이 아니라 해도...' (p.56)

'내가 죽였을지도 모른다는 생각을 했어.' (p.55)

'그러나 너는 하지 않았어.' '내가 죽였을지도 몰라.' '우리가 할 수 있는 최선책은 구조되는 것이야.' '구조? 그래 물론이지! 난 우선 멧돼지를 잡고 싶어.' (p.58)

'구조되길 원하지 않니? 멧돼지, 멧돼지, 멧돼지에 대해서만 온통 말하고 있구나.' '그러나 우리에겐 고기가 필요해!' '그래서 사이몬과 함께 온종일 일하고 있는데 말이야. 넌 돌아가. 오두막에 대해서는 입에 꺼내지도 마!' (p.59)

'그는 급히 가버렸어.' '고기를 먹고 나서는 목욕하러 가버렸어.' '그는 괴상해. 그는 재미있어' (p.59).

15) 영화 제작자가 되기

이것은 보다 더 복잡한 활동으로서, 영화나 TV 프로그램의 한 장면을 만들기 위해 하나의 하이라이트 장면을 각색하는 것이다. 학생들은 그들의 임무를 눈 앞에 생생하게 떠 올릴 수 있도록 도와주는 상당히 자세한 지시사항을 받는다. 학급의 각 그룹은 영화가 학급 앞에 상연될 때 변화가 있도록 하기 위하여 조금 달라진 장면을 설정할 수 있다. 그렇게 하면 대조되는 각 장면은 연출의 차이에 대한 토론을 이끌어낼 수 있다. 세 개의 출연단을 구성하고 그들에게 각각 세 개의 다른 지시사항을 내려준 실례를 「파리대왕」에서 다음과 같이 만들어 볼 수 있다.

이 장을 통해서 랠프, 잭, 피기 사이에 열띤 의견충돌이 있다. 학급의 학생들을 세 그룹으로 나눈다. 각 그룹마다 이 의견충돌 장면을 어떤 방식으로 촬영하기를 원하는지에 대하여 감독으로부터 지시사항이 주어진다. 이것을 가장 쉽게 설명할 수 있는 것은 역할카드를 사용하는 것이다. 각 그룹은 이 지시에 따라 작품의 연출할 부분을 재삼재사 읽고 토론을 해서 예행연습 시간을 가진 후에 공연한다. 각 그룹은 감독이 원작에서 어떤 종류의 변화를 기대하였는지 관찰하여 추측하도록 애쓴다. 공연이 모두 끝나고 나면 이 장면을 어떤 방식으로 변형시킨 것을 더 좋아하는지, 또 어떤 변형을 하면 더 좋은 것이 될지, 변형 형태들을 제시해 보라고 한다. 아래의 표는 역할카드들이다.

역할카드 그룹 A

감독은 인물들간의 논쟁이 원작 보다 더욱 열띤 것이 되게 하기 위해 이 장면을 조금 고쳐 쓰도록 지시하는 바입니다.

1단계 : 그룹으로서 가능할 수 있는 변화에 대해 결정하시오.

2단계 : 대화문을 다시 쓰시오.

3단계 : 배우들을 지명하고, 다시 고쳐 쓴 장면을 예행연습 하시오. 이것은 감정으로 아주 충만된 장면임을 명심하시오.

역할카드 그룹 B

감독은 인물들간의 논쟁이 원작 보다 덜 열띤 것이 되게 하기 위해 이 장면을 조금 고쳐 쓰도록 지시하는 바입니다.

1단계 : 그룹으로서 가능할 수 있는 변화에 대해 결정하시오.

2단계 : 대화문을 다시 쓰시오.

3단계 : 배우들을 지명하고, 다시 고쳐 쓴 장면을 예행연습 하시오. 이 장면에서 감정의 수준을 낮추도록 명심하시오.

역할카드 그룹 C

감독은 원작 보다 피기와 랠프가 잭에 대해 보다 더 공격적이고, 잭은 보다 더 사과하는 인물이 되도록 하기 위해, 이 장면을 조금 고쳐 쓰도록 지시하는 바입니다.

1단계 : 가능할 수 있는 추가사항이나 삭제사항들에 관해 결정하시오.

2단계 : 그룹으로서 요구하는 변화들을 만족시키기 위해 대화문을 수정하시오.

3단계 : 배우들을 지명하고 다시 고쳐 쓴 장면을 예행연습 하시오.

책은 덜 위협적이고 피기와 램프는 보다 더 공격적인 점을 명심하시오.

제 6 장 마지막 단계의 활동

한 문학작품을 끝내는 단계에 오게 되면 감상과 이해 작업을 해오던 계속적인 과정으로부터 일시적으로 거리를 두는 연출 단계에 이르게 된다. 이 장에 서술한 여러 가지 활동은 문학작품에 대한 학생들 각자의 감각을 계속 살아 있도록 유지해 주기 위한 소망을 반영하고 있으며, 그들로 하여금 견해와 비평을 함께 나누게 하는 것을 목적으로 한다.

우리는 여러 학습활동의 범위를 집성하였지만, 4, 5장에서 개관했던 몇 가지 활동들은 문학작품을 끝내는 마지막 단계에 있어서도 전적으로 적합하다는 사실을 기억할 필요가 있다. 이 점에 대해서는 일찌기 앞에서도 지적하였다.

이 장에 소개한 많은 활동들은 여러 가지 언어기술의 통합과 관련시킬 수 있기 때문에, 우리는 이러한 활동들을 어느 하나의 언어기술 아래 다시 몇 개로 나누는 하위 표제들을 내걸지 않기로 하는 대신에 큰 폭으로 나누어서 설명한다. 첫번째는 강력한 시각적 영향을 만들어내는 여러 활동들, 두번째는 토론에 중점을 두는 활동들, 세번째는 듣기에 기초를 둔 활동들을 통한 쓰기 과제들, 마지막 단계로는 역할 놀이와 연극 활동 등을 서술하였다.

작품의 표지 그림 만들기

학생들에게 작품의 표지 그림을 디자인하게 하는 것은 지금까지 읽어오던 작품에 대한 전체적인 반응을 이끌어내고 구체화시키는 한 가지 방법이 된다. 이것은 개인적으로, 또는 그룹 활동으로 할 수 있다. 그러나 이 활동은 학생들 자신의 반응을 표지그림으로 묘사하게 하는 것이므로, 그룹을 작게 하거나 두 사람이 한 짝이 되어 작업을 하는 것이 더욱 좋다.

이것의 요지는 다음과 같다. 학생들은 출판사의 제도과에 근무하고 있고, 작품의 정신을 대표해 주거나 잠재적 독자들에게 호소력이 있을 것 같은 표지를 기획하는 책임이 있다.

자신의 예술적 능력에 대해 너무 자신없어 하는 학생들을 위해 어떤 도움을 제공하는 것은 이러한 종류의 활동에 있어서 중요하다. 학생들은 표지를 그려보라는 요구를 받지 않고도 자신의 반응을 스스로 표현할 수 있는 어떤 방법들을 제시한다면 보다 더 유용할 때가 자주 있다. 그것은 효과적인 기법들인데, 그것을 위해 적당한 자료는 아래와 같은 것들이 있다.

① 칼라 포스터 카드의 커다란 쪽지들을 잘라내어 풀로 붙인 잡지 그림들.

② 추상적이기나 상징적인 디자인들을 만들기 위해 여러 가지 나른 크기와 색깔들로 결합한 점착성의 기하학적인 모형들. 이것은 종종 어떤 작품을 인상적이고 상상적으로 나타낸다. 표 12은 이러한 표지 디자인의 한 가지 예이다. 디자인이 완성되면 전시회는 교실에서 개최된다. 각 디자이너들이나 디자인 팀은 표지를 학생들에게 보여주고 전달하려 했던 효과에 대해 말한다. 학생들은 자유롭게 디자이너들에게 질문하거나, 유사하거나 대조되는 것에 대해 논평한다. 만약 모두가 빠지지 않고 표지에 대해 토론하기에는 시간이 부족하다면, 그들이 그것들에 대해 발표하고자 했던 바를 글로 쓰게 한다. 그렇게 기록한 비평들은 나중에 그 디자인 표지들 옆에 나란히 핀으로 꽂아 두게 한다.

표 12

작품 추천 광고문 작성하기

이 활동의 준비로서, 교사는 학생들이 알고 있지 않을 것 같은 두 세 편의 소설이나 희곡의 추천을 위해 이미 작성된 짧은 표지용 광고문들을 큰 소리로 읽는다. 그리고 나서 학생들에게 그것들을 전시하여 호소력의 순서대로 분류하게 한다. 그런 후에 그들의 반응에 영향을 끼친 작품의 구성이나 특별한 특징들을 토론하게 한다.

이제 학생들은 그룹이나 짝으로 공부해왔던 작품에 대한 광고문을 작성한다. 서점에서 책을 뒤지고 있는 어떤 사람에게 시선을 틀림없이 끌 수 있다고 느끼는 어떤 인용어구를 적어도 하나는 작품에서 뽑아내어야 한다.

등장인물들을 몸짓 자세로 조각하기

이 활동은 작품이나 연극의 중요인물들에 관심을 집중한다. 한 학생이 조각가로 지원하거나 선출된다. 중요인물들의 이름을 한 사람씩 별도로 종이 조각에 써서 가방에 넣는다. 학생들은 인물들을 기입하는 쪽지가 모두 없어질 때까지 각자 하나씩 가진다. 조각가는 인물을 한 사람 선택하고 그 인물에게 서거나, 앉거나, 혹은 인물의 중요한 개인적 특징을 적절히 나타낼 수 있는 어떤 자세나 표정을 짓도록 요구한다.

교실에서 자리를 비워 둔 공간은 등장인물들을 몸짓 자세로 조각하는 무대이다. 조각가는 처음에 나온 인물 외에 또다른 인물이 무대 앞으로 나오게 하며, 그와 처음 인물과의 관계를 고려하여 적절한 위치에 배치한다. 즉, 조각가가 그들을 서로 밀접하다고 여기면 가까이에, 서로 관계가 거의 없다고 여기면 멀리 떨어뜨려 놓는다. 인물들이 서로 얼굴을 맞대게 하거나, 등을 맞대게 하며, 둥글게 웅크려 모여서 손을 잡고 서로 의논을 하거나, 조각가가 원하는 무엇이든지 되어진다. 인물들은 한번 위치가 정해지면 조각하는 작업이 완성될 때까지 그들의 위치를 유지한다. 이것이 행해지고 나면 조각가는 교실에 있는 다른 학생들과 자신의 생각을 토론하는데, 학생들은 인물들에 대한 견해를 서로 논평한다. 만약 시간이 있다면 조각작업을 몇 가지 더 실행할 수 있다.

이 활동은 놀라울 정도로 강력한 기억을 남긴다. 특히 여러 명의 상호 관련된 인물들에게 잘 이루어진다. 이것은 많은 토론으로 이끌고 개인적인 인식들에 있어서의 차이점을 드러내 주는데, 이것은 성인이나 성숙한 청소년에게 최상의 활동이 될 수 있지만 넓은 범위의 학생들에게도 참으로 공감을 준다. 이것이 처음으로 소개되거나, 다른 학급보다 못한 학급과 함께 실행할 때에는 교사가 첫 조각가가 되어야 한다. 아래 그림은 「파리대왕」을 위해 만든 하나의 실례이다.

표 13

타임 캡슐 개봉하기

플롯이나 등장인물들의 전개에 대한 학생들의 예측사항들이, 봉인된 타임 캡슐에 처음으로 투입되었을 때(앞의 제 3장 참조) 그것은 바로 지금이 그것을 개봉할 시기임을 뜻한다. 학생들은 왜 처음과 같은 예측을 했는지, 그리고 그것을 확증하거나 반증할 수 있는 어떤 일이 나중에 작품에서 일어났는지에 대해 집중한다.

되돌아 갈 수 없는 결정적 지점 쓰기

학생들은 그룹별로 소설, 희곡, 단편소설 등의 전개과정에서 결정적으로 '되돌아 갈 수 없는 지점'에 대해 결정한다. 이것은 아마도 지시 카드를 복사하여 그것을 각 그룹에게 나누어 주면 가장 쉽게 실행될 수 있다(아래 과제지 31 참조).

이것을 위해 피라미드식 기법이 사용되는데, 학생들이 둘씩 짝을 지어서 그러한 지점을 결정하면, 네 사람이 한 그룹이 되어 그들의 의견을 결정하고, 그 다음에는 또다시 더 많은 학생이 한 그룹이 되어시 그렇게 계속해 나간다. 이것은 일반적으로 활기있는 토론과 그 작품에 대한 철저한 교정을 하겠금 한다.

과제지 31

우리는 작품을 이제는 다 읽었으며 그래서 그 결과를 안다.

작품을 되돌아 볼 때, 여러분은 '되돌아 갈 수 없는 지점', 즉 그 결과가 불가피하게 되어 버린 지점이 정확하게 어느 부분인지 말할 수 있겠습니까?

(이것은 사건들이나 한 작중인물의 발전선상의 어느 지점이 될 수 있다)

여러분의 그룹에서 여러분이 동의한 그 지점을 쓰시오.

만약 여러분이 그와 같은 지점이 있었다고 생각하지 않는다면, 그 결과는 불가피한 것이 아니었다고 생각하는 이유를 말하시오.

만약 ~했더라면 어떻게 되었을까? (What if~?)

이것은 하나의 토론 활동인데, '되돌아 갈 수 없는 지점' 찾기 다음에 따르는 후속활동이다. 학생들은 이 지점 직전의 순간을 상상한다. 상황이 달라졌더라면 어떻게 되었을까? 인물들은 어떤 대안들을 마련했을까? 작가는 독자들에게 어떤 다른 영향을 끼쳤을까? (이와 같은 암시적인 대조를 하였을 때, 이 작품이 특별한 배치 형태를 취한 데서 어떤 특별한 효과가 나타날 수 있으며, 작가가 실행했던 사물들의 배열 방식에는 그렇게 할 어떤 이유가 있었을까?)

이 훈련은 언어공부를 시키는데 크게 유용하다. 과거 조건법(If X had happened, Y would have resulted~)과 과거 가정법(could have made; could have been attained; might have; should have~)을 요구한다. 따라서 어떤 학급들을 위해서는 사전에 미리 가르침이나 이러한 형태들의 수정을 제공해 주는 것이 적당할지 모른다. 예컨대 「파리대왕」의 제 6장에 묘사되어진 추론 장면에서, 만약 낙하산 병사가 다치지 않고 생존했더라면 어떤 일이 일어났을까? 소년들에게는 무슨 일이 일어날 수 있었을까? 그들의 삶은 어떻게 바꾸어질 수 있었을까? 이 문제에 대해 학급의 학생들을 두 그룹으로 나누고, 한 그룹은 생존해 있는 낙하산 병사가 영어를 사용하는 친구로, 다른 한 그룹은 그를 낯선 적으로 상상한다.

팀간에 시합하기

팀간에 시합하기는 전통적이기는 하지만, 여전히 학생들에게 작품에 관한 여러 가지 요소들을 상기시켜주는 유용하고 재미있는 방법이다. 그것은 작품에 대해 종합적인 검토를 할 수 있도록 모든 자료들을 이용될 수 있게 해준다. 그리고 다음과 같은 직접적인 질문이나, 또는 인용어구를 사용함으로써 실행될 수 있다: 누가 이것을 했는가? 어디서? 언제?

질문들을 만드는 것은 선생님이나, 아니면 더욱 좋은 것은 경쟁팀을 위해 질문을 준비하고 있는 학생들이 그룹별로 한다. 적당한 질문이나 인용어구를 찾아내기 위해서 작품을 철저히 찾아보는 것 자체가 유익한 복습 훈련이다.

1분간만 말하기 게임

교실에서의 이 게임은 인기있는 라디오 프로그램에 기초를 두는데, 경쟁자들은 주어진 화제에 대해서 주저하지 말고, 빗나가지도 않고 반복도 하지 않으면서 60초 동안 이야기하려고 애쓴다. 초시계가 필요하다 (커다란 눈금시계가 이상적이다). 교사나 짝지를 정한 학생들이 작품에서 뽑은 주제를 종이 쪽지에 적는다. 예를 들면 「로미오와 줄리엣」에서 다음과 같은 주제를 선택할 수 있다: 사랑, 폭력, 불화, 친구에 대한 충성, 동정, 우정, 분노, 운명, 행복, 한 도시 내에서 시민간의 충돌, 중매결혼, 발코니의 유용성, 젊은이의 맹목성 등등. 필요하다면, 학생들은 화제들을 집에 가져가서 다음 수입시간에 할 게임에 대비하여 고찰하도록 허락할 수도 있다. 다음에는 많은 화제들을 모자 속에 넣는다. 한번에 4명의 학생들이 게임을 실시한다. 교사나 학생대표가 모자에서 한개의 화제를 뽑고 나서 60초 동안 그 화제에 관해 말해야 하는 경쟁자를 지명한다. 만약 그 경쟁자가 주저하거나 화제를 빗나가거나 주제 어휘를 제외한 어떤 단어를 반복한다면 (관사, 전치사, 접속사는 계산에 넣지 않는다), 다른 세 명의 경쟁자 중에서 한 명이 도전할 수 있다. 그러면 그 성공한 경쟁자는 남은 시간 동안 말을 계속할 수 있다. 성공하는 도전에 대해 점수를 주는데, 여전히 말을 계속하고 있는 경쟁자는 점수를 얻는다.

이 게임은 작품을 읽고 있는 동안 어느 지점에서든지 사용될 수 있으나, 특히 종결 지점에서 활용하는 것이 적합하다. 이 때는 학생들이 이용할 수 있는 가장 많은 자료를 가지고 복습을 하기에 유용하기 때문이다. 이 게임은 정해 놓은 짧은 시간 안에 외국어로 머뭇거림이나 화제의 이탈과 반복이 없이 이야기를 해야 하기 때문에 정말로 도전적인 과제이다.

작품의 이야기를 다시 말하기

작품의 스토리를 이야기하는 것은 방금 읽은 책을 복습하는 단순한 방법으로 보일지 모르지만, 외국어로 말하는 가치있는 구두연습을 제공할 수 있다는 점에 의심의 여지가 없다. 이것을 실행하면 필요로 하는 어휘의 대부분을 알게 된다. 그러나 그러한 어휘의 사용은 학생들에게 적극적인 어휘의 한 부분이 될 수 있게 해 준다. 한편 여기서 담화 양식은 일반적으로 학생들이 다양한 시제와 연결어, 그리고 다른 담화 표지들을 사용할 수 있게 허용할 것이다.

소규모 학급의 경우 학생들은 각각 하나씩의 숫자를 받는데, 그 모든 숫자들을 종이 쪽지에 적어 모자에 넣는다. 자신의 숫자가 맨 먼저 뽑힌 학생부터 작품의 스토리를 이야기하기 시작하며, 교사의 신호 소리에 의해 중단될 때까지 계속한다. 이것은 때때로 빠뜨려졌거나 작품의 전개 순서로부터 벗어나서 이야기되어진 사항들에 관한 활기찬 토론을 유발시키기도 한다.

실수의 교정에 관한 언급: 이러한 활동을 하는 동안 교사가 드러내 놓고 학생들의 실수를 분명하게 교정해주는 행동은 많은 혼란을 야기시킨다. 끝나고 난 후의 토론을 위해 일단 반복되는 실수를 적어 두는 것이 오히려 좋다. 일단 학생이 이야기하는 내용을 전부 녹음한 뒤에 그것을 재생하여 틀어주고 학생들로 하여금 스스로 발견할 수 있는 실수들을 기록하게 하는 것이 규모가 작고 상당히 심리적으로 편안한 상태의 그룹을 위해 적합하고 훌륭한 실수교정 기술이다.

비평의 광장을 마련하기

이 활동이 실습될 수 있는 곳에서는, 학급의 전체 학생들이 읽어왔던 작품에 관해 이루어진 토론이나 대화한 내용을 녹음한 자료는 청취력 연습에 이상적인 자료를 제공한다. 친숙한 문맥과 그 작품에 관해 알고 있는 지식에서 생겨나는 학생들의 여러 가지 예상들은 그들이 듣고 있는 부분에 관해 추론을 하도록 도와주고, 그렇게 함으로써 이해력을 촉진시켜 준다. 흥미를 주기 위해, 듣기 과제들을 다양화할 수 있는 몇 가지 방법이 있다.

1) 실수를 찾아내기

교사는 친구 또는 원어민과 함께 작품에 관해서 두 사람이 나누는 대화(원고가 없거나 아니면 노트 형태로 가볍게 원고를 만든 것)를 녹음한다. 내용이나 순서에 한 개 또는 그 이상의 실수가 도입된다. 학생들은 들으면서 실수를 기록해야 한다.

그 다음의 후속과제로서 학생들은 둘씩 짝을 짓거나 몇 명씩 그룹을 만들어 그 작품의 여러 가지 다양한 측면들에 관해 유사한 대화나 독백을 쓰고 나서 그것을 녹음한다. 즉, 플롯, 동기분석, 인물의 발전, 문체에 관한 토론 등. 그리고 나서 각 그룹들은 녹음한 것을 교환해서 실수를 발견하려고 노력한다. 이러한 활동은 역시 어학실에서도 이루어질 수 있으며, 보다 높은 고급수준에 적합하다. 그것은 이 경우에 학생들이 자신의 목소리를 녹음한다는 생각에 대해 지나친 반감을 가지지 않을 수 있기 때문이다.

2) 녹음한 비평을 요약하기 또는 괄호를 메꿔 쓰기

교사는 읽은 작품에 대해 라디오 토론이나 학교 방송 등에서 흘러 나오는 비평적 견해를 녹음하거나, 여의치 않을 경우 교사 자신이나 원어민이 인쇄되어진 원고를 읽는 것을 녹음한다. 만약 이것이 불가능하다면 교사가 준비한 원고를 단순히 학생들에게 읽어 준다. 그와 같이 녹음된 비평적 해설과 같은 것을 가지고 이용할 수 있는 몇 가지 과업들이 아래에 있다.

① 요약: 학생들은 녹음자가 언명하는 두세 가지의 중요한 관점들을 열거하거나, (세 가지의 가능성 중에서) 논점들을 가장 좋게 요약한 것을 선택한다.

② 노트하기: 학생들은 나중에 하나의 문단으로 발전시킬 것들을 노트한다.

③ 비워둔 부분 채워 넣기: 만약 듣는 글이 상당히 짧다면, 교사는 학생들에게 몇 개의 핵심 단어나 표현들을 삭제시켜서 글 전체를 주고, 그들이 들은 후에 빈칸을 채워 넣게 한다. 글이 더 긴 경우에는 단지 중요한 문장들만 주고 나머지는 빈칸을 채워 넣게 한다.

작품의 하이라이트를 선택하여 견해 표명하기

교사는 교사 자신이 선택한 세 가지의 하이라이트, 즉 플롯의 전개, 인물이나 동기에 작가가 투여하고 있는 조명점, 어떤 사회에 대한 점층적인 묘사 등에 있어서의 중요성 때문에, 작품의 전체적인 효과를 위해 중요하다고 생각하여 선택한 부분들을 기입한 봉인된 봉투 하나를 학생들에게 보여준다. 그러고 나서 교사는 학생들이 개인적으로 똑같이 그렇게 하게 한다.

다음으로 학생들은 세 명씩 그룹을 짜서 모여, 그러한 하이라이트들의 목록을 비교하고, 그들의 선택을 정당화시켜 본 후에, 그들의 여론을 대표하는 하나의 새로운 목록을 만든다. 학생들이 자신의 견해를 설명해야 하고, 다른 사람의 그것들에 대해 찬성 또는 반대한다고 논쟁해야 하는 이러한 활동은 학생들로 하여금 자신의 생각을 표출할 수 있게 해주고, 또한 만약 학생들이 작품에 대해 묻는 보다 더 직선적인 질문들에 대한 응답을 하고 있다면 그들을 그럴 수 있는 것보다도 더 자유로운 입장에 설 수 있겠금 만들 수 있다. 마지막으로 학생들은 교사가 가지고 있는 봉투를 개봉하고 학급의 나머지 학생들이 듣도록 그 내용을 읽는다. 교사는 자기가 작품에 관해 선택한 것들에 대해 견해를 정당화시키고, 학생들과의 유사점이나 차이점이 무엇인지 묻는다. 학생들은 종합적으로 그들의 선택을 정당화하고 그 작품에 대한 중요성을 보여주는 것으로서 그룹이 결정한 하이라이트 부분들에 대해 한 문단 정도의 글을 쓴다.

이러한 활동을 변형한 형태를 「파리대왕」에서 예를 들어 보면 다음과 같이 할 수 있다. 학생들은 읽은 작품을 영화로 제작해 낸다고 가정했을 때 그 책을 선전하는 광고용 그림 포스터 중에서 가장 강력한 효과가 있다고 생각하는 것을 6장 고른다. 그중에서 강력한 이미지 하나를 선택하여 제목과 한 문단의 선전문을 작문하는 과제를 받고, 그것이 다 됐을 때 그 결과를 내놓고 서로 비교한다.

이러한 활동에서, 학생들은 자기 그룹의 지지를 받고 동료의 생각에 접근하고 토론을 통해 자신의 견해를 점검해 보는 기회를 가지는 동안에, 스스로 아주 표준적인 형태의 수필식 질문에 대답하는 실습활동을 향해 나아가고 있으며, 그리하여 수필식 시험에 대비하는 연습을 하고 있는 것이다.

돌아가면서 요약문 완결짓기

한 학급은 소규모의 여러 그룹으로 나누어진다. 각 그룹은 5명이 적당하다. 주어진 과제는 작품을 5문장으로 요약하는 것이다 (6명이 한 그룹일 때는 여섯 문장). 각 그룹에서 한 명씩 첫번째 문장을 적고 그 종이를 오른쪽 학생에게 넘겨준다. 그러면 그 학생은 두번째 문장을 적고 그것을 똑같이 오른쪽 학생에게 넘겨주며, 이런 방식을 계속한다. 결국 각 그룹은 구성원들이 한 문장씩 기여를 하여 작성하게 되는 다섯 개의 문장으로 구성된 하나의 요약문을 가지게 된다. 다섯 문장으로 된 이 요약문들은 옆의 그룹으로 넘겨진다. 각 그룹은 그들이 받은 것들을 검토해 보고 가장 마음에 드는 것을 선택하고 그 이유를 말한다. 만약 선택을 원하지 않는 그룹이 있다면, 그 그룹은 완벽하고, 정확하며, 잘 쓰여진 요약문으로 생각되는 것을 만들기 위해 다른 요약문들 중에서 일부를 골라서 이용하는 것이 허용된다.

보다 더 수준이 낮은 반을 위해서는 이와 같은 활동의 변형형태가 사용될 수 있는데, 그룹활동보다는 개인활동을 위해 적용하는 것이 좋다. 작품의 요약문을 열 개의 문장으로 작성하도록 하는데, 각 문장마다 선택하게 할 수 있는 세 개씩의 다른 문장을 쓰게 하여 모두 30개의 문장이 되게 한다. 학생들은 각 경우에 세 개 중에서 가장 좋은 것을 선택하여 완벽한 요약문을 쓴다. 문장들을 선택한 것에 대해 비교하는 활동은 다른 문장보다도 특정의 문장을 선택한 근거에 대해 토론을 유발시켜 줄 수 있다.

짧은 글쓰기 과업들

1) 편지 쓰기

작품의 한 등장인물이 다른 사람들에게 편지를 쓴다고 가상한다. 교사는 작품이 끝난 후에 등장인물 X(중심인물들 중의 한 사람)가 작품에서 무슨 일이 일어났는지, 어떻게 그런 식으로 일어나게 되었는지를 설명하기 위해 보내는 편지를 학생들이 쓰도록 한다. 편지를 받는 사람들을 다양화함으로써 (X는 서로 다른 방식으로 어머니/ 아내/ 가장 친한 친구/ 교장/ 변호사/ 사장/ 의회의 하원의원 등에게 보낼 것이다) 여러 가지로 다른 편지글이 연습된다. 학생들은 내용과 문체의 차이점을 이해하기 위해 교정작업을 끝낸 편지글들을 읽고 비교한다.

교대로 번갈아가면서 서로 다른 등장인물이 서로에게 자신이 겪은 사건들에 대해 편지를 쓴다. 예를 들면, 페트리샤의 「재능있는 리프레씨」에서 학급 학생의 절반은 매기가 되어 톰에게 편지를 쓰고, 나머지 절반은 톰이 되어 매기에게 편지를 쓰는 것이다. 편지는 서로 교환되며, 사정이 적절하다면 각 개인이 받은 편지에 대해 답장하는 방식으로 이 활동을 확장한다.

2) 작품의 끝에 덧붙여 이어 쓰기

만약 작품이 어떤 연속을 허용한다면, 학생들은 그 책의 후미에 이어질 몇 개의 문단을 쓴다.

3) 우편엽서에 작품의 감상문 쓰기

여기서의 도전은 한 문학작품의 감상문을 매우 제한된 지면 안에 끼워 맞추어 써 넣는 것이다. 학생들은 정확히 50단어 이내에서 그 작품에 대해 써야 한다. 축약은 종종 흥미있는 종류의 글쓰기를 만들어낸다. 「파리 대왕」을 하나의 실례로 들어보면, 학생들은 50자 이내에서 작품에 대해 그들이 느낀 인상들을 추출하여 다음과 같은 우편엽서를 쓴다.

표 14

POST CARD

Stranded on an island, boys start to build a new life. They share meat, but smoke from their fire of hope divides them.
Some hunt pigs, others dream of home. Fear drives its deadly spear into their hearts. They can never sing together again. Each is an island of darkness.

Lord of the Flies,
The Island,
An Ocean,
Far away.

(번역)

한 섬에 좌초된 소년들은 새로운 삶을 만들기 시작한다. 그들은 육고기를 나누어 먹지만 희망의 불길에서 솟아나는 연기는 그들 사이를 분열시킨다.

몇 명의 소년들은 돼지를 사냥하고, 다른 소년들은 집에 대한 향수에 잠긴다. 공포가 죽음의 창을 그들의 심장에 휘몰아 던진다. 그들은 이제 결코 다시는 함께 노래 부를 수 없다. 제각기 하나의 어두운 섬이 된다.

대양에 있는 섬의 먼 곳에 떨어져서, 파리대왕이

수필 쓰기와 도표 작성하기

이것은 만약 시험 준비용으로 바람직하거나 필요하다고 여겨진다면 수필 쓰기의 기초가 되는 자료인데, 플롯이나 등장인물에 대한 학생들의 이해를 확장시키기 위해, 작품을 읽고 끝낸 후에 사용될 수 있다. 단편소설 '변두리'를 위한 실례를 들면 아래와 같다.

과제지 32

아래 표의 항목들에 대한 란가와 란가의 부인이 지닌 태도를 나타내는 간략한 인용구를 본문에서 찾아내어 오른쪽 란에 페이지 표시와 함께 적으시오.

	태 도
음식	
인생의 과업	
딸의 교육	
여인들의 역할	
음주	
다른 여성 남성과의 관계	
운명	
가난	
현대문명	

지역사회에서의 지위	
더 젊은 세대들	

다른 청중을 위한 문학 작품의 각색

이 활동은 고급 수준에 적합하다. 즉, 다른 청중, 예를 들면, 어린이, 초등학교 학생, 공포영화 감독 등을 위해 문학작품을 다시 쓰는 것이다. 중상급 수준이나 고급 수준에 도달한 대부분의 학생들은, 그들이 언어를 학습하는 어떤 시점에서, 수준에 맞추어 등급에 따라 다시 고쳐 쓴 독본들이나 또는 쉽게 다시 쓴 다른 어떤 작품의 형태들을 대면하게 될 것이다. 그들은 일반적으로 그와 같은 텍스트를 창작을 하는 도전적인 일에 흥미를 가지고 반응한다.

대사들을 미리 조금씩 읽어주는 것은 이 활동을 시작하는데 유용할 때가 많다. 예를 들어, 아동용 동화를 위해 「제네바의 피셔 박사」를 다시 고쳐서 쉽게 이야기를 해보라고 요청받은 한 그룹의 학생은 다음과 같이 시작할 수 있다.

> 옛날에 크고 어두침침한 궁전에 사는 나쁜 남작이 있었다. 그는 아주 부자여서 사람들은...

이러한 활동은 구두, 혹은 쓰기 과업으로 할 수 있다. 사키의 소설 '토버모리'는 보다 더 어린 독자들을 위해 아래와 같이 각색하여 비슷하게 시작할 수 있다:

> 옛날에 토버모리라 불리는 고양이에게 주문을 던진 마법사가 있었다. 그 고양이는 갑자기 사람들에게 말할 수 있었다. 처음에 모든 사람들은 흥분하고 기뻐서 고양이에게 단지 그 목소리를 들을 양으로 많은 질문을 했다. 그러나 잠시 후에 그들은 고양이가

낮이나 밤이나 모든 시간에 집 둘레를 조용히 방황하고 다니는 동안에 그 고양이가 보고 들은 것에 관해 말할 수 있다는 것을 알아채고는 놀라게 되었다. 사람들이 비밀을 지키기로 하자고 결심했던 것을 상상할 수 있겠는가? 그래서 사람들은 고양이의 음식에 독을 넣으려고 했지만, 토버모리는 배고프지 않았기 때문에 먹지 않았다. 그는 친구를 찾아 떠나가 버렸다. 공포가 집에서 일어났다. 토버모리는 온 세상 사람들에게 모든 것을 말하려 했다. 사람들은 토버모리가 다른 고양이와 싸우다가 죽었다는 것을 알고는 얼마나 안심을 했던지. 그 불쌍한 마법사는 매우 슬펐다. 왜냐하면 그는 주문을 위해 특별한 동물이 필요했기 때문이었다. 그는 모든 곳을 돌아다니다가 좀더 큰 동물인 코끼리를 발견했다. 그러나 그가 주문을 모두 틀리게 해서 코끼리를 매우 화나게 했다. 코끼리는 말을 하는 대신에 위로 펄쩍 뛰어 올랐다가 마법사 위에 떨어졌다.

전보로부터 신문 보도문으로 만들기

이것은 네 부분으로 이루어진 글쓰기나 역할놀이 활동이며, 많은 행동과 극적인 결말을 가진 작품들에 알맞다. 만약 시간 제약 때문에 충분한 취급을 할 수 없다면, 그 네 개의 부분들은 독립적으로 사용될 수 있다. 학급은 넷 혹은 여덟 그룹으로 나누어진다.

1단계 : 각 그룹의 과업은 읽은 작품에서 무슨 일이 일어났는지에 대해 중심적인 요점을 전해주는 전보(적절하게 단어가 제한되어 있음)를, 마치 신문사의 외국 통신원인 것처럼 쓰는 것이다. 만약 이러한 활동을 위해 전보 쓰기에 대한 특별한 관례들을 미리 조사한다면 보다 더 재미있다. 이 활동을 실습하는 한 가지 재미있는 방법은, 그룹의 학생들과 함께 에브린 보우의 「스쿠프」의 중심인물인 윌리엄에게 보내진 완전히 부적절하게 작성된 전보문들을 살펴보는 것이다.

2단계 : 각 그룹은 작성한 전보를 다음 그룹에게 넘긴다. 각 전보들을 읽고 토론한 다음, '손에 들어온 전보'에 근거하여 각 그룹은 그 사건들에 대한 신문 보도문을 쓴다. 학생들은 기사를 써 보내려고 하는 신문이 어떤 종류가 되어야 할지를 결정하도록 권장받을 수도 있다 ; 예를 들어, 스캔달 신문, 혹은 보다 더 건실한 '고급지' 신문 등. 교사는 일반적으로 그 기사의 길이와 글쓰기 과업에 사용될 시간을 명시하는 것이 가장 좋다. 이러한 종류의 글쓰기 과업들은 말하는 재능이 글로 써서 스스로를 표현하는 재능보다 능가하는 학생들을 위해 가치있는 도움과 지원을 제공할 수 있다는 것을 우리 저자들은 알았다. 그러나 이러한 학생들이 충분히 기여하도록 하려면 그룹을 소규모로 유지시키는 것이 좋을 때가 많다.

3단계 : 각 그룹은 맨 처음의 전보와, 신문을 위해 쓴 세목, 그리고 그 신문에 대한 묘사글 등과 함께 그들의 보도 기사를 다음 그룹으로 넘긴다. 이제 그룹들은 편집 심사위원회가 된다: 그리하여 그들에게 제출되어진 기사들을 읽고, 교정을 제안하고, 생략 혹은 과장된 부분을 기록하고, 제시할 가치가 있는 '뉴스성'에 대해 토론한다.

4단계 : 각 그룹은 교정해 놓은 기사가 합리적인 문장의 상태가 되었을 때 (혹은 명시한 제한시간이 끝났을 때), 다시 한번 다음 그룹에게 넘긴다. 해야 할 것이 한 가지 남아 있는데, 그 기사를 위한 눈에 띄는 표제를 잡는 것이다. 그룹들은 받은 기사를 읽은 다음, 그것의 핵심적인 사실들을 사람의 눈을 사로잡거나, 심지어 아주 세상에 충격을 주게 될 형태로 만들어 요약하도록 힘쓴다.

이 활동에 이어지는 한 가지 중요한 후속활동은 학생들이 전체의 과정을 볼 수 있겠금 맨 처음의 전보 및 표제들과 함께, 완성된 네 가지의 모든 보도문 기사들을 게시하는 것이다.

기자회견 하기

이 활동은 바로 앞에서 개관한 쓰기/역할놀이 활동으로부터 뒤따라오는 논리적인 속편으로 구성되나, 학생들이 끝마친 작품으로 되돌아가게 하여 자체적으로 토론을 하는 방식이 될 수 있다. 맡겨진 역할들은 다음과 같다:

1. 기자회견을 관장하는 기자회견 지휘자는 기자들에게 말을 걸어 달라고 요청하고, 순서를 유지하면서 끝날 때까지 진행을 맡는다.
2. 적절하다고 생각되는 작품의 등장인물들 중에서 한 명이나 두 명, 혹은 세 명 정도의 등장인물들이 기자들에게서 질문을 받고 참여했던 사건들에 대한 의견을 제시한다.
3. 학급의 나머지 학생들은 기자들이 될 수 있다. 그들은 참여하는 수와 영어의 유창성 수준에 따라, 일반적인, 아니면 꽤 상세한 지시를 받을 수 있다. 이것은 역할카드들을 사용하면 매우 쉽게 이행되어진다. 아래의 것은 그라함 그린의 「제네바의 피셔 박사」로부터 따온 실례이다.

개인적인 역할카드들을 사용하는 것은 각 기자가 작품의 이야기를 서로 다른 각도에서 조사하겠금 하기 위한 것이며, 이것은 좀더 생생한 기자회견을 보장해 주기 쉽다. 보다 더 고급수준의 학생들에게는 중급 수준의 학생들보다도 더 적은 수의 지침이 되는 질문들을 주는 것이 필요하다. 시간이 적절할 때에는, 그러한 질문들은 여러 가지 다른 종류의 출판물, 예컨대, 스캔달 신문, 일요신문, TV뉴스 팀 등과 같은 출판물에 전형적인 형태로 등장하는 질문들의 종류와 일치하도록 요구될 수 있다.

아래에 「제네바의 피셔 박사」의 역할카드의 예가 있다.

> 역할카드
>
> 당신은 산데이 그로브지 소속의 기자이다. 당신의 편집장은 당신이 부유한 의사 피셔의 죽음에 관해 하나의 스토리를 쓰기를 원한다. 조사는 이제 끝났다. 그리고 존스씨와 스타이너씨는 이 이상한 일에 대해 기자회견을 하겠다고 동의했다.

당신의 편집장은 특히 아래와 같은 것을 찾아내 주기를 바랄 것이다.

- 의사 피셔는 그의 써클 친구들과 얼마나 자주 만나서 즐겼는가.
- 그들은 이러한 모임에서 무엇을 했던가(지난 주에 나온 신문의 소문은 사실이 확인된 것이다).
- 마지막 파티에 관련된 돈의 양은.

연극적으로 각색하기

학생들은 그들의 소설, 단편작품, 시 등을 읽고 끝마쳤을 때, 그들이 중요하다고 여기는 한 가지 장면을 짧은 연극이나 텔레비젼 극으로 바꾸도록 요청받는다. 학급은 몇 그룹으로 나뉘어지고, 각 그룹은 한 장면을 선택하여 학급에 상연하기 위해 각색한 변형판을 만든다. 이것은 아마도 학기의 마지막 활동으로서 다소 정교한 무대 효과, 소도구, 음악 등을 가지고 학급의 연극에 대해 열성적인 학생들이 조직하는 자발적인 활동이 되게 하면 가장 좋다. 이렇게 하면 무대장치, 의상 등을 만드는 것은 보다 더 조용한 학생들이 맡게 할 수 있다. 그들에게 그러한 장면은 잊지 못할 추억이 되어진다는 것을 우리는 알았다.

기구놀이 토론

논쟁의 이러한 전통적 형태는 학생들이 소설이나 희곡의 등장인물들이 지니고 있는 성격의 복합성을 탐구하게 하는 하나의 방법으로서 매우 성공적으로 채택될 수 있다.

준비

교사는 읽는 작품에서 중심인물들 중 다섯 내지 여섯 명을 뽑는다. 학급은 뽑은 인물의 수만큼 그룹으로 나누어지며, 각 그룹에게 등장인물들 중의 한 사람이 할당된다. 이제 그룹들은 할당된 등장인물의 역할을 맡을 사람을 뽑기 위해 구성원들에게 두 사람을 선택하는 과업을 가진다. 논쟁시합에서 일회전마다 한 사람씩 나간다. 그룹의 구성원들은 자기들의 등장인물들(대표자들)이 살아남을 수 있게 해줄 적당한 논증과 그것을 표현하는 좋은 방식들을 찾아냄으로써 그들의 대표자들을 준비시키도록 도와준다.

토론

다섯명의 등장인물들이 뜨거운 공기가 들어 있는 기구를 타고 비참하게 높이를 잃으면서 떨어지기 시작할 때, 학급의 학생들은 자신이 그 기구를 타고 높이 떠서 항해하고 있다고 상상한다. 추락을 방지하기 위해, 인물들 중에서 두 사람을 제외하고 세 사람은 기구 밖으로 내던져져야 한다.

각 등장인물들(각 그룹의 첫 대표자들)은 자기가 왜 기구 안에 살아남아야 하는 것이 허용되어야 하는지, 그 이유를 요약하여 말하는 기회를 가진다. 교사나 학생이 사회를 본다. 이 첫 연설이 끝난 후에 학급의 학생들은 가장 설득력 있는 인물 두 사람을 투표하여 뽑는다. 두 명의 생존자들(두 번째 대표자들)은 계속적으로 살아남아야 하는 중요한 이유들을 요약하는 말을 하면서, 새로운 이유를 첨가하려고 애쓴다. 마침내 학급은 마지막으로 남아 있게 될 생존자를 뽑는다.

우리 저자들은 이것이 인기있는 활동이라는 것을 알았다. 모든 사람이 작품을 읽었기 때문에, 학생들은 어휘의 공통적인 기반과 이 실습을 용이하게 해주는 공유된 지식을 가진다. 학생들은 등장인물의 심리에 대해 갑작스럽게 얻는 통찰력에 대해 놀라워하면서 논평한다. 왜냐하면 상상력으로 등장인물의 위치에 스스로를 놓아 보았기 때문이다. 예를 들어, 한 여학생은 기구 안에서 윌슨 부인의 입장을 변호해야 했을 때 핏츠 제랄드의 「위대한 갯츠비」에서 희생자인 윌슨 부인에 대해 기대하지도 않았던 동정심을 갑자기 느꼈다고 주장했다.

즉흥극 만들어 연출하기

역할극에 대해 인기있는 학급들은 작품 전체를 다 읽은 후에 약간 더 자유로운 과업, 즉 책의 끝부분 뒤에 이어질 장을 극화시키는 변형형태를 만들어내게 할 수 있다. 아래의 심문활동은 이것을 실행하는 한 가지 방법이다.

심문하기

일어났던 사건들에 대한 어떤 종류의 조사에 기초하여 개괄적인 역할 놀이를 할 수 있도록 많은 작품들은 스스로 허용할 것이다. 몇 개의 예를 들면 다음과 같이 될 수 있다:

• 선장에 의해 실행되는 「파리대왕」의 생존자들을 구해 주었던 배 위에서의 심문
• 「위대한 갯츠비」의 갯츠비나 「제네바의 피셔 박사」의 피셔 박사, 또는 죤 파울즈의 「수집가」에서의 희생사 등의 죽음에 대해 이루어지는 검시관의 심문

한 학생이 검시관으로 지명된다. 그는 심문를 요청하고, 증인을 인터뷰하고, 그런 다음에 마침내 보고서를 만든다. 학급은 몇 그룹으로 나누어지고, 각 그룹은 심문을 하기 위해 작품 안에서 살아남은 한 명의 등장인물을 증인으로 세울 준비를 한다. 검시관이 증인들을 심문하여 보고서를 만드는 일을 돕도록 하기 위해 검시관팀을 한 팀 공급하는 것이 필요하다.

이와 같은 판결 주제의 몇 가지 변형은 아래와 같은 것이 될 수 있다:

• 이혼 법정 판사의 심문 (예를 들어, 뮤리엘 스파크의 단편소설 '쌍둥이'에서 쌍둥이들에게 구류형을 내리는 장면)
• 군법 회의
• 학교의 징계 위원회, 기타

모든 것은 특정의 작품, 무대장치, 등장인물, 그리고 상황에 달려 있다.

제 3 부

작품 한 권으로 해보는 실습

제 7 장 희곡

앞의 여러 장에서 논의되었던 대부분의 활동들은 다른 장르들은 물론이고 희곡에도 적용될 수 있다. 그러나 희곡을 제시하는데 있어 첨가해야 할 한 가지 요소는 그것의 독특한 극적 성질인데, 이것을 교실에서 가능한 많이 이끌어내는 것이 중요하다. 학생들을 공연에 참여시키는 것은 영화나 비디오가 그런 것처럼 분명히 큰 도움이 된다. 요즈음 많은 희곡작품들이 녹음기나 카셋트로 활용될 수 있는데, 특히 듣기 훈련에 적합하다. 교과 수업이나 시험이라는 압박이 없는 경우에, 이것은 분명히 학급에서 읽을 한 편의 희곡을 선택하는데 있어 중요한 요소가 될 수 있을 것이다.

연극활동에 잘 호응하는 학생들에게는 한 장면이나 짧은 희곡작품 전체를 연기하는 것은 즐겁기도 하고 유익한 도움이 될 수 있다. 많은 학생들이 의상, 무대장치, 소도구, 조명 등을 기획하기를 매우 좋아한다. 전체 규모로 공연하는 것이 적당하지 않을 때는 이전에 공부한 장면 하나를, 몇 개의 연기용 소도구를 마련해 놓고 학생들 앞에서 읽는 것도 좋다. 우리들 저자의 견해에 의하면, 학생들이 이전에 본 적도 없고 별로 준비도 하지 않은 역할을 크게 읽도록 요구하는 것은 그다지 성공적이지 않다. 외국어로 작업하고 있는 학생은 이해와 언어적 연기라는 동시적 요구를 결합시키는데 있어 일반적으로 어려움을 겪는다. 사실 희곡작품을 잘 읽기란 모국어에 있어서 조차도 그렇게 쉽지 않다. 그 때문에 학급에서, 또는 카셋트의 활용이 가능하다면 어학실이나 집에서 청취시간이 뒤따르게 하여 극적 상황에 대한 학생들의 이해를 심화시키는데 도움을 줄 다른 종류의 활동들을 우리는 더 선호한다.

이 장에서 우리는 한 편의 희곡작품 전체와 그리고 매우 다른 두 개의 희곡작품을 통하여 그 공부 방법들에 대해 보다 더 자세히 살펴볼 것이다. 지금까지는 대체로 우리의 아이디어들을 현대적인 작품을 통해 설명하는 것을 선택해 왔다. 왜냐하면 현대문학은 유용한 언어의 전이나 현대의 사회·정치·문화적인 양상에 대해 여러 가지 통찰을 제공해주기 때문이다. 그러나 현대문학도 그보다 앞선 문학들의 전체 계열에 의존하면서 상호작용을 하는 것은 물론이다. 그래서 많은 학생들은, 문학 공부를 계속해 나갈 의도가 있다면, 들어본 적이 있는 고전들의 일부를 공부하는 일에 열심일 것이다. 우리가 하나의 긴 희곡작품을 가지고 공부하는 몇 가지 방법들을 위해서 셰익스피어의 「로미오와 줄리엣」을 선택한 것은 그러한 점 때문이다. 우리는 이 작품이 대학에 들어가기 이전의 고등학교 학생들에게 접근 가능하고 재미가 있다는 사실을 알아냈다. 시민들간의 싸움으로 갈라진 사랑의 주제는 보편적인 것이며, 오늘날도 여전히 대단히 감동적인 것이다. 이 작품은 자주 공연되는 극작품이기 때문에 우리는 학생들로 하여금 공연시킬 수 있었고, 그들에게 아름다운 제피레리 영화사가 제작한 영화를 보여줄 수 있었다.

비록 반복을 피하기 위해서 「파리대왕」을 통해 했던 것 만큼 자세히 하지는 않는다 하더라도, 우리는 이러한 아이디어들이 학생들의 흥미를 자극하고 언어에 의해 가로 놓여진 장애를 극복하는데 도움을 주기를 바란다. 고등학교 학생이나 비전문가인 성인학급을 염두에 두고 이해와 재미를 최고의 목표로 삼았다. 이러한 다양한 활동은 학생들이 극적 구조, 인물의 전개, 비극의 기제 등을 더 잘 이해하는데 도움을 주어야 함은 물론이다. 그러나 우리는 셰익스피어의 삶과, 엘리자베스 시대, 그리고 그 시기의 극장과 같은 작품의 배경적인 문제들을 다루지는 않았고, 텍스트의 확립에 대한 보다 더 학문적인 쟁점들도 역시 다루지 않았다. 무엇보다도 학생들이 시의 힘 뿐만 아니라 중심 주제의 긴급성과 비애감을 느끼게 하는데 초점을 두었다.

이와 같은 두 가지 목표를 위해 우리는 학습활동을 이 작품의 언어를 가지고 역시 보강하였다. 분명히 학생들은 16세기의 관용어 구조, 그리고 놀랄 정도로 풍부하고 응축된 복합적 개념들을 나타낸 표현들을 공부하는데 도움을 받아야 한다. 그러나 다른 장에서처럼 이 장에서도, 학생들이 요점 파악과 이해를 위해 작품을 읽도록 권장하였고, 그리고 어떤 한 장면에 대해 낱낱의 자세한 것을 모두 알지는 못하더라도, 그들이 그러한 장면을 충분히 감상할 수 있다고 느끼도록 하였다.

그리고 나서 우리는 대조를 위해 아주 짧은 미국의 현대 희곡인 애드워드 알비(Adward Albee)의 '모래상자'(The Sandbox)를 살펴볼 것이다. 이 작품에서는 언어가 나타내는 문제점들은 거의 없지만, 학생들이 희곡의 극적 의미를 충실하게 이해하고 감상하는데 도움을 받도록 해야 할 것이다.

윌리엄 셰익스피어의 「로미오와 쥴리엣」

불화 문제를 생각해 보기

이 작품이 두 젊은 연인들 사이의 유명한 비극이 되겠금 지탱시켜 주는 기반은, 베로나라는 도시의 분위기를 가득 채우면서 이 작품에서 불길한 긴장을 만들어내는 몽태규 가문과 카푸렛 가문 사이의 처절한 불화이다. 셰익스피어의 텍스트 안에는 불화의 기원에 대한 어떠한 암시도 없다 — 그것은 단지 하나의 사실일 뿐이다.

아래의 준비단계에 해당하는 활동들은 학생들에게 가문간의 싸움의 기원에 관해 생각해보도록 함으로써 이 작품의 배경 속으로 이끌어 들이는 것을 목표로 한다.

다음은 그러한 활동을 위한 단계들이다.

1. 학생들이 수업에 들어오기 전에 교사는 교실 구석의 두 곳에다 책상과 걸상들을 두 그룹으로 배열한다.
2. 학생들이 교실에 들어올 때, 교사는 학생들에게 책걸상들을 흐뜨리지 않고 앉도록 지도한다. 그런 후에 지금 여기에 어떤 일이 일어나고 있는지에 관해 추측해 보도록 한다. 두 '진영들'은 무엇을 암시하고 있을까? 학생들에게 교실은 하나의 도시요, 학생들은 그곳의 시민 중의 일부라고 알려줌으로써 그러한 추측이 이루어지게 한다.

3. 두 그룹은 옛날의 오래된 불화에 의해 갈라선 가문들이라는 말을 듣고 난 다음에 곧바로 (만약 그것이 아직 추측되어지지 않았다면) 한 가문의 이름은 몽태규요, 다른 가문은 카푸렛이라고 공표한다. 도시는 이태리에 있는 베로나이다.
4. 다음으로, 교사는 각 가문에게 그러한 불화가 가능할 수 있었던 원인들에 대해 학생들이 생각을 짜내어 보고 토론하게 한다. 어떤 사건이 불화를 시작되게 했는가? 보다 더 많은 도움을 원하는 학생들에게 아이디어가 담긴 다음과 같은 종이를 한 장씩 제공해 주어도 좋다.

몽태규 가문과 카푸렛 가문 사이에 불화가 가능할 수 있었던 원인들

- 미해결된 살인문제
- 귀중한 보석의 절도
- 한 가문이 다른 가문의 부정을 폭로함으로써 상대의 위신을 떨어뜨림
- 사랑하게 된 두 연인들 중의 어느 한 사람의 자살로 끝난 몽태규 가문 출신과 카퓨렛 가문 출신 사이의 불륜
- 베로나에서의 정치적, 경제적 권력 경쟁
- 한 가문이 다른 가문에 대해 카톨릭 교회의 돈에 부정을 저질렀다는 소문을 퍼뜨림

5. 각 가문의 그룹은 불화의 원인을 토의하고 그들이 말한 이야기에 동의한 다음, 서로 마주보도록 책걸상을 두 줄로 배열한다. 교사는 두 가문으로 하여금 서로가 불화를 시작되게 만든데 대해 비난하고, 원래의 상황에 대해 설명하도록 한다. 비난에 대해서는 분노하는 반발이 따라야 하고, 교사는 어느 편도 들지 않은 채 두 가문 사이에 증오심을 불붙여야 한다.
6. 두 가문에 비난과 거부를 주고 받게 한 다음에, 교사는 이 작품의 탐구가 진행되고 있는 동안 각 가문이 자신들의 정체성을 고수해

주기를 당부한다. 따라서 이 희곡을 읽거나, 아니면 장면들을 연극으로 연기하기 위해 카푸렛 사람들은 카푸렛 가문쪽에서, 몽태규 사람들은 몽태규 가문쪽에서 선발될 것이다. 이와 비슷한 방법으로, 만약 동작이나 표정을 조각해 내는 활동(앞의 제 2부에 있는 내용 참조)과 같은 작업이 이루어진다면 연기할 배우들은 적당한 진영에서 선발될 것이다.

말 주고 받기 싸움 / 칼싸움

「로미오와 줄리엣」의 맨 첫 장면은 말에 대한 장난과 놀이로 야단법석인데, 이것은 때때로 이 희곡작품을 읽고 이해해 보려고 하는 외국인 학생들에게는 상당히 사기를 꺾는 일이다. 그러나 만약 학생들이 준비단계의 활동을 통해 내부의 싸움으로 심하게 찢긴 도시의 분위기에 민감해지도록 준비시켰다면, 언어가 어떻게 불화 자체를 실제적으로 명료하게 나태내는지를 이해하기가 더 쉬울 것이다. 그 뒤에 이어지는 칼싸움처럼 이러한 초반의 말 주고 받기 싸움은 공격을 피하면서 받아 넘기기와, 찌르면서 공격하기로 가득차 있다. 두 하인이 칼을 빼들고 등장하며, 그들의 위트는 매우 날카롭다. 음탕하고 공격적인 그들의 언어는 매우 긴장된 분위기를 조성한다. 한마디 시비는 또 다른 하나의 시비를 유발한다: 즉 그것은 싸움을 원하는 그들의 억제되지 못한 열망에 대한 언어의 등가물이다.

아래의 활동은 청중의 반응을 끌기 위해 하나의 수준에 맞춰 마련된, 이와 같은 명백히 사소한 다툼의 교환들 속에 얼마나 많은 것이 압축되어져 있는지를 학생들이 이해하는데 도움을 준다. 그것은 또한 이러한 첫 장면의 역학을 명확히 하는 데도 도움을 준다. 첫 단계에서 이러한 활동은 학급 전체의 규모로 행해진다. 학생들에게 첫 여섯 가지 말다툼의 교환을 위한 요점을 현대영어로 표현한 진술들이 다음과 같이 주어진다:

1. We'll not carry coals.
   (우리는 석탄을 휴대하지 않을 것이다.)

2. We're not colliers.
(우리는 광부들이 아니다.)
3. If we're in choler (angry) we'll draw our swords.
(만약 우리는 화가 난다면 우리의 칼을 뽑을 것이다.)
4. We'll draw our necks out of the collar.
(우리는 목을 죄이게 하는 목칼라에서 목을 빼낼 것이다.)
5. I strike quickly when I'm moved.
(나는 화가날 때 재빨리 일격을 가한다.)
6. But you're not easily moved to strike.
(그러나 당신은 일격을 가할만큼 쉽게 마음이 움직이지 않는다.)

학생들에게는 다음과 같은 단어의 정의가 역시 주어진다 (과제지나 흑판에):

coals = 연료의 일종
carry coals = 미천한 일
colliers = 석탄캐는 광부
colliers = (엘리자베스 시대의 청중들에게는) 욕설 용어
choler = 분노(현대영어에서는 쓰이지 않는 단어)
collar = 멍에(주인 밑에서 열심히 일해야만 한다는 상징)
collar = 교수형 집행인의 올가미
moved = 어떤 강한 감정을 느끼게 되는 것. 이 경우는 분노
moved = 동기화 되어진, 어떤 일을 할 이유가 주어진

이제 해야 할 일은 각각의 진술이 어떻게 서로 연관되는지, 그리고 그 효과는 무엇인지를 (즉, 특별한 대상 없이 공격적 언어를 의도적으로 사용했는지, 아니면 카퓨렛 가문에 대한 어떤 특별한 위협인지, 또는 서로를 놀리기 위해 사용된 것인지, 아니면 음탕한 농담인지를) 도표에 나타내는 일이다.

흰 기록판에 작성된 표 15에서, 각 진술들이 효과를 나타낼 수 있게 색깔 부호로 되어진 칸막이 표 안에 쓰여져 있다 (공격적인 것에는 검정색,

놀리는 것에는 빨강색). 진술들 사이의 연결은 다음과 같은 선들로 나타낸다:

표 15

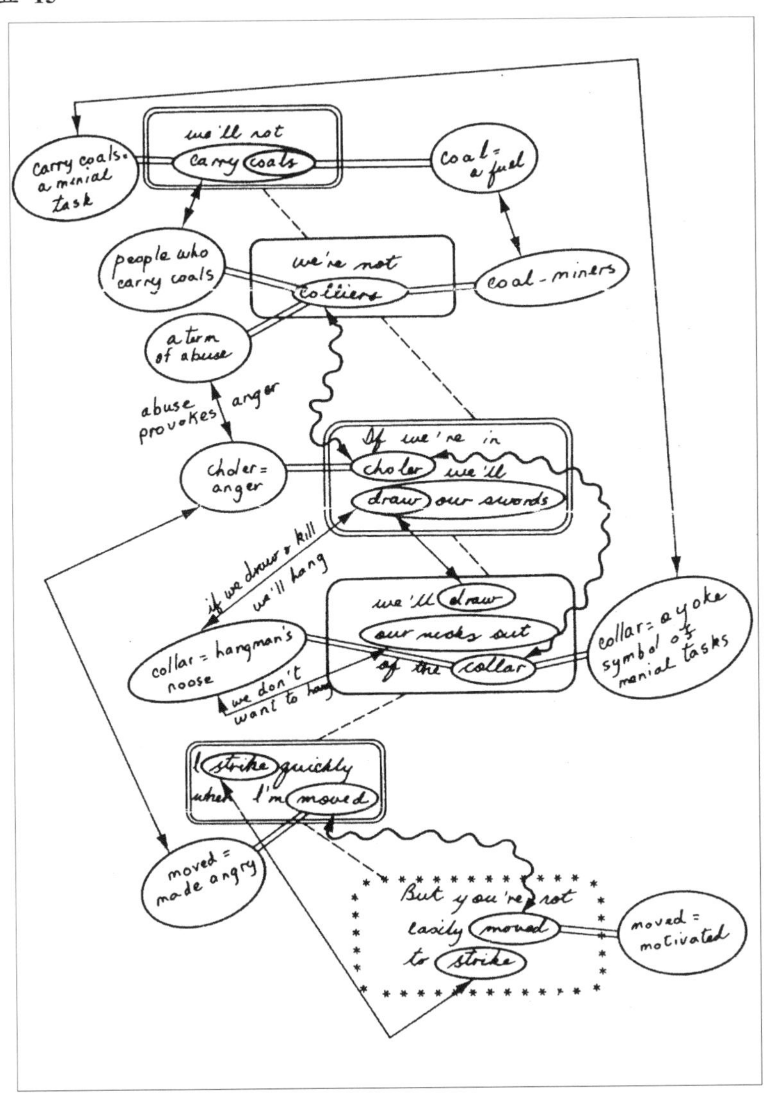

⟶ (화살표) = 단어 뜻의 관련성
∿∿∿ (물결선) = (두 단어가 비슷하게 들리는) 소리의 관련성
═══ (이중선) = 용어나 표현의 설명

제 2의 활동단계에서는, 학급은 네 그룹으로 나뉘어진다. 두 그룹에게는 이 희곡의 1막 1장에 있는 그 다음의 여섯 가지 주고 받은 말들이, 다른 두 그룹에게는 그 다음의 여섯 가지 그러한 말들이 주어진다. 그것들을 위해 적절한 정의들도 역시 주어지며, 고급수준 학급의 학생들에게는 사전이나 용어집을 직접 찾게 해도 된다. 각 그룹은 이미 만들어진 유형을 따르거나 새로운 것을 고안하여 서로가 주고 받는 말들을 위한 도표를 제작한다. 완성된 도표는 비교하고, 토론을 하거나, 또는 학생들이 한가할 때 서로 비교할 수 있도록 붙여둔다. 더 이상 해야 할 일이 있다면 그것은 중심 도표나 아니면 큰 벽걸이 궤도에다 완싱할 세 개의 연재물 작업에 참여하는 것이다.

이것은 작품에 대한 아주 인습적인 분석을 외형화하는 한 가지 수단처럼 보일 수도 있다. 그러나 학생들에게 요점과 일련의 의미들을 제시하여 준다는 사실은 그들이 상호교류의 동력학에 집중할 수 있게 하여 간단하게 이해하여 버리는 문제들을 줄어들게 한다. 일반적으로 시청각 요소는 학생들이 텍스트 분석을 보다 더 쉽게 이해하도록 만들어 주며, 아주 복잡한 관계들을 도표로 나타내는 방법을 찾는 도전적인 일을 즐기게 하고 문장분석을 더 쉽게 하도록 해준다.

불려나가는 시각자료로 제시하기

「로미오와 줄리엣」처럼 언어적인 풍부성과 복합성이 있는 희곡에서는 시청각 도구로 이야기의 정신을 살아있게 하는 것이 중요하다. 분명히 원문을 읽어 나가는 사이에 이 작품의 우수한 비디오판들이 곁들여 사용될 수 있으나, 대부분의 언어학습 상황에서는 비디오 시설물들을 갖추고 있지 못하며, 어떤 경우에는 수업시간을 연장하기 위해 비디오 카셋트들을 빌리는 것은 어려우며, 또한 구입하기에도 비싸다.

가문을 이룬 그룹 내에서, 두 사람씩 짝을 이루어, 몽태규 가문과 카푸렛 가문 측의 학생들은 각 장면에 대한 간단한 시각적 제시물을 제작하는 과제를 가진다. 기본적인 시각적 요소들은 어느 특수 장면에 있는 중요한 사건들이나 분위기를 제시해야 한다. 짧은 인용문들을 각 디자인에다 넣을 수도 있다. 가능하다면 학생에게 포스터 카드와 펠트펜이 제공되어야 한다. 그러나 교사는 간단한 디자인들이 최상의 것이 될 때가 많고, 예술적 전문기술이 주된 요건이 아님을 강조해 주어야 한다. 다른 사람과 함께 작업한다는 사실은 어떤 학생들에게는 도안하는 능력에 대해 느끼는 불안을 감소시킬 수 있다.

각 짝은 번갈아가면서 한 장면에 대해 묘사한 제시물을 하나씩 더해가야 하는 책임이 있다. 그리고 이 희곡 작품에는 24개의 장면이 있기 때문에 각 짝은 한번 이상의 기회를 가진다.

각 장면의 디자인이 완성되면, 몽태규 쪽의 벽이나 카푸렛 쪽의 벽에 적당한 위치에다 전시할 수 있다. 또는 학생들이 누적해왔던 장면들은 작품이 끝날 때까지 가문별로 서류철 속에 모아 두었다가 마지막에 가서 학급의 분쟁이 끝났다는 표시로 서로 교환한다.

이 희곡을 다 읽었을 때, 늘려나간 시각자료는 수정을 위한 목적으로 사용될 수 있다. 각 장면의 디자인들은 학생들이 작품의 사건, 배경, 언어를 기억하는데 단서가 된다. 게다가 시각자료에 쓰여 있는 인용문장들은 팀 퀴즈의 기초자료로 사용될 수 있다. 아래 표 16은 이러한 활동이 어떻게 시작될 수 있는지를 보여준다.

표 16

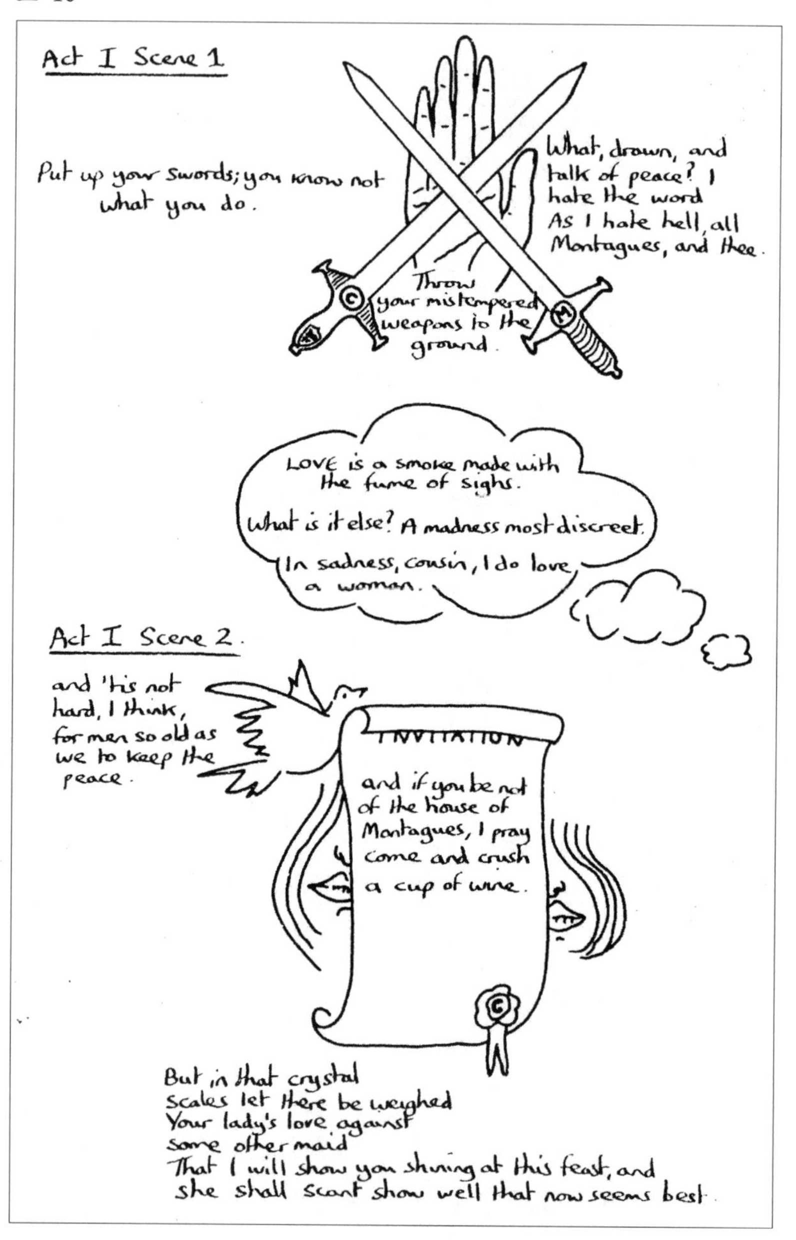
Act I Scene 1
Put up your swords; you know not what you do.
What, drawn, and talk of peace? I hate the word As I hate hell, all Montagues, and thee.
Throw your mistempered weapons to the ground.
LOVE is a smoke made with the fume of sighs.
What is it else? A madness most discreet.
In sadness, cousin, I do love a woman.
Act I Scene 2.
and 'tis not hard, I think, for men so old as we to keep the peace.
and if you be not of the house of Montagues, I pray come and crush a cup of wine.
But in that crystal scales let there be weighed
Your lady's love against some other maid
That I will show you shining at this feast, and
she shall scant show well that now seems best.

(표 16 번역)

1막 1장

평화의 이야기를 하자니 그 무슨 말인가?
난 그 단어를 지옥이나, 몽태규 집안이나,
그리고 너를 증오하는 만큼이나 증오해

네 칼을 들어라.
넌 지금 네가 무슨 짓을 하는지도
모르고 있구나.

너의 그 엉터리 칼을 땅에 던져라.

사랑은 한숨의 향기로 만들어진 연기이다. 그밖에 무엇인가? 가장 삼가해야 할 미친 짓이지.
슬프게도 사촌이여, 난 한 여인을 사랑한다네.

1막 2장

우리만큼 늙은
사람들이 평화를
유지하는 것은
어렵지 않다고
난 생각해.

만약 너가 몽태규 가문 사람이 아니라면, 너에게 가서 포도주를 한 잔을 하겠다고 맹세하마.

그러나 그런 판단을 할 때는 다른 여인보다는 그 여인에 대한 사랑을 더 크게 하라.
나는 당신을 이 향연에서 빛나는 사람으로 보이게 해줄 것이다. 그러면 그녀는 최상인 양 어느 정도 훌륭한 모습으로 나설 것이다.

언어 불려나가기

여기서의 목표는 읽기가 진행됨에 따라 학생들이 작품에 사용된 언어의 한 가지 독특한 측면을 깊이있게 검토하도록 하는 것이다. 그룹활동은 역시 학생들이 서로의 지식과 자원을 끌어들이게 함으로써 작품을 더 잘 이해하도록 한다.

학생들은 두 명씩 짝을 짓거나 서너명의 소그룹을 이루어, 작품을 읽어나갈 때 조사해 보아야 할 화제를 하나씩 받는다. 각 그룹은 서로 다른 화제를 다루기 때문에, 과제를 설명하는 한 가지 방법은 아래 과제지 33에서 보는 것처럼 개별적으로 과제지를 사용하는 것이다. 또는 교사가 각 과제의 요구하는 사항이 무엇인지를 설명하고 학생들이 좋아하는 한 가지를 선택하게 할 수 있다. 각 그룹은 구성원 각자가 글을 읽다가 발견되는 어떤 실례나 생각이나 논평들을 적어 둘 수 있는 공책을 준비한다.

화제에는 다음과 같은 것들이 포함된다: 재담; 역설; 여러 종류의 심상들 — 빛과 어둠, 꽃, 새와 동물, 천체와 지구, 비극적 결과를 예고하는데 사용되는 심상; 수사학적 질문; 야비한 언어의 사용; 폭력적 언어; 수행적 양상을 가진 언어: 즉 겸손, 명령, 조롱, 기타; 젊음과 늙음, 또는 사랑과 미움을 묘사하는데 사용되는 형용사구와 심상들.

각 그룹의 작업은 학급 전체를 위한 피드백을 가능하게 해준다는 사실을 확실하게 보장할 수 있는 한 가지 효과적인 방법은, 각 그룹으로 하여금 연구과제의 결과를 보여주는 포스터나 벽걸이 궤도를 준비하게 하는 것이다. 작품 전체를 모두 읽고 났을 때, 연극을 완성할 날짜를 잡고, 그 후에는 교실이나, 복도, 또는 휴게실에 포스터를 붙여 두도록 한다. 시각적 제시는 많은 학생들에게 상당히 창조적인 자원을 일깨울 수 있으며, 모든 노력을 더욱 기억에 잘 남도록 만들어 준다.

과제지 33

재담—언어 연구과제 작업

'재담'이란 소리가 정확히 비슷하게 들리는 한 단어나 또는 두 단어들이 아주 다른 의미를 가질 수 있다는 사실에 의존하는 말장난이다. 예를 들어, 「로미오와 줄리엣」의 1막 1장에서 티발트는, 싸우던 병사들 사이에서 칼을 빼들고 서 있는 벤보리오가 'heartless hinds 사이에서 뽑혔다'고 말한다. 'heartless hinds'는 '용기가 없는 시골뜨기', 즉 겁장이를 의미한다. 그러나 'hinds'는 또한 암사슴을 의미하기도 한다. 따라서 티발트는 병사들이 숫사슴 없는 암사슴과 같다는 말을 하면서 말장난을 하고 있는 것이다.

많은 사람들은 재담을 좋아하지 않고, 종종 그것을 가장 저질의 유머라고 말한다. 18세기의 유명한 비평가인 죤슨 박사는 재담(그가 부른대로 한다면 궤변)이 셰익스피어의 문체를 망쳐 놓았다고 생각했다: '형편없고 무미건조한 궤변이 그에게 그러한 기쁨을 주어, 그는 이성·타당함·진실을 희생시켜서 그것을 얻는데 만족하였다.' 어떤 독자들은 재담이란 여전히 극작품의 언어를 흩뜨리고 보잘 것 없이 만든다고 생각한다. 다른 사람들은 재담은 은유처럼 기대하지 못한 경험의 두 가지 영역이 갑자기 겹쳐지게 할 수도 있고, 그래서 매혹적이기도 하고(왕자가 하인들에게 보잘 것 없는 무기를 땅바닥에 버리라고 말했을 때처럼), 감동적이기도 하다 (메르큐티오가 죽음에 직면하면서도 여전히 말장난은 한다: '내일 나를 찾으라. 그러면 내가 묘지에서 죽은 이가 되어 있음을 알 것이다.'). 이 과제에서는 여러분이 작품을 읽는 데서 얻을 수 있는 최대한의 재담을 수집하도록 노력하시오. 그것을 여러분이 속한 그룹의 공책에 기록하시오. 그리하여 각각의 재담에 대해 어떤 두 가지 의미가 사용되고 있는지 서술하시오. 그리고 그룹으로서, 재담에 의해 어떠한 특수목적이 이루어지고 있는지, 각 재담의 효과는 무엇인지를 결정하도록 힘써 보시오.

왕자의 연설

아래의 과제지 34은 1막 1장에 대해 집에서 읽어와야 할 과제이다.

과제지 34

카푸렛 가문과 몽태규 가문 사람들이 싸우고 있는 동안 베로나의 왕자가 도착한다. 그는 그들의 싸움을 중지시키고 자신의 도시에서 일어나는 그러한 행위를 이제 더 이상 참지 않을 것이라고 말한다. 다음의 진술문들을 읽어보시오. 그것들 중의 일부는 왕자의 의도와 똑같거나 혹은 비슷한 의미를 가지고 있다. 이러한 것들에는 S표를 하시오. 나머지는 다른 의미를 가지고 있다. 이것들에는 D표를 한 후에 왕자가 말하는 것을 정확히 재생하겠금 장을 다시 쓰시오.

S	D	
		1. 당신들은 법을 지키지 않는 시민들이다; 당신들은 우리의 평화를 깨뜨리고 이웃의 피를 흘리게 한다.
		2. 나는 당신들이 결국에는 내 말을 들어 기쁘오.
		3. 당신의 싸우는 부하들은 짐승과 같소.
		4. 당신의 화를 잠 재우는 유일한 방법은 피를 흘리는 것이다.
		5. 무기를 놓고 내 말을 들으시오. 그렇지 않으면 고통을 받을 것이다.
		6. 나는 당신들의 싸움에 너무 화가 나서 이 도시를 떠나려 하오.
		7. 카푸렛 가문 사람들과 몽태규 가문 사람들이 우리 도시의 거리에서 싸운 것이 이번이 두번째다.
		8. 이 다툼에는 심각한 원인이 있다.
		9. 당신들은 당신들의 싸움을 멈추게 하기 위해 강압적으로 일반 시민들이 무기를 들게 했다.
		10. 당신들 중의 누구라도 다시 싸우면, 추방될 것이다.

		11. 모든 사람들은 여기를 떠나도록 명령한다. 누구라도 남으면 죽음에 처하게 될 것이다.
		12. 카푸렛과 몽태규 가문의 나이든 어른 두 분은 나를 따라와 법정에서 재판을 받으시오.

요약문의 빈칸 완성하기

아래 과제지 8에 있는 요약문은 1막 1장의 마지막 부분을 언급하고 있으며, 학생들에게 숙제로 해오게 할 수 있다.

과제지 8

왕자의 연설 부분의 끝에서부터 1장의 끝까지 읽으시오. 그리고 나서 다음 문장들이 이 부분의 요약문이 되겠금 빈칸을 완성하시오.

After the Prince has left, Old Montague asks his nephew Benvolio to tell him .... Benvolio explains. Lady Capulet is glad that her son was not in the fight but she wonders where Romeo is. Benvolio says that he met Romeo that morning, when both he and his cousin .... Benvolio did not speak to Romeo then because .... Old Montague explains that Romeo has developed the habit of going out, before dawn each day, to weep and sigh. When the sun rises Romeo .... His father cannot understand why Romeo is behaving in this way. He would like to find out, so that .... Benvolio promises to try .... The Montagues leave, and Romeo appears. His cousin asks him why he is so sad .... Romeo answers that although he is in love, ... Benvolio wants to know who the loved one is. But Romeo will only say that it is someone who has sworn to .... Benvolio advises Romeo to forget her and to look at .... Romeo protests that .... The two young men leave.

(번역) 왕자가 떠난 후, 몽태규 노인은 그의 조카 벤보리오가 그에게 ....을 이야기하도록 요구한다. 카푸렛 부인은 그녀의 아들이 싸우는 곳에 있지 않은 것을 기뻐하지만, 로미오가 어디에 있는지를 궁금해 한다. 벤보리오는 그가 그날 아침에 로미오를 만났다고 얘기 한다. 그 때 그와 조카는 .... 벤보리오는 그때 .... 때문에 로미오에게 얘기를 걸지 않았다. 몽태규 집안의 노인이 요즘 로미오가 매일 새벽 이전에 바깥에 나가 울기도 하고 한숨도 쉬는 버릇이 생겼다고 말한다. 해가 뜰 때 로미오는 .... 그의 아버지는 로미오가 왜 이러는지를 이해하지 못한다. 알고 싶어, 그는 .... 벤보리오는 ....을 약속한다. 몽태규 가문의 사람들이 떠나고 로미오가 등장한다. 그의 사촌은 그에게 그가 왜 그렇게 슬프하는지 묻는다. 로미오가 대답하기를 비록 그가 사랑에 빠졌다 할지라도, ... 하다고 대답한다. 벤보리오는 사랑에 빠졌다는 사람이 누구인지를 알고 싶어한다. 벤보리오는 로미오에게 그녀를 잊으라고 충고한다. 로미오는 ....라고 주장한다. 두 젊은이는 떠난다.

사랑의 언어

이것은 학생들이 희곡 속에서 언어의 한 가지 영역, 즉 사랑의 언어와 그것의 바탕에 있는 개념과 관습들에 민감해지도록 고안된 활동이다.

학생들이 셰익스피어 세계의 특성을 더 잘 감상하도록 하기 위해서는, 먼저 '사랑'이란 무엇이며, 그것이 현대 영국문화에서, 그리고 단일어 사용 학생 그룹들에게는 그들 자신의 문화에서, 그것이 어떻게 표현되는지를 살펴보는 것이 유용하다. 사춘기의 학생이나 젊은 성인들을 대상으로 이러한 것을 실행해 보는 한 가지 보편적인 방법은 대중가요를 분석하는 것이다.

학급을 소규모 그룹들로 나눈다. 각 그룹은 다른 노래를 선택하여 검토한다 (가능하면 영어노래 — 많은 노래가 학생에게 잘 알려져 있다; 또는 그들 자신의 언어로 되어 있는 노래를 선택해서 영어로 분석한다). 아래의 과제지 35가 이러한 활동을 위해 사용될 수 있다.

과제지 35

다음 질문들에 답하면서 여러분이 선택한 노래의 가사에 대해 노트를 해두시오.

1. 이 노래에 따르면, 사랑이란 어떤 것인가? 해당되는 지점에 점을 찍으시오.

   매우 중요하다 ______ 비교적 중요하지 않다

   멋지고 기쁨으로 가득 차 있다 ______ 끔찍하고 고통스럽다

   영속적이다 ______ 순간적이다

   그 밖에는? ....

2. 사랑을 묘사하는 단어를 쓰시오. (노래에 심상이나 비유 등이 담겨 있는가?)

   ....

3. 사랑하는 이를 묘사하는 단어들이 있는가? (심상? 비유?)

   ....

4. 이 노래에 따르면 , 당신이 사랑에 빠져 있다면 :

   어떻게 행동하겠는가? ....

   어떻게 느끼겠는가? ....

사랑받는 이는 어떻게 행동하고 느끼겠는가? ....

그렇게 하고 나면 그룹들은 노트들을 비교하고, 노래 속에 암시되어 있는 사랑과, 연인들에 대한 태도와, 사랑을 전달하는데 사용되는 언어의 종류에 대한 대체적인 윤곽표를 작성한다. 이 윤곽표는 나중에 작품과 비교하기 위해 보관한다.

사랑과 사랑의 언어에 대한 당대의 관점을 평가하는데 사용되는 또다른 한 가지 방법은 과제지 36에서 제시하고 있는 것과 같은 한 장의 질문지를 사용하는 것이다. 학생들에게 그 질문지에 대해 그들 스스로 답을 하도록 각자에게 그것을 복사하여 나누어 준다. 그러면 학생들은 그 숙제를 하기 위해 다른 사람들에게 대답을 물어본다. 그러한 질문은 자신들과 다른 다양한 연령의 사람들을 대상으로 하면 더욱 더 바람직하다. 학생들은 이러한 활동을 영어로 할 수 있다면 (예를 들어, 학교나 마을의 외국어 보조교사나 다른 영어 화자들에게 질문을 함으로써), 가치 있는 언어연습을 할 수도 있으며, 많은 새로운 용어와 표현을 배우게 될 것이다. 이것이 불가능한 상황이라면, 학생들은 모국어로 질문을 한 다음 거기서 얻은 대답을 정해진 양식에다 번역하여 써 넣을 수도 있다.

다시 한번 얘기하건대, 결과를 모으고 토론을 하는 것은 두 가지 다 매우 중요하다. 이것은 다음 수업시간에 그룹으로 나누어 한다면 가장 좋을 수 있다: 각 그룹은 결과들의 목록을 작성하고, 그들이 조사한 것으로부터 나타나는 여러 가지의 태도들과 언어의 종류를 요약한다.

다음 단계는 작품으로 돌아가는 것이다. 우리가 로미오를 처음 만났을 때, 그는 자신이 로잘린과 깊은 사랑에 빠져 있다고 확신한다. 그는 그 당시 연인들에게 흔히 기대되는 방식으로 행동하고 말하는 아주 관습적인 연인이다. 학생들이 이러한 관습들을 이해한다는 것은 매우 중요한 일이다. 왜냐하면 그렇게 해야 나중에 일어나는 언어나 행위의 변화를 이해할 수 있기 때문이다. 이러한 종류의 이해는 다음 활동의 목표가 된다.

학급의 학생들은 로미오가 쥴리엣을 만나기 전에 그가 등장하는 두 개의 짧은 장면을 다 같이 함께 검토한다. 이 일은 녹음해 둔 것을 듣거나, 교사가 어떤 중요한 어려운 부분에 대해 짧은 설명을 곁들여 읽은 것을 들어보는 것으로 할 수도 있다. 그런 후에 학생들에게 그룹별로 로미오와 벤보리오가 하는 사랑의 언명들을 여섯 종류의 범주하에 모으는 과제지 37이 주어진다. 각 그룹은 각각의 경우에 어떠한 사랑의 관점이 제시되고 있는지를 결정한다. 학생들은 피드백과 결론을 토의하고 난 후에 작품 속에서의 두 젊은이의 태도와 언어를 그들이 앞에서 조사한 것에서 드러난 언어의 종류, 개념들과 비교한다. 각 그룹은 이러한 비교로부터 이 희곡작품이나 시대상황에 독특한 것이라고 여겨지는 어떤 특별한 측면들, 즉 그것들이 아이디어, 언어, 심상 또는 견해 등과 관련이 있는지를 도출하는 과업이 주어진다.

과제지 36

사랑의 성격에 대한 다음의 질문들에 답하시오.

1. 다음 중 어느 것이 사랑이 무엇인가에 대한 여러분의 생각과 가장 가까운가?
   - ☐ 사랑은 낙원이다.
   - ☐ 사랑은 지옥이다.
   - ☐ 사랑은 질병이다.
   - ☐ 사랑은 미친 상태이다.
   - ☐ 사랑은 종교이다.
   - ☐ 사랑은 모든 것을 태워버리는 불길이다.
   - ☐ 사랑은 일종의 전쟁이다.
   - ☐ 사랑은 순간적인 넌센스이다.
   - ☐ 사랑은 ....이다.
2. 그것은 여러분에게 얼마나 중요하고 가치있는 것인가? 다음 문장들 중에서 어느 문장이 여러분의 생각과 가장 가까운가?
   - ☐ 세상에서 가장 중요하고, 가치있는 유일한 것.
   - ☐ 좋은 것, 하지만 이 세상에서 유일하게 좋은 것은 아님.

☐ 혼합된 축복
☐ 재앙: 사랑은 항상 불행으로 끝난다.
☐ 성의 실체를 덮어 감추는 즐거운 환상
☐ 이성들간의 관계에 대한 우리의 생각을 왜곡시키는 불유쾌한 환상

3. 여러분이 누군가를 사랑한다면, 그 사람을 무엇에 비유하겠는가?
☐ 꽃 : ....
☐ 새 : ....
☐ 동물 : ....
☐ 하늘 : ....
☐ 자연의 일부 : ....
☐ 기타 다른 어떤 것 : ....

4. 한 남자가 여자를 사랑할 때, 다음과 같이 행동할 것이다.
☐ 그녀에게 편지를 쓴다.
☐ 그녀에게 꽃과 선물을 보낸다.
☐ 그녀가 반응을 보이지 않으면 울고 한숨짓는다.
☐ 남자답고, 당당하게 행동한다.
☐ 자신의 사랑을 숨긴다.
☐ ....

5. 한 여자가 남자를 사랑할 때, 다음과 같이 행동할 것이다.
☐ 그에게 선물을 보낸다.
☐ 다른 어떤 사람을 사랑하고 있는 것처럼 한다.
☐ 자신의 사랑을 숨긴다.
☐ 자신의 사랑에 대해 그에게 이야기한다.
☐ 그가 그녀에게 관심을 주지 않으면, 한숨짓고 운다.
☐ ....

과제지 37

로미오와 벤보리오가 로미오의 사랑에 관해 이야기하는 두 개의 장면들 (1막 1장 pp. 160-237과 1막 2장 pp. 45-102)을 읽으시오. 아래에는 두 젊은이들이 사랑과, 사랑에 빠진 것의 경험에 관해 말하는 몇 가지 사실이 있다. 그들의 언어를 여섯 개의 범주로 묶어 나누었다. 여러분이 해야 할 과업은 각 항목의 어구로부터 사랑의 어떤 정의가 나올 수 있는지를 함께 결정하고 나서 적합한 표제를 쓰시오. 첫번째의 것은 여러분을 위해 예를 보인 것이다.

Love is . . .	Love is . . .	Love is . . .
a state full of paradoxes	....	....
(*Loves is:*) heavy lightness serious vanity bright smoke sick health still-waking sleep	sad hours seem long Griefs of mine own lie heavy in my breast (love is:) a sea nourished with lover's tears Shall I groan and tell thee? In sadness, cousin, I do love a woman	Alas that love, so gentle in his view Should be so tyrannous and rough in proof! She will not stay the siege of loving terms Nor bide th'encounter of assailing eyes She'll not be hit with Cupid's arrow

Love is . . .	Love is . . .	Love is . . .
....	....	....
a madness most discreet Not mad but bound more than a madman is Shut up in prison kept without my food Whipped and	Bid a sick man in sadness make his will One pain is lessened by another's anguish One desperate grief cures with another's languish Take thou some	When the devout religion of mine eye Maintains such falsehood, then turn tears to fires Transparent heretics, be burnt for liars

tormented	new infection to thy eye a choking gall

페트라르카식 사랑의 양식으로 쓰기

이미 5장에서 설명한 '양식'에다 맞추는 활동을 하기 위해서 이 희곡작품은 좋은 위치에 있다. 작품의 시작에서 로미오는 기품있는 이상적인 연인의 전형으로 보인다. 사실, 메르큐티오는 로미오가 그 자신의 시적 언어와 심상을 이용하여 유명한 연애시인 페트라르카를 능가하려 하고 있다고 말하면서, 그 점에 대해 로미오를 놀리고 있다:

'지금의 그는 페트라르카가 작품에 도입했던 운율, 시구를 찬성하고 있다. 로라는 여주인에게는 부엌의 하녀였다…' (2막 4장. 38)

학생들은 과제지에 수집된 자료와 그들이 토론한 내용을 바탕으로 이제 그와 같은 연인을 위한 '감정과 행동의 규칙들'을 쓸 수 있는 위치에 있어야 한다.

이러한 활동은 학생들이 참여해왔던 사랑의 언어에 대해 보다 더 광범위한 조사활동을 하겠금 강화해 주는 기능을 한다. 교사는 로미오가 쥴리엣을 만나기 전과 후의 로미오의 언어를 비교하도록 계획된 추가적인 후속 학습활동을 나중에 간단히 설명할 역할극이나 토론활동을 하고 난 후에 설명한다.

첫 눈에 반한 사랑

1막 5장에서, 로미오와 쥴리엣이 처음으로 만나 그들의 키스에서 절정을 이루게 되는 소네트 형식을 사용하여 서로에 대한 절박한 사랑을 표현한다. 다음의 토론과 역할극 활동은 이 장면을 읽기 전에 행해져야 하고, 그것을 위한 분위기를 잡아준다.

교사는 학생들에게 짝을 짓게 하여 (가능하면 여학생 한 명, 남학생 한 명), 한 소년과 한 소녀가 처음으로 만나 서로에게 강렬하게 끌리게 되는 짧은 장면을 계획하게 한다. 교사는 그러한 만남이 발생할 수 있는 여러 가지 상황을 제시해 준다 — 예를 들어, 기차여행, 춤, 파티, 버스 정류소, 공원, 공휴일 등. 최대한의 길이가 14줄인 대화를 정하지만, 학생들은 연인들 중에서 누가 어느 정도로 이야기를 할지 자유롭게 선택할 수 있다.

그런 후에 학생들은 필요하면 교사의 도움을 받아 그 장면을 기록해 둔다. 어떤 두 쌍이 준비가 되었을 때, 각 쌍들은 차례로 상대의 짝지를 위해 그 장면을 연출한다. 교사는 돌아다니면서 전체 학급을 위해 그들의 장면을 연출해 줄 쌍을 뽑는다. 그러한 장면들에 사용된 언어는 토론되어진다 — 낭만적인가? 어떤 은유를 포함하고 있는가? 남자와 여자의 언어 사이에는 어떤 차이점이 있는가? 그 장면에는 키스와 같은 신체적 접촉이 포함되어 있는가? 행동이 말보다 효과가 더 있는가?

만나기 전과 후

학생들은 위에서 방금 설명한 학급에서의 준비단계가 끝나고 나면, 첫눈에 반한 사랑이라는 주제에 이미 부분적으로 접해 본 그들은 로미오와 줄리엣이 카푸렛 집안의 무도회에서 처음 만나는 1막 5장을 읽거나 듣는다. 과제지의 도움(과제지 38)을 받아 로미오가 쥴리엣을 만나기 전과 후에 사용하는 언어에 관해 노트를 한다.

학생들이 이러한 활동 바로 뒤에 아니면 다음 수업시간에 가서 서로 비교하고 토론할 때, 로미오가 사용하는 언어 뿐만 아니라 그에 의해 표현된 감정들도 앞의 과제지 37에서 해보았던 연습문제에 노트된 것들과 비교한다.

로미오와 카푸렛경

카푸렛경은 몽태규가의 로미오가 자신의 가면 무도회에 참석한 사실을 발견하였을 때 로미오를 쫓아내지 않는다. 그는 로미오에 대해 좋은 보고들을 이미 들은 것처럼 보이며, 화난 티볼트가 로미오를 공격해서 파티를 망치게 하지 못하게 한다. 그 이후로 비극적 사건들이 너무나 빨리 진전되기 때문에, 로미오는 카푸렛경에게 그와 쥴리엣 사이의 결혼이 가족간의 싸움을 치유하는 멋진 방법이 될 것이라고 설득하는 기회를 가지지 못하게 된다. 그러나 결코 발생하지 않게 되는 이러한 상황은 하나의 환상적 글쓰기 활동을 위한 기초를 제공한다.

교사는 학생들에게 로미오와 카푸렛경 사이에 이루어지는 하나의 만남을 상상하도록 한다. 카푸렛경은 로미오를 정중하게, 아니면 화를 내면서 받아들일까? 로미오는 젊은이다운 모든 매력으로 그 노인을 설득할 수 있을까? 그 옛날부터 쌓여온 가문의 원한이 그들의 만남을 신랄하게 자극하여 비참한 비극으로 끝나게 할까?

교사는 역시 그러한 대화의 과정에서 나타날 수 있는, 요즈음 사용되는 언어의 종류를 뽑아내 볼 수 있다. 예컨대, '저는 쥴리엣과 결혼하는 일에 동의를 얻고 싶습니다.'/ '결혼하여 쥴리엣의 손을 잡고 싶습니다'; '말도 안되는 소리지. 몽태규 가문은 결코 내 가문의 딸과 결혼할 수 없어' 등과 같은 말.

교사는, 이러한 준비단계가 완성되어졌을 때, 학생들이 대화를 숙제로서 써오게 하거나, 또는 학급의 학생들이 원으로 둘러 앉게 하여 처음에는 왼쪽으로, 그 다음은 오른쪽으로 번갈아 대화를 돌려가면서 로미오로서, 또는 카푸렛으로서의 역할을 맡는 대화를 쓰게 할 수 있고, 그리고 각자의 편에서 하나의 다른 대화를 만들게 할 수 있다.

과제지 38

로미오와 쥴리엣이 처음 만나는 1막 5장을 들어보시오. 로미오가 그의 새로운 사랑을 표현하는 방식에 관해 다음과 같은 표제들을 사용하여 적어보시오.

	단어들/표현들	은유들/심상들
로미오가 그의 새로운 사랑을 언급하는 방식		
그가 스스로를 그녀의 연인으로서 말하는 방식		
사랑 그 자체에 대해 그가 말하는 것		

앞의 장들에서 로미오나 벤보리오에 의해 이미 표현된 바와 똑같은 표현이나 은유들이 위에 있는가? 있으면 S라고 써 넣으시오.

□ 반어적
□ 로미오 성격의 계속성 강조
□ 그의 연인들 사이의 시간의 짧음을 강조
□ (기타?) ....

위에서 언급된 언어와 심상을 과제지 47과 비교해 보시오.
□ 다른 것보다 더 구체적인가?
□ 다른 것보다 더 아름다운가?
□ 더 설득적인가?
□ 사랑의 경험에 더 초점을 맞추고 있는가?
□ 사랑받는 연인에 더 초점을 맞추고 있는가?
그들 사이에서 어떠한 다른 차이점들을 볼 수 있는가?

발코니 장면

뒤섞어 놓은 요약문인 과제지 39는 발코니 장면 (2막 2장)을 집에서, 아니면 수업시간에 읽는 작업을 동반한다.

과제지 39

발코니 장면 (2막 2장)을 읽으시오. 그런 다음에 아래의 요약하는 문장들을 바른 순서로 맞추어서 문단을 구성하는 형태로 다시 쓰시오.

(a) 로미오는 마침내 말하며 그들은 가문간의 불화에 대한 비탄을 함께 나눈다.
(b) 쥴리엣은 그가 정원에서 발각될지도 모르는 위험에 대해 그에게 경고한다.
(c) 쥴리엣은 또 다시 잠깐 자리를 비웠다가 돌아오며, 그들은 쥴리엣의 사자가 다음날 그에게 보내어질 시간을 정한다.
(d) 그는 숨어 있는 곳으로부터 쥴리엣의 목소리를 듣는다.
(e) 그들은 새벽이 가까와지자 마지못해 헤어진다.
(f) 로미오는 남의 눈에 띄지 않게 쥴리엣의 정원으로 숨어 들어간다.
(g) 그는 그녀가 그에게 사랑을 고백하는 말을 들으며, 그리고 그들 사이에 두 가문의 대결이 있게 될 것이라는 슬픈 소식을 듣는다.
(h) 이러한 걱정들은 유모의 부르는 소리에 의해 중단되고, 그 때 쥴리엣은 몇분 후에 돌아오겠다고 말한다.
(i) 쥴리엣은 돌아왔을 때 로미오에게, 만약 그가 그녀와 결혼할 의도가 있다면, 다음날 그러한 말을 전해 달라고 요청한다.
(j) 쥴리엣이 로미오에게 그녀를 사랑하느냐고 물었을 때, 그는 그의 크나큰 사랑을 공개적으로 고백하지만, 그녀는 서로에 대한 강한 감정의 갑작스러움에 걱정이 되어진다.

이 장에 있지만 위의 요약문에는 없는 어떤 중요한 사건이나 고백들이 있는가? 있다고 생각된다면 쓰고, 위의 요약문에다 첨가하시오.

(답: f, d, g, a, b, j, h, i, c, e)

발코니 장면 : 후속단계의 듣기활동

이것은 발코니 장면에 대한 학생들의 이해와 감상을 심화하기 위한 교실의 수업 활동이다. 집에서 읽고 나서 거기에 동반하는 과제지 활동을 통해 요지를 파악하고 나면, 학생들은 이제 2막 2장의 녹음을 듣는다(만약 가능하다면 같은 방식으로 비디오가 사용되어질 수 있다). 교사는 쉬지 않고 녹음을 끝까지 들려준다. 끝에 가서, 교사는 학생들에게 그들이 가장 좋아하는 부분이나 가장 기억에 남거나 감동적인 부분에 대해 묘사하는 글을 빠르게 한두 문장으로 쓰라고 요구한다. 그런 다음 학생들은 두 명씩 짝을 지어 함께 모여서 쓴 노트들을 비교하고 특별히 그렇게 선택한 이유를 설명한다.

각 짝은 이 장을 두번째 들으면서 수행할 그들 자신의 구체적 과업을 부여받는다. 한 사람은 쥴리엣에 관해 노트하는 것을 책임지고, 다른 사람은 로미오에 대해 그렇게 하는 것을 책임진다. 아래에 다른 짝들이 받을 수 있는 과제들에 대한 쪽지에 쓴 예문들이 있다:

1. 로미오가 태양에 대해 말한 어떤 언급들을 적어라.
   쥴리엣이 태양에 대해 말한 어떤 언급들을 적어라.
2. 로미오가 달에 대해 말한 어떤 언급들을 적어라.
   쥴리엣이 달에 대해 말한 어떤 언급들을 적어라.
3. 로미오가 대담함을 보여주는 것들을 적어라.
   쥴리엣이 대담함을 보여주는 것들을 적어라.
4. 로미오가 조용히 있는 것을 보여주는 것들을 적어라.

줄리엣이 조용히 있는 것을 보여주는 것들을 적어라.

5. 로미오가 사용한 종교적 이미지를 적어라.
   줄리엣이 사용한 종교적 이미지를 적어라.
6. 로미오가 말한 두려움이나 걱정의 표현들을 적어라.
   줄리엣이 말한 두려움이나 걱정의 표현들을 적어라.
7. 로미오의 매우 단순하고 직선적인 어떤 진술들을 적어라.
   줄리엣의 매우 단순하고 직선적인 어떤 진술들을 적어라.
8. 로미오가 묻는 질문들을 적어라.
   줄리엣이 묻는 질문들을 적어라.
   수사학적 질문들은 R로 표시하시오(화자가 실제로는 답을 원하거나 기대하지 않는 질문들).
9. 로미오의 말 중에서 꽃이나 새 등의 자연으로부터 사용한 은유나 비유가 있으면 적어라.
   줄리엣의 말 중에서 꽃이나 새 등의 자연으로부터 사용한 은유나 비유가 있으면 적어라.
   수사학적 질문에 R 표시를 하라.
10. 로미오가 가족에 대해 말한 언급들을 적어라.
    줄리엣이 가족에 대해 말한 언급들을 적어라.
11. 로미오가 결혼에 대해 말하는 언급들을 적어라.
    줄리엣이 결혼에 대해 말하는 언급들을 적어라.
12. 로미오가 표현한 직접적인 미래에 대한 어떤 구체적 계획들을 적어라.
    줄리엣이 표현한 직접적인 미래에 대한 어떤 구체적 계획들을 적어라.
13. 로미오가 표현한 안전에 대한 어떤 염려의 표현들을 적어라.
    줄리엣이 표현한 안전에 대한 어떤 염려의 표현들을 적어라.
14. 로미오가 표현한 희망들을 적어라.
    줄리엣이 표현한 희망들을 적어라.

녹음은 학생들이 노트를 할 수 있도록 몇 번씩 쉬면서 틀어 준다. 이것이 끝나면 학생들은 과제지(아래 과제지 40 참조)에 기록된 일련의 질문들을 받게 된다. 그들은 작품에서 뽑는 인용문들로 뒷받침하여 답변을 해야 한다. 각 쌍의 학생들은 각 질문에 적합한 자료를 모으게 된다. 각 쌍은 의견을 서로 상의해야 하며, 자원들을 모음으로써 각 질문에 대한 그들의 의견을 뒷받침할 수 있는 하나의 인용문을 찾아야 한다.

과제지 40

다음 질문들을 '발코니 장면' (2막 2장)에 나오는 하나의 인용문으로써 각 경우를 뒷받침하여 대답하시오. 인용할 만한 것이 없으면 급우에게 물어 보시오.

로미오와 쥴리엣 중 누가 더 실제적인가? 로미오/쥴리엣

인용: ....

누가 더 상상력이 풍부한가? 로미오/쥴리엣

인용: ....

누가 더 가족에 집착하는가? 로미오/쥴리엣

인용: ....

누가 더 말을 사치스럽게 하는가? 로미오/쥴리엣

인용: ....

누가 더 그들의 사랑의 결과에 대해 두려워 하는가? 로미오/쥴리엣

인용: ....

누가 더 확신에 차 있는가? 로미오/쥴리엣

인용: ....

누가 더 강력한가? 로미오/쥴리엣

인용: ....

누가 더 현실적인가? 로미오/쥴리엣

인용: ....

누가 더 분명하게 보는가? 로미오/쥴리엣

인용: ....

천사의 옹호자들

3막 1장에서 몽태규 가문과 카푸렛 가문 사이에 한번 더 분쟁이 발생한다. 티발트와 메르쿠티오 사이에 싸움이 임박해 있다.

첫 단계로서, 학생들은 이 장면을 말없이 조용히 읽고 기본적 이해를 갖는다. 그런 다음 학급을 두 그룹으로 나눈다. 한 그룹은 4명에서 12명까지 이 장면에 등장하는 인물들로 구성된다. 그들은 역할을 선택하고 자기가 읽을 부분을 연습한다.

학급의 나머지 학생들은 시간을 통과하는 시간여행을 할 수 있으며, 이 작품 안으로 이동할 수 있다고 상상한다. 그들은 작품의 34행과 131행 사이의 어디엔가 한 지점을 선택하는데, 그곳은 그들이 출현하여 평화를 유지하기 위해 힘쓰게 될 장소이다. 각 학생은 이러한 목적을 성취하기 위해 한마디씩 연설을 할 수 있다.

시간여행이 있기 전에, 학생들은 두 명씩 짝을 지어 자신의 연설에서 사용할 수 있는 일련의 주장을 만들기 위해 머리를 써서 아이디어를 짜낸다. 그런 다음에 개별적으로 연설문을 작성하는데, 필요하면 교사가 돕는다.

다음 단계는 3막 1장을 연극으로 공연하는 것이다. 이 장면이 시작되기 이전에, 교사는 그 장면을 공연하는 동안, 선정된 지점에 서서 그들의 연설을 하게 될 '시간여행 천사들'을 지명한다. 이 장에서 공식적인 역할을 맡은 학생들은 각 천사의 연설이 행해지고 있는 동안, 중간에 개입이 있을 때 몸을 움직이지 않고 부동자세로 있으라, 다시 이 장면의 연기를 계속하라는 지시를 받는다.

이 과정을 끝내기 위해, 교사와 학생들은 중간 개입들이 미친 영향을 토론하며, 이 장면에서 두 사람의 죽음을 어떤 것이 막을 수 있게 했을까에 대해 심의한다.

그 당시와 지금의 언어를 대응시키기

과제지 41은 학생들이 3막 3장을 직접 읽을 때 그들의 이해를 돕기 위해 상호 대응시키는 활동이다.

과제지 41

왼편에 있는 「로미오와 줄리엣」(3막 3장)에서 뽑은 각각의 연설문들을 그 의미에 가장 가까운 현대적 구어체 표현으로 대응시키시오.

[3.3] *Enter* FRIAR [LAWRENCE].

FRIAR LAWRENCE
Romeo, come forth, come forth, thou fearful man:
Affliction is enamoured of thy parts,
And thou art wedded to calamity.

[*Enter*] ROMEO.

ROMEO Father, what news? What is the Prince's doom?
What sorrow craves acquaintance at my hand,
That I yet know not?

FRIAR LAWRENCE Too familiar
Is my dear son with such sour company!
I bring thee tidings of the Prince's doom.

ROMEO What less than doomsday is the Prince's doom?

FRIAR LAWRENCE A gentler judgement vanished from his lips:
Not body's death, but body's banishment.

ROMEO Ha, banishment? be merciful, say 'death':
For exile hath more terror in his look,
Much more than death. Do not say 'banishment'!

FRIAR LAWRENCE Here from Verona art thou banishèd.
Be patient, for the world is broad and wide.

ROMEO There is no world without Verona walls,
But purgatory, torture, hell itself:
Hence 'banishèd' is banished from the world,
And world's exile is death; then 'banishèd'
Is death mistermed. Calling death 'banishèd',
Thou cut'st my head off with a golden axe,
And smilest upon the stroke that murders me.

You're banished from Verona, but there are lots of other places to live.

Don't tell me I'm banished. I'd rather die.

What bad news are you going to give me now?

Being banished is the same as death. It's just death under a more pleasant name.

Can my sentence be anything other than death?

You've had more than your share of bad luck. But here is the Prince's decision.

Come here. What rotten luck you've been having!

You're in luck: not condemned to death, just banished.

플롯 진행의 움직임 표시하기

이 활동은 학급의 학생들이 실제로 작품을 상연하지 않는다 하더라도 그 작품의 연극 제작을 상상하겠금 돕는다; 그것은 개인에 의해 혹은 그룹으로 실행될 수 있다.

학생들은 종이에, 더 좋은 것은 그래프 용지에다, 특정한 장면에서의 배우들의 움직임을 구성관계에 따라 표로 나타낸다. 그래프 종이는 무대의 면적을 나타내며, 각 배우들의 움직임은 한 가지씩 다른 형태의 선으로 표시되며, 숫자는 발언되는 대사들의 숫자와 일치한다. 학생들은 되도록이면 여기에 표시한 양식들 대신에 여러 가지의 색깔을 사용하는 것이 더 좋다. 이 과업은 칼싸움 장면이나 카푸렛의 향연 장면에서처럼 아주 복잡한 것이 될 수 있다. 또는 쥴리엣의 침실에서처럼 보다 더 단순해질 수 있다. 아래의 표 17에 보인 예는 3막에서 나온 것이다. 쥴리엣은 로미오가 퇴장하고 난 후에 혼자 남아서 처음에는 어머니, 다음에는 극도로 화가 난 아버지, 그 다음에는 로미오를 거절하라고 말하는 유모의 무정한 충고와 직면해야 한다.

표 17

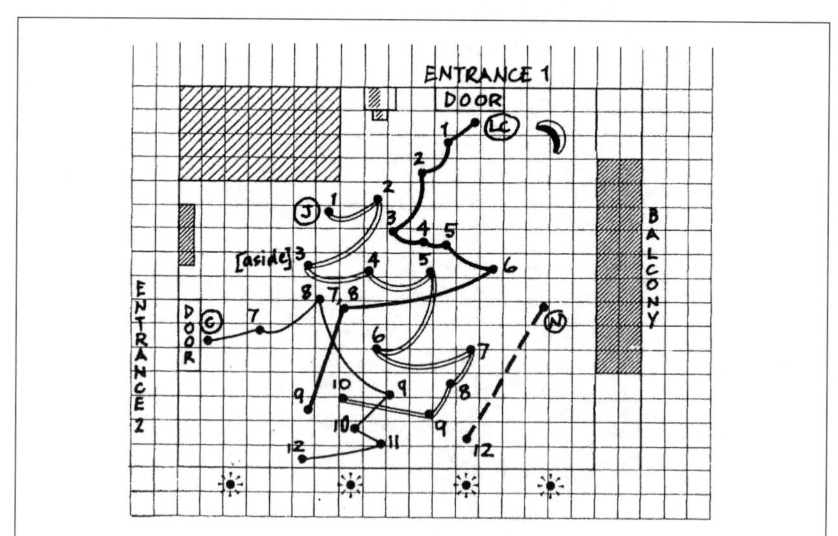

Enter Mother [LADY CAPULET *below*].

LADY CAPULET Why how now, Juliet?

JULIET Madam, I am not well.

① LADY CAPULET Evermore weeping for your cousin's death?
What, wilt thou wash him from his grave with tears?
And if thou couldst, thou couldst not make him live;
Therefore have done. Some grief shows much of love,
Bot much of grief shows still some want of wit.

JULIET Yet let me weep for such a feeling loss.
② LADY CAPULET So shall you feel the loss, but not the friend
Which you weep for.
JULIET Feeling so the loss,
I cannot choose but ever weep the friend.
LADY CAPULET Well, girl, thou weep'st not so much for his death
As that the villain lives which slaughtered him.
JULIET What villain, madam?
LADY CAPULET That same villain Romeo.
③ JULIET [*Aside*] Villain and he be many miles asunder.—
God pardon him, I do with all my heart:
And yet no man like he doth grieve my heart.
LADY CAPULET That is because the traitor murderer lives.
④ JULIET Ay, madam, from the reach of these my hands.
Would none but I might venge my cousin's death!
⑤ LADY CAPULET We will have vengeance for it, fear thou not:
LC Then weep no more. I'll send to one in Mantua,
Where that same banished runagate doth live,
Shall give him such an unaccustomed dram
That he shall soon keep Tybalt company;
And then I hope thou wilt be satisfied.
⑤ JULIET Indeed I never shall be satisfied
J With Romeo, till I behold him –dead–
Is my poor heart, so for a kinsman vexed.
Madam, if you could find out but a man
To bear a poison, I would temper it,

That Romeo should upon receipt thereof
Soon sleep in quiet. O how my heart abhors
To hear him named and cannot come to him,
To wreak the love I bore my cousin
Upon his body that hath slaughtered him!

⑥ LADY CAPULET Find thou the means, and I'll find such a man.
But now I'll tell thee joyful tidings, girl.

JULIET And joy comes well in such a needy time.
What are they, beseech your ladyship?

LADY CAPULET Well, will, thou hast a careful father, child,
One who, to put thee from thy heaviness,
Hath sorted out a sudden day of joy,
That thou expects not, nor I looked not for.

⑥ JULIET Madam, in happy time, what day is that?

LADY CAPULET Marry, my child, early next Thursday morn,
The gallant, young, and noble gentleman,
The County Paris, at Saint Peter's Church,
Shall happily make thee there a joyful bride.

⑦ JULIET Now by Saint Peter's Church and Peter too,
He shall not make me there a joyful bride.
I wonder at this haste, that I must wed
Ere he that should be husband comes to woo.
I pray you tell my lord and father, madam,
I will not marry yet, and when I do, I swear
It shall be Romeo, whom you know I hate,
Rather than Paris. These are news indeed!

LADY CAPULET Here comes your father, tell him so yourself;
and see how he will take it at your hands.

Enter CAPULET *and Nurse.*

CAPULET When the sun sets, the earth doth drizzle dew,
But for the sunset of my brother's son
It rains downright.
How now, a conduit, girl? What, still in tears?
Evermore show'ring? In one little body
Thou counterfeits a bark, a sea, a wind:

For still thy eyes, which I may call the sea,
Do ebb and flow with tears; the bark thy body is,
Sailing in this salt flood; the winds, thy sighs,
Who, raging with thy tears and they with them,
Without a sudden calm, will overset
⑧ C Thy tempest-tossed body. How now, wife,
Have you delivered to her our decree?
⑧ LADY CAPULET Ay, sir, but she will none, she gives you thanks.
LC I would the fool were married to her grave.
CAPULET Soft, take me with you, take me with you, wife.
How, will she none? doth she not give us thanks?
Is she not proud? doth she not count her blest,
Unworthy as she is, that we have wrought
So worthy a gentleman to be her bride?
JULIET Not proud you have, but thankful that you have:
Proud can I never be of what I hate,
But thankful even for hate that is meant love.
⑨ CAPULET How how, how how, chopt-logic? What is this?
C 'Proud', and 'I thank you', and 'I thank you not',
And yet 'not proud', mistress minion you?
Thank me no thankings, nor proud me no prouds,
But fettle your fine joints 'gainst Thursday next,
To go with Paris to Saint Peter's Church,
Or I will drag thee on a hurdle thither.
Out, you green-sickness carrion! out, you baggage!
You tallow-face!
⑨ LADY CAPULET Fie, fie, what, are you mad?
LC JULIET Good father, I beseech you on my knees,
Hear me with patience but to speak a word.
[*She kneels down.*]

⑩ CAPULET Hang thee, young baggage, disobedient wretch!
I tell thee what: get thee to church a'Thursday,
Or never after look me in the face.
⑪ Speak not, reply not, do not answer me!
My fingers itch. Wife, we scarce thought us blest
That God had lent us but this only child,
But now I see this one is one too much,
⑫ C And that we have a curse in having her.
Out on her, hilding!
⑫ NURSE God in heaven bless her!
N You are to blame, my lord, to rate her so.
CAPULET And why, my Lady Wisdom? Hold your tongue,
Good Prudence, smatter with your gossips, go.
NURSE I speak no treason.
CAPULET O God-i-goden!

수도사 로렌스의 편지를 써 보기

4막 1장에서 수도사 로렌스는 쥴리엣에게 하는 말에서, 그녀가 가짜로 죽을 것이며, 다시 깨어날 때, 로미오와 수도사인 그가 그녀와 함께 그 자리에 있을 수 있도록 로미오가 그 때 그곳으로 돌아오라고 요청하는 편지를 로미오에게 보낼 것이라고 말한다.

학생들은 그룹별로 로렌스가 편지에서 어떻게 말할 것인가, 그리고 로미오를 놀라게 하지 않고 확신시킬 수 있게 하기 위해 어떻게 최선의 편지를 쓸 수 있는가를 토론한다. 그런 다음에, 각자가 집에서 해오는 과제를 위해 로렌스의 편지를 현대 관용어로 쓴다.

당신을 위해서 어떤 것이라도 하리다. 내사랑, 어떤 것이라도...

학생들은 작품이 끝나갈 무렵, 자기들이 두 연인의 상황과 일치되었으며, 만약 상대방이 없이 세상을 살아간다면 두 연인들은 차라리 어떻게 해야 할 준비를 하는 것이 좋은지에 관해 생각해 보아야 한다. 이러한 활동은 학생들 스스로의 삶에서 하나의 유사한 상황에 대한 자신들의 잠재적 반응을 이끌어내는 것을 목표로 한다.

만약 가능하다면, 디킨즈의 「올리버 트위스트」의 뮤지컬 편곡인 리오넬 바트의 「올리버」에서 따온 노래를 첫 단계로서 사용할 수 있다. 학생들은 그것을 듣는 동안 뮤지컬 가수가 그의 사랑하는 사람을 위해 어떤 것을 하겠다고 말하는 사항들 중에서 몇 가지를 적도록 한다. 교사는 학급의 학생들이 들었던 것을 그에게 말해주면, 재빨리 그 노래의 가사를 검토한다. 그 다음에 학생들은 과제지 42를 받고, 그들이 사랑했던 누군가를 위해 그 연인이 없이 산다면 차라리 어떻게 할 것이라고 느끼는지에 대해 여러 가지로 열거한 예시문들에다 체크 표시를 한다. 그들은 그룹별로 대답들을 비교하고, 견해상의 차이를 조사한다. 토론을 확대하기 위해 짧은 시간 동안 전체적인 토론을 한 후에 로미오와 쥴리엣이 내린 결정을 재검토한다. 학생들은 과연 이러한 결정에 대해 두 연인들이 미쳤다, 정신적으로 불완전하다, 성숙하지 못하다, 또는 홀리었다라고 말할 수 있겠는가?

과제지 42

내가 사랑했던 한 남자/여자를 위해 나는 무엇을 하겠다고 확신한다:

1. 그/그녀 없이 사는 것보다 차라리 다른 도시나 마을로 이사를 가겠다. □
2. 그/그녀 없이 사는 것보다 차라리 내 종교를 바꾸겠다. □
3. 그/그녀 없이 사는 것보다 차라리 나의 부모를 속이거나 복종하지 않겠다. □
4. 만약 헤어진다면, 영원히 그/그녀 없이 사는 것보다 그/그녀가 돌아오도록 몇 년 더 기다리겠다. □

5. 만약 그/그녀가 치유될 수 없은 병이 걸린다면, 그/그녀없이 사는 것보다 차라리 그/그녀를 돌보기 위해 지금의 직업을 포기하겠다. □
6. 만약 그/그녀가 죽는다면, 그/그녀 없이 사는 것보다 차라리 나의 인생을 포기하겠다. □

우선순위 결정에 기초한 토론

이것은 학생들이 구두로 표현하는 것을 자극시키고 비극적 결과의 '필연성'에 관해 생각하는 것을 돕도록 고안된 활동이다.

학생들은 소그룹이나 2명씩 짝을 지어, 다음과 같은 가능성들의 목록을 연구한다.

비극은 만약 ________________ 했다면 일어나지 않았을지도 모른다:

(a) 로미오와 쥴리엣이 태어났을 때 하늘의 별들이 다른 별자리에 있었더라면.
(b) 카푸렛 부인이 보다 더 나은 어머니여서 쥴리엣이 그녀를 신뢰할 수 있었더라면.
(c) 약제사가 덜 가난에 시달리어서 로미오에게 약을 파는 것을 거절했더라면.
(d) 수도사 죤이 로미오에게 전달하는 편지를 운이 좋아 저지당하지 않고 전달할 수 있었더라면.
(e) 로미오가 덜 성급해서 그렇게 빨리 독약을 먹지 않고 기다렸다면.
(f) 쥴리엣이 독약 먹기를 거절했더라면.
(g) 수도승 로렌스가 무덤에 몇 분 더 빨리 도착했더라면.
(h) 로미오의 시종 발사사르가 주인의 말을 거절하고 빨리 경보를 울렸더라면.

(i) 두 가문이 그들의 오랜 싸움에 계속 집착하지 않고 화해가 되도록 노력했더라면.

학생들은 세 가지를 선택하여 중요성의 순서대로 배열한다: 즉 첫번째, 두번째, 그리고 세번째의 순서. 그런 다음 아래의 진술들 중에서 어느 것들이 그들이 선택한 세 가지 사항에 맞는지를 결정해야 한다:

비극은 사건들의 우연의 일치로 일어났다.
비극은 미리 정해진 운명으로 일어났다.
비극은 인간적인 실수에 의해 야기되었다.
비극은 인간 성격상의 결점으로부터 일어났다.
비극은 실제의 삶에서는 일어나지 않는다: 그것은 작가가 부과한 있을 법한 사건들의 왜곡이다.

학생들은 그룹별로 토론을 하고, 선택한 진술들을 비교한 후에 짧은 구두발표(1, 2분)를 준비한다. 이 발표에서 위의 진술들 중에서 한 가지 또는 그 이상을 작품에서 구체적으로 언급함으로써 정당화한다.

에드워드 알비의 '모래상자'(The Sandbox)

외국어 학습자들과 함께 이 희곡을 사용하는 데에는 몇가지 좋은 이유가 있다: 아주 짧으며, 언어는 문제점을 거의 나타내지 않는다. 비록 어떤 측면에서는 미국의 생활방식과, 그리고 죽음에 대한 상당히 신랄한 하나의 논평으로서 읽혀질 수 있지만, 그 속에는 보편적인 쟁점들을 조정해 주는 하나의 의미가 들어 있다: 노인들을 어떻게 다룰 것인가?; 다가오는 죽음을 어떻게 맞을 것인가?; 비인간화시키는 사회적 교류의 의식(儀式) 속에서 어떻게 인간적인 감정을 유지할 것인가? 이러한 문제들은 나아가 더 젊은 독자들에게는 호소력이 없을 수 있는 주제들이다. 아마도 이 작품은 나이가 성숙한 학생들이나, 또는 고등학교 마지막 학생들에게 더 효과적으로 사용될 수 있을 것이다.

이 희곡을 제시하는데 있어 한 가지 어려움은 그것이 지닌 현대적 문체에서 나타나는데, 이것은 독자의 기대를 무너뜨릴지도 모른다. 아래에 설명한 오랜 준비단계의 활동과정은 학생들이 작품 자체에 접하기 이전에 주제들 중의 몇 가지에 철저히 몰입할 수 있게 하기 위해 고안된 것이다. 이것은 그들의 긴장을 풀어주는 효과가 있을 때가 많으므로, 그들로 하여금 작품의 정신 속으로 빨려들어 가게 하여, '작품이 무엇을 이야기하고 있는가'에 대해 부적합하게 걱정하기 보다는 오히려 작품을 즐길 수 있게 한다. 이러한 종류의 희곡의 의미는 작품의 존재성에 밀접하게 연관되어 있기 때문에 다른 말로 풀이하는 것이 어렵다. 이것이 교사들로 하여금 학생들에게 다소 공들여진 형식으로 이 작품을 연극으로 공연하게 하는 이유이다. 소규모의 배역, 거의 꾸미지 않은 무대장치, 그리고 단순한 언어 등은 작품을 전체의 규모로 공연하는데 이상적인 것이 되게 해주며, 그래서 이러한 공연에서 이 작품은 가능할 수 있고, 바람직한 것이 된다. 학급에서 최소한도로 무대화되어지는 읽기 공연을 하더라도 그러한 공연은, 이 작품의 극적인 성질의 무엇인가를 전달할 것이며, 작품의 유우머나 아이러니 뿐만 아니라 이미지의 힘을 감상할 수 있게 해줄 것이다. 이 희곡은 죽음에 관한 현대적 우화의 일종이다. 엄마와 아빠라고 불리는 한 부부가 여자쪽의 어머니인 '할머니'를 무대 위로 데리고 나와서 모래상자에 넣는다. 그런 다음, 그들은 이곳으로 자기들을 오도록 해준 사건, 즉 할머니의 죽음을 앉아서 기다린다. 엄마와 아빠는 모든 관습들을 고수하고, 그리고 모든 것들을 고상하게 하려고 애쓴다. 그들은 심지어 이 행사를 위해 음악가들까지 고용한다. 그러나 이러한 사회적 고상함들은 메말라 버린 감정의 결핍을 숨기고 있다. 처음에는 제2 유아기를 맞은 것처럼 보이는 할머니는 점차로 많은 생명력이 남아있는 기력 좋은 노숙녀로 드러나게 된다. 그러나 전혀 도움이 되지는 못한다. 배후에서 운동을 해왔던 '죽음의 천사'인 쾌활한 젊은 남자가 마침내 배정받은 자기의 역할을 하기 위해 앞으로 나온다. 할머니는 처음에는 놀라지만 곧 단념한다. 반면 엄마와 아빠는 형식적인 눈물을 흘리고는 활기찬 모습으로 그들의 삶으로 되돌아 간다.

준비학습 활동

이것은 토론과 글쓰기가 포함되는 활동이며, 이 희곡을 읽기 전에 행하여진다. 목표는 학생들이 세대간의 관계에 관해 생각하게 하여, 그것에 관한 자신의 감정들을 이끌어내기 위한 것이다.

학급은 세 명 내지 네 명의 몇 그룹으로 나누어진다. 두 그룹 중에서 절반은 과제지 43A를 받고, 나머지 절반은 43B를 받는다. 필요하다면, 교사는 신문이나 잡지에 게재되는 '고통받는 아주머니' 칼럼에 대한 아이디어를 학생들에게 설명하고, 그들이 현실적인 문제를 가진 사람들을 위해 유익한 조언을 제공해 주어야 한다고 상상하게 한다(이 때 이 자료가 어떤 작품에서 나온 것이라는 말은 하지 않는다).

그룹들은 적절한 응답에 관해 토론하고, 그것을 쓰며, 그리고 나서 그룹A의 구성원이 그룹 B의 구성원과 만나서 함께 문제와 대답들을 비교한다. 전체적인 피드백 과정이, 제기된 질문들에 대한 토론과 함께, 뒤따라 나온다.

과제지 43A

'아기 네온트'는 신문에 조언 칼럼을 함께 쓰는 기자들 그룹이 사용하는 필명이다. 여러분이 그 기자 그룹 중의 한 명이고, 어느 독자로부터 다음과 같은 편지를 받았다고 상상해 보고, 이러한 칼럼에 게재할 적절한 응답을 작문하시오.

Dear Aggie Neeont,

Please tell me what we can do about my mother who is ruining my life and my marriage

My husband has worked very hard to build up enough money to let us live in comfort in a nice suburb of the city. Two years ago, I decided that my mother ought to leave her farm and come and live with us. It seemed the right thing to do. She really couldn't cope any longer on her own. My husband went to a lot of trouble to sell her farm and to fix up our spare room for her. He put in a little stove so that she can make herself a cup of tea, and he bought her a set of dishes for her own use.

She doesn't appreciate any of this and never stops complaining about everything. She claims we've taken her money. She's even told the neighbours that we make her sleep under the stove and eat from a single dish like a dog. I'm sure having her here is affecting our standing in the neighbourhood because she will not give up her farm ways.

What can we do? She gets hysterical when I mention a home and I'm sure we would have to carry her physically to get her to go. My husband is no help. He just says: "She's your mother ... whatever you say." I want to do everything nicely but I'm getting tired of waiting for her to go.

Yours,
DESPERATE

(번역)

아기 네온트씨에게,

제 인생과 결혼생활을 망치고 있는 나의 어머니께 어떻게 하면 좋을지 제발 말씀 좀 해주십시요. 제 남편은 도시의 멋진 외곽에서 우리가 안락하게 살 수 있도록 충분한 돈을 벌기 위해 지금까지 열심히 일해 왔었습니다. 2년 전 저는 저의 어머니가 살고 계셨던 그녀의 농장을 떠나서 우리와 함께 살도록 해야 한다고 결정했습니다. 그렇게 하는 것이 바른 일 같아서 말이지요. 더 이상 어머니 혼자서 생활하기가 힘드셨습니다. 제 남편은 어머니의 농장을 팔고, 어머니가 머무실 여분의 방을 마련하는데 많은 애를 먹었습니다. 그는 그녀가 차를 혼자 끓여드실 수 있게 작은 곤로를 놔 드렸고, 혼자 쓰실 수 있도록 그릇도 따로 샀습니다.

어머니는 이 어떤 것에도 고맙다는 말 한마디 안하셨고 매사에 불평만 계속 하셨습니다. 또 우리가 돈을 가져갔다고 주장하십니다. 그녀는 저희가 어머니를 곤로 아래 주무시게 만들며, 개처럼 접시 한 개로 식사를 하게 만든다고까지 하십니다. 어머니를 계속 우리와 함께 있게 하면 이웃에 우리의 입장을 계속해서 곤란하게 만들 것이 확실합니다. 왜냐하면 그녀는 농장에서 사시던 방식을 포기하시지 않을 것이기 때문입니다.

어떻게 하면 좋겠습니까? 어머니는 제가 집에 관해 언급할 때면 신경질적이 됩니다. 아무래도 어머니를 사시던 곳으로 가시도록 옮겨 드려야 할 것 같습니다. 제 남편은 전혀 도움이 되지 않습니다. 그는 그저 이렇게 말합니다: “당신이 무슨 말을 하던 그녀는 당신 어머니야.” 저는 모든 것을 좋게 해결하고 싶지만, 어머니가 나가시는 것을 기다리는데 지쳐가고 있습니다.

절망에 빠져서...

과제지 43B

'아기 네온트'는 신문에 조언 칼럼을 함께 쓰는 기자들 그룹이 사용하는 필명이다. 여러분이 그 기자 그룹 중의 한 명이고, 어느 독자로부터 다음과 같은 편지를 받았다고 상상해 보고, 이러한 칼럼에 게재할 적절한 응답을 작문하시오.

Dear Aggie Neeont,
I don't know why I'm writing to you as I'm sure you can't help. My problem is that I think my daughter and son-in-law are trying to get rid of me.
I was married when I was 17 to a farmer but my husband died and I had to raise my daughter all by myself. Now she's married this rich fellow. They dragged me off the farm where I had lived all my life. I guess I ought not to complain as they've given me a nice bed under the stove and a blanket and my own dish. But they say I have got to go. Well, I don't intend to move. They'll have to carry me out bodily if they want me to go away. There's no respect these days for old age.
I guess the only way out is for me to die. That would solve the problem for everybody.

Yours,
Lived Too Long.

(번역)

아기 네온트씨에게,

저는 당신이 저를 도울 수 없다는 것을 잘 아는 데도 왜 이 편지를 당신에게 쓰는지 모르겠습니다. 제 문제는 내 딸과 사위가 저를 없애 버리려 하는 것 같다는 것입니다.

저는 17살에 한 농부와 결혼했지만, 저의 남편은 죽었고, 그래서 저 혼자 딸을 키워야 했습니다. 이제 딸은 지금의 부자 젊은이와 결혼했습니다. 그애들은 내가 평생 살아온 농장에서 저를 끌어내었습니다. 그들은 저에게 곤로 아래목에 좋은 침대와 담요, 내 자신이 쓸 개인 그릇들을 주었으므로, 거기에 대해 불평해서는 안된다고 생각하고 있는 듯 합니다. 그런데 그애들은 저보고 떠나라고 말합니다. 저는 떠나고 싶지는 않습니다. 그들이 내가 나가기를 바란다면 저를 억지로 들어내야 할 것입니다. 요즈음은 나이든 사람들에 대한 존경심이 전혀 없습니다.

여기서 나갈 길은 죽는 길 밖에 없는 것 같군요. 그것만이 모두를 위해 문제를 푸는 방법인 것 같습니다.

너무 오래 산 노파가

작품을 읽고 공연하기

일반적으로 수업시간 전체를 차지하게 될 준비학습 활동의 끝에 가면, 학생들은 집에서 읽을 작품을 받는다. 만약 이것이 적합하지 않다면, 읽기활동은 그 다음 수업시간으로 연기되어질 수 있다. 집에서 읽는 활동에는 작품의 한 가지 특별한 측면을 강조하는 과제지가 함께 나갈 수 있다. 예를 들어, 과제지 44는 아이들과 노인들의 생각에 관한 학생들의 관심에 초점을 맞추고 있다.

공연은 다음 수업시간에 하기 위해 계획된다. 역할이 주어지고, 배우가 아닌 사람들은 교실 앞에 무대를 꾸미고 소도구를 공급하는 책임을 맡는다. (이것도 최소한이다: 의자들, 모래상자 하나 혹은 그것을 나타낼 어떤 것 하나, 그리고 양동이와 삽 등). 여러 학급에서 적어도 악기를 연주할 수 있는 사람이 한 사람은 있을 것이다. 그러나 만약 없다면, '음악가'의 배역을 맡은 사람은 녹음된 것에 맞추어 흉내낼 수 있을 것이다. 배우는 맡은 대사를 다 외울 필요는 없지만, 읽는 연습을 해서 상당히 유창하게 그들이 맡은 연기를 수행할 수 있도록 해야 한다. 편안한 분위기가 유지된다면, 학생들은 이러한 종류의 무대공연 방식의 읽기를 많이 즐긴다는 사실을 우리 저자들은 발견하였다.

과제지 44

「모래상자」에서 우리는 젊은 남자, 중년 부부, 그리고 나이든 노부인을 만난다. 각자가 행동하는 방식은 나이든 사람들과 아주 젊은 사람들에게서 우리가 기대할 수 있는 것의 혼합이다. 주어진 표제들 하에서 각 인물들에 대해 될 수 있는 대로 많은 측면들을 열거하시오.

	아이들에게 적절한 행동	어른들에게 적절한 행동
엄마와 아빠		
할머니		
젊은 남자		

어느 인물이 여러분에게 가장 아이같이 보이는가? 그 이유는?

후속학습 활동

이 활동은 학업에서 문학을 자신의 전공 분야로서 공부하는 고급수준의 학생들을 위해서나, 혹은 고등교육 수준에서 그렇게 하려고 준비하고 있는 학생들에게 제안되어진다. 현대희곡에서 중요 작품 중의 하나인 「모래상자」의 흥미로운 한 가지 측면은, 연극성, 외면과 실재, 삶에 있어서의 '역할들', 연극 공연에서의 '역할들' 등에 대한 아이디어를 연기로서 나타낸 것이다. 사실주의 희곡들은 삶을 극장 밖에서 일어나는 모습 그대로 묘사하려고 시도한다. 「모래상자」는 이와 같은 바깥에서의 삶을 마치 그 자체가 무대 위의 연극인 것처럼 묘사한다.

학생들이 이러한 측면에 대해 숙고해 주기를 바라는 교사는, 우선 학생들이 이 짧은 희곡을 한번 더 대강 읽고, 인물들이 마치 실제로 연극에 참가하고 있는 듯이 그들의 삶에 관해 이야기하는 모든 언급들을 추출하도록 한다. 이것은 개인적 혹은 그룹별로 이루어 질 수 있으며, 칠판에다 찾아낸 결과의 목록을 붙일 수 있다. 거기에는 다음과 같은 항목들을 포함해야 한다:

할머니: 너는...너는 배우지, 어?
젊은이: 예, 그렇습니다.
할머니 (음악가에게): 이봐요. 이 부분을 다 연주할거요?
아빠 (시작하면서): 그게 뭐였지?
엄마: 무대 밖에서 나는 소리예요... 그리고 뭘 뜻하는지 알잖아요.
젊은이: 어...엄마; 여긴... 제가 하는 대사 부분인데요.
젊은이 (준비된 상태로; 대사를 진짜 아마추어처럼 연기한다): 나는 죽음의 천사다. 나는...어...나는 당신을 위해 왔다.
할머니: 내가 말하고자 했던 것은... 네가 매우 잘 했다는 것이다, 애야.

교사는 학생들에게 작품의 이러한 측면에 관해 그들의 인상을 말하게 한다. 놀라게 하는 것이었는가? 어리둥절하게 하는 것이었는가? 그것은 학생들이 등장인물들을 믿지 못하게 하는 것인가? 그것의 목적은 무엇이겠는가? 그들은 자연스럽게 행동하는 대신에 마치 그들의 삶에서 하나의 공연에 참여하고 있는 것처럼 느껴본 적이 있는가?

이렇게 전반적인 토론을 한 뒤에 그룹별로 수행하는 하나의 과업이 뒤따른다. (아니면 그룹별로 토론을 하고 나서 집에서 숙제를 각자가 써오게 한다): 즉 학생들의 실제 생활에서 마치 어떤 상황이 하나의 무대연극인 것처럼 묘사되는 아주 짧은 스케치를 써오게 한다. 강한 의식(儀式)의 요소를 띤 상황들은 마음에 즉각 떠오른다. 왜냐하면 그러한 의식에 참가하는 사람들은 마치 그들이 무대역할을 연출하고 있는 것처럼 종종 느끼기 때문이다: 결혼하고, 졸업/ 세례/ 신앙고백 등의 의식을 체험하고, 법정에 출두하고 (꼭 영화에서처럼 맹세하면서), 구직 인터뷰에 참여하고, 장례식에 참여하는 것 등. 이러한 것들 중의 몇 개는, 만약 학생들이 무슨 아이디어를 생각해 내야 할지 모른다면 그들에게 제시될 수 있다.

이러한 연습은 종종 학생들에게 주제에 있어서의 흥미와, 그러한 흥미가 현대의 다른 극작가들에 의해 어떻게 다루어지는가에 대한 흥미를 자극한다. 그것은 그러한 흥미를 구체화시킨 다른 연극들, 예를 들면, 톰 스토파더의 「진짜 심사관 하운드」, 데이비드 헤어의 「세계의 지도」 등을 읽음으로써 더 많이 탐구되어질 수 있다.

제 8 장 단편소설

단편소설은 외국어 교실에서 학생들에게 문학을 가르치는데 있어서 이상적인 수단이다. 교사들은 그것을 수업에 이용함으로써 직접적인 많은 이점을 얻을 수 있다:

- 작품의 길이는 1~2시간의 수업시간 안에 전부 다 읽을 수 있는 분량이 적당하지만, 그 분량을 초과할 경우 소설이나 희곡 작품에서처럼 몇 개의 단원으로 나누어, 몇 시간의 수업으로 끝낼 수 있다.
- 외국인 학생이 자기 자신의 힘으로 읽을 경우 두려움을 덜어주기 때문에 집에서 해오는 과제를 정할 때 보다 더 적합하다. 학생들은 작품의 전체 내용을 훨씬 더 빨리 끝내었을 때 강렬한 성취감을 얻는다.
- 단편소설의 종류는 다양하므로, 교사는 학생의 취향이나 흥미에 맞는 단편소설을 선택할 수 있다.
- 단편소설은 여름방학 강좌 등과 같은 짧은 기간의 강좌나, 강의실을 옮겨 다니는 저녁시간 강좌, 연속해서 수강하는 성인강좌 등의 수업에 적합하다.

다음 페이지들에서 설명하는 아이디어들은 이러한 장르의 창조적인 활용에 도움이 되기를 바란다.

교재를 제시하여 이용하는데 있어서 단편소설이 긴 작품들보다 훨씬 더 창조적이다. 단편소설은 너무나 짧아서, 교사가 주의를 기울이지 않으면 외국인 독자들의 마음을 사로잡기에 다소 어려운 점이 있다: 그것은 역시 극도로 압축되어 있어서 픽션 속으로 끌어 들여 그것의 세계 내부에서 정말로 편한함을 느끼게 해줄 충분한 시간이 없다. 이 점이 바로 단편소설을 더 재미있게 하는 이유이다. 단편소설 작가는 성공적일 때, 언어나 비유의 탁월한 경제성을 가지고 경험을 잘 포장한다. 이를테면,

독자들은 한 알의 모래 속에서 세계를 보도록 초대받는 것과 같게 된다. 그러나 이러한 압축은 독자들이 작품의 질을 감상할 때 장애요소가 되기도 하고, 때로는 심지어 작품의 표면적 의미조차도 이해할 수 없게 만들어 버리기도 한다. 교사는 학생들이 그 모래 알맹이를 바라볼 때, 그 안에 있는 우주를 볼 수 있고, 하나의 정서적인 수준에서 그것에 반응할 수 있도록 도와주어야 한다.

그러므로 단편소설의 성공적인 활용을 위해서는 주의와 수업 이전의 성실한 준비가 필요하다. 앞의 여러 장에서 제시되었던 과제표들과 활동들이 여기에서도 마찬가지로 가치있게 활용될 수가 있다. 왜냐하면 어떤 면에서는 교실에서의 절차를 다양화하여 수업을 더 재미있게 만들어 주기도 하며, 또 다른 면에서는 학생들로 하여금 이전에 읽었던 페이지로 되돌아가서 세부사항을 더 자세히 살펴보게 하고, 일어나고 있는 일에 대해서도 심사숙고하도록 도와주기 때문이다. 다시읽기는 단편소설을 보다 완벽하게 이해하고 감상하기 위한 가장 핵심적인 요소이다: 단편소설은 그 간결한 특성으로 인해 한번 읽어서는 그 풍부한 내용을 심도있게 알기 힘든다.

수업시간에는 묵독이건 소리내어 읽건 간에 단편소설을 읽는 과정에 많은 시간을 할애할 필요는 없다. 교사는 미리 작품의 스토리를 알려줌으로써 학생들이 모르는 단어를 찾기 위해 멈추는 일이 없이 요점파악을 하도록 스스로 계속하여 읽게 한다. 혹은 플롯의 특색과 특정 작품의 주제를 학생들에게 알려주고 수업이 끝난 후에 각자가 스스로 읽게 하는 것이 더 좋을 것이다. 만약 교실수업 활동을 통해 학생들의 독서 습관에 영향을 주려 한다면 학생들이 마치 모국어로 쓰인 침대 옆에 둔 한 권의 책을 택할 때처럼 꼭같이 외국어에 있어서도 더욱 더 독립적일 수 있도록 도와주어야 한다.

로날드 달(Ronald Dahl)의 '자동차 무임편승 여행자'(The hitchhiker)

간결하지만 효과적인 이 작품은 독자의 흥미를 꾸준히 사로잡는다. 작품의 내용은 자신의 새 차를 타고 여행하기를 즐기는 어느 작가에 관한 것이다. 어느날 그는 도중에 차를 세워 자동차 무임편승 여행자 한 사람을 태우게 되는데, 그 사람의 직업을 추측할 수 없자 더욱 호기심이 자극된다. 그 자동차 편승 여행자는 차의 최대속력을 시험해 보도록 작가를 유혹한다. 그러나 최대속도로 달리던 그들은 오토바이를 타고 빠른 속력으로 뒤쫓아 오는 교통 경찰관에 의해 차를 세우게 된다. 경찰관은 이 두 사람의 신상에 대해 상세한 내용을 기록하고 나서 무거운 벌금과 면허취소 처분이 불가피하다고 작가에게 경고한다. 자동차 여행이 계속되는 과정에서 그 무임편승 여행자의 '기술'이 드러나는데, 그는 '소매치기'이다. 그는 차를 타고 여행하는 동안 작가의 양 호주머니에서 훔친 소지품 몇 가지를 보여준다. 작가는 그것을 보고 놀라지만 그 물건들 중에는 경찰관의 소지품인 어떤 물건이 역시 포함되어 있음을 알고는 크게 기뻐한다.

수업의 목적을 위해, 이 작품은 네 개의 부분으로 명확하게 나누어지며, 이렇게 나누어진 부분들은 듣기나 읽기, 또는 이 두 가지의 결합을 위해 제시될 수 있다. 아래의 활동들은 상이한 언어활동을 통합하고 학생의 참여나 반응을 극대화하는데 목표를 둔다.

준비학습 활동

학생들은 다양한 자동차 편승 여행자들의 몇가지 사진을 검토하여 그들 중에서 누구를 태워줄 것인지 결정한다. 각 결정에는 설명이 뒤따라야 한다. 학생들은 그룹으로 나뉘어져서 결정한 것들을 간단하게 비교한다. 더 구조화된 준비학습 활동을 위해서, 교사는 간단한 과제지(아래 과제지 45 참조)를 사용할 수 있다. 만약 필요하다면, 사진들 중의 하나를 사용하는 어떤 적절한 언어연습이 전체활동에 선행될 수 있다 (예를 들면, 'He looks...', 'He looks a bit...', 'He looks as though...').

표 **18**

1

2

3

4

과제지 45

표 18에 있는 네 장의 자동차 무임편승 여행자들의 사진을 검토하여 보고, 아래의 빈칸을 완성하시오. 여러분은 다음과 같이 가정할 수 있다:

- 여러분은 자신의 차에 혼자 타고 있다.
- 여러분은 바쁘지 않다.
- 여러분이 원한다면 여러분의 차를 세우는 것이 안전하다.
- 자동차 무임편승 여행이 이 길에서는 허용된다.
- 낮 시간이다.

사진 번호	성별 (남/여)	대략적인 나이	가능한 직업	용모 (얼굴, 의복, 성격, 기타)

사진 1의 사람을 위해 차를 세울 것인가? 예 / 아니오

사진 2의 사람을 위해 차를 세울 것인가? 예 / 아니오

사진 3의 사람을 위해 차를 세울 것인가? 예 / 아니오

사진 4의 사람을 위해 차를 세울 것인가? 예 / 아니오

그룹별로 여러분들의 결정에 대한 이유를 토론해 보시오.

각 단원별 읽기와 듣기활동 하기

학생들은 이 작품의 첫 단원을 읽거나 듣는다(이 단원의 끝은 '인생의 비밀은 ... 전문가가 되는 어떤 일에 아주 능통해지는 것이다'로 끝난다).

작가는 자동차 무임편승 여행자를 차에 태웠지만 그의 직업은 알아낼 수 없다. 교사는 학생들에게 그 자동차 무임편승 여행자에 대해 지금까지 무엇을 알고 있는지 생각해 보도록 요구하며, 그런 다음에 생각을 위한 하나의 촉진제로서 다음과 같은 목록을 사용하여 그에게 가장 어울릴 듯한 직업을 선택하게 한다 : 목수, 아이스크림 장수, 칼가는 사람, 예술가, 퇴역군인, 음악가, 대장장이 등. 그리고 나서 학생들은 선택한 사항들을 서로 비교하고, 작품 내용의 관점에서 선택한 직업을 정당화하게 한다.

작품의 둘째 단원은 경찰관과의 마주침을 서술한다(이 단원의 끝은 '그리고 나서 그는 자동차의 액세레이터를 밟아 도로를 으르렁 거리며 내달려 시야에서 사라졌다'로 끝난다). 이 작품은 언어가 직선적이어서 응답활동을 하기에 적절하다: 학생들은 동일한 사건이 자기의 나라에서 발생했다고 상상해 본다. 경찰관의 행동, 태도, 질문, 마지막의 처벌 등에 있어서 차이점들은 어떤 것일까? 필요한 경우, 교사는 이와 같은 질문들을 간단한 질문지에 적는다. 학생들은 그룹별로 토론하고, 가능하면 그들이 인지하고 있는 차이점들을 구체적으로 설명하기 위해 유사한 상황을 목표어로 즉석에서 묘사한다.

작품의 셋째 단원은 (이 단원의 끝은 '당신은 탁월한 솜씨를 가졌기 때문에'로 끝난다) 독자나 청자들이 그 자동차 무임편승 여행자가 소매치기임을 알아내게 됨에 따라 호기심을 만족시키게 된다. 여기서 그의 '환상적 손가락'은 특별히 뛰어난 기술을 말한다. 가벼운 응답활동을 위해, 교사는 학생들이 자기의 특별한 기술들에 대해 생각해 보게 한다. 그런 후에 한 장의 종이에다 그들의 최고의 기술을 써 보라고 말한다. 그 기술은 매우 특별할 필요는 없으며, 단지 각자가 능숙하기만 하면 된다. 교사는 종이 쪽지를 모아 교사 자신의 것과 함께 한 개의 모자에 담는다. 이제 학생들은 종이를 한 장씩 (자신의 것은 아니고) 꺼내어 거기에 쓰인 특별한 기술의 소유자가 누구인지 추측한다.

작품의 마지막 단원은 놀라운 사실을 드러나게 한다. 그는 자동차 무임편승 여행자는 두 사람의 신상에 관한 세부사항과 위법사항이 적혀 있는 경찰관의 수첩을 소매치기한다. 그는 그날을 구제한 것이다. 작품의 이 마지막 단원을 시작하는 매력적인 한 가지 방법은 학급의 학생들에게 이야기의 끝을 예측해 보게 하는 것이다.

읽기나 듣기가 끝난 후에 후속학습 활동으로서 다음과 같은 몇 가지 활동들이 적합하다:

- 학생들은 자동차 무임편승 여행자가 경찰관의 수첩을 훔친 정확한 지점을 작품 안에서 찾아내야 한다. 그들은 선택한 지점을 나타내 주는 단어들을 작품으로부터 찾아 써 둔다. 그리고 나서 결과를 비교한다.
- 학생들은 '차를 쫓아가다 당해버린 경찰관'이라고 표제가 붙는 사건에 관해 하나의 신문기사를 쓴다.
- 학생들은 즉흥 역할놀이 연기를 하기 위해 몇 쌍으로 짝을 짓는다. 교사는 각 쌍에게 이야기와 관련된 상황을 제시해 주고 생각하게 한 후 연기하도록 한다. 그런 상황에는 다음과 같은 것이 포함된다:
- 경찰관과 작가는 사건 직후 어느 주점에서 만난다; 경찰관은 비번이다.
- 경찰관의 아내는 정원의 울타리 너머로 이웃과 얘기하고 있다; 이웃은 그 사건에 관한 신문해설 기사를 읽었다.
- 자동차 무임편승 여행자는 같은 날 고속도로 까페에서 경찰관과 만난다; 경찰관은 자신의 수첩을 요구한다.

학생들은 각자 자기의 사건개요 설명을 준비하며, 각 상황은 학급의 나머지 학생들을 위해 자발적으로 지원하는 쌍들이 공연한다. 교사는 필요한 경우, 나중의 언어교정 작업을 위해 모니터한다.

아라스다일 그레이(Alasdair Gray)의 '별'(The star) 및 '이안 니콜 씨의 혹의 성장'(The spread of Ian Nichol)

이들 두 단편은 강력한 초현실적 요소를 결합해 있는 매우 압축된 이야기들이다. '별'에서 어린 소년은 하늘에서 별이 자기 집 뒷뜰로 떨어지는 것을 본다. 그는 그것을 찾아서 남몰래 소중히 간직한다. 그런데 그가 그 별을 학교에 가져가서 그것을 보다가 선생님께 들키고 만다. 그는 그것을 선생님께 주지 않고 삼켜 버리며, 그도 역시 하나의 '별'이 되고 만다.

'이안 니콜씨의 혹의 팽창'에서, 리벳공(대갈못 박는 공인)인 이안 니콜씨는 머리 뒷쪽의 대머리 부분에 혹이 한 개 생긴 것을 발견한다. 그것은 점차 자라서 또다른 이안 니콜로 되어져 완벽한 쌍둥이가 되어진다. 정체성을 위한 소유권 싸움이 뒤따라 일어난다. 그것이 마침내 해결될 때, 그들 두 사람은 각자 그들의 머리 뒷쪽에서 혹을 하나씩 발견한다...

그룹활동과 무언 흉내극 공연하기

이 활동에서 작품들은 일반적인 준비학습 과정을 거치지 않고 제시된다. 무언 흉내극이 현대 단편 작품과 폭넓은 독서에의 흥미를 유발시키기 위해 사용된다. 이러한 활동의 목표는 개인과 그룹의 상호의존에 대한 독자적 이해를 개발하는 것이다; 교사는 학생들 개개인이 작품에 대해 오직 하나의 '옳은' 견해만이 있다고 느끼는 것이 아니라 그들 나름의 여러 가지 해석들을 함께 나누도록 권장한다.

제1단계 : 읽기와 이해하기

학급은 절반씩 두 집단으로 나뉘어지며, 각각 다른 단편 작품을 읽게 된다. 교사는 한 집단에는 '별', 나머지 다른 집단에는 '이안 니콜씨의 혹의 팽창'을 배포하며, 흥미 유발을 위해 이 작품들이 특이한 이야기임을 언급한다. 학생들은 모르는 단어를 연필로 표시해 가며 읽는다. 다 읽고 난 후, 그들은 네 명씩으로 된 그룹들로 배치되어, 어려운 단어를 토론하고 이야기에 대한 이해를 점검한다. 교사는 각 그룹이 어떤 단어나 표현의 의미를 추측하지 못할 때에만 도와준다.

제2단계 : 이야기 내용을 무언극으로 흉내내기

여러 소그룹들은 읽은 작품에 대해 무언극을 준비하여 다른 작품을 읽은 그룹을 위해 그것을 공연한다; 그들은 중요한 이야기만을 무언극으로 연기할 필요가 있으며, 원한다면 그것을 여러 장면으로 나누어 연기할 수 있다. 그 다음에 다른 그룹들은 자기들의 무언극을 연기하며, 이를 지켜보는 나머지 그룹은 연기되고 있는 이야기의 내용을 소리내어 추측한다. (더 큰 학급일 경우, 교사는 두 개 이상의 교실을 필요로 할 것이다. 학생이 집에서 개인적으로 읽은 작품들의 무언극 연기도 역시 가능하다. 그럴 때 학생들은 수업 전에 미리 무언극 연기를 준비해 와서 이 단계에서 시작한다).

제3단계 : 두번째 작품 읽기

무언극 연기가 끝난 후에, 교사는 각 학생들에게 각자가 무언극으로 보았던 작품을 읽을 수 있도록 하기 위해 다른 작품들을 배포된다. 학생들은 1단계에서 구성된 각 그룹들로부터 한 쌍씩 짝을 짓는다. 각자는 두번째 작품에 있는 어려운 단어들을 다른 학생을 위해 도와준다.

제4단계 : 토론

교사는 이 시점에 와서 몇 개의 선택권을 가진다. 학급의 학생들에게 어느 이야기가 가장 좋았는지, 또 어떤 이야기가 가장 특이했는지 따위를 말하도록 요구할 수 있다. 그리고 짧은 토론을 하고 나서, 혹은 다음 수업시간에서 시작할 때, 두 개의 단편을 모두 읽어주고는 학생들이 그룹별로 과제지들을 함께 작성해내게 할 수도 있다. 이것은 일반적으로 상당한 범위에 걸친 견해나 토론을 제공하여, 단순히 받아들인 것들에 의존하기 보다는 개인적인 해석들을 말로 표현하는데 있어서 자신감을 키워준다.

과제지 46

'별'에서 소년 카메론을 생생하게 묘사할 수 있다. 다음과 같은 성질들을 나타내거나 암시하는 인용문들을 작품에서 찾아내시오.

비밀스러움	자신감의 결여
외 로 움	사랑의 결핍
두 려 움	그 밖의 것?
부끄러움	

여러분은 다음의 아이디어들이나 사실들 중에서 어느 것을 작품에 나타난 별의 이미지와 가장 쉽게 연관시키겠는가?

대리석	상상력	영원한 생명
자살	사랑의 갈구	현실로부터의 도피

별과 연관되는 가능할 수 있는 의미들에 대해 여러분이 갖고 있는 다른 어떤 생각들을 써 보시오. 그리고 그룹내의 다른 사람들과 여러분의 생각을 토론해 보시오.

과제지 47

'이안 니콜씨의 혹의 성장'은 특이한 이야기이다. 아마도 거기에는 전통적 의미에서의 도덕이 없다. 그러나 만약 여러분이 이 작품에 한 가지 도덕을 부여해야 한다면, 그것은 무엇이 될 수 있을까? 아래에 몇 가지 가능한 도덕들이 있다. 만약 이들 중에서 어느 것도 적절하지 않다면, 여러분 자신의 것을 만들고 그것이 적절하다고 생각하는 이유를 말하시오. 만약 목록에 있는 도덕들 중의 하나를 선택한다면, 여러분의 선택을 정당화하시오.

교훈 1 : 모든 사람들은 두 개로 되어 커져버린 자신의 모습과 마주치는 것을 두려워한다.
교훈 2 : 자아도취가 완전히 일을 잘못되게 하였다.
교훈 3 : 모든 사람의 내부에는 밖으로 나오려고 애쓰는 또다른 개성이 있다.
교훈 4 : 산아제한의 어떠한 형태도 안전하지 않다.
교훈 5 : 창조성이 항상 독창적인 것은 아니다.
교훈 6 : 여러분이 무엇을 하든 삶은 무자비하게 계속된다.
교훈 7 : 여러분 자신을 알라.
여러분의 교훈 : ....
여러분의 선택과 이유 : ....

나라얀(R.K. Narayan)의 '변두리'(The edge)

이 작품은 학생들에게 낯설지도 모를 어휘가 들어 있는 상당히 긴 작품이므로 보다 더 고급 수준의 학생들에게 적합하다. 처음에 이 작품은 거의 줄거리가 없는 것처럼 보인다. 그것은 작품이 친밀감 있는 주인공인 인도의 칼가는 장수 랑가에 대해 점진적으로 묘사해 나가기 때문이다. 풍부한 세부사항들, 예컨대 그의 배경, 특유의 성격, 딸에 대한 사랑, 부인과의 반복되는 싸움, 직업에 대한 자부심, 고객들과의 관계 등이 그려진다. 그러나 마침내 랑가는 정부의 불임계획 담당 공무원들과 조우한다. 그 공무원들은 아이를 낳는다는 것이 이 가난한 문맹자에게 무슨 의미를 가지는지 이해할 수 없다. 한편 그는 왜 그가 30루피라는 많은 금

액을 정부로부터 받고 있는지 처음에는 그 이유를 정확하게 깨닫지 못한다. 최종적인 아이로니로서, 그는 자기 직업의 도구들(칼)을 자신에게 사용하면서 도망간다.

준비학습 활동

제목에 관해 생각하기

학생들은 그들이 '변두리'라는 단편을 읽게 된다는 것을 선생님으로부터 듣는다. 그들은 '변두리'가 무엇을 지칭하고 있는지에 대해 생각할 수 있을까? 그들은 'edge'(변두리 또는 끝)라는 단어가 들어있는 어떤 표현들을 알까? 예를 들면 : 칼의 날카롭거나 무딘 변두리/ 끝(the sharp or blunt edge of a knife), 절벽의 끝(the edge of a cliff), 마을의 변두리/ 끝(the edge of town), 가난의 변두리 끝에 살다(to live on the edge of poverty), 정상정신의 변두리(the edge of sanity), 미친 것의 변두리(the edge of madness), 날카로운 끝을 가진 혀(a sharp-edged tongue), 돌파구의 끝에 있다(to be on the edge of a breakthrough), 붕괴의 끝에 있다(to be on the edge of a breakdown) 등등. 모든 제안을 이 단계에서 받아들이고, 그것들을 칠판에 쓰며, 학생들은 그것들을 노트에다 쓴다. 그러한 것들은 후속 학습 활동을 위해 보존된다.

생활방식 비교하기

이 활동은 이 단편소설의 중심적인 상황에 대한 학생들의 태도를 이끌어 내도록 설계된 것이다. 학생들은 작은 시골 마을의 매우 가난한 문맹자에게 삶은 어떠한 것인지에 대해 생각하도록 한다. 그러한 사람의 삶과 도시의 환경에서 교육받았으며 그곳에 살면서 일하는 어떤 다른 사람의 삶 사이에는 어떠한 차이점들이 (만약 그러한 경우가 학생들 자신의 삶이라면) 있을까? 과제지 48에 있는 바둑판 모양의 표를 가지고 그룹별로 학습활동을 해보면 이것이 보다 더 고른 참여를 보장해줄 때가 많지만, 이 활동은 전체적인 학급토론의 형태로서 행해질 수 있다.

여러 그룹들이 그들의 표를 모두 다 써 넣었을 때, 전체적인 학급의 표를 확립하기 위해 전체적인 피드백 과정이 있다.

과제지 48

아래의 두 가지 대조적인 생활방식에 대해 논평을 쓰시오.

태 도 :	작은 시골마을에 사는 문맹자	도시환경에 사는 교육받은 사람
시 간 : 그것은 무엇을 의미하는가? 그것은 얼마나 중요한가?		
가 족 : 그것은 무엇을 의미하는가? 그것은 얼마나 중요한가?		
공 동 체 : 개인과 공동체는 어떻게 관련이 되는가?		
다른 사람과의 의사소통 : 개인은 다른 사람들과 어떻게 의사소통을 하는가?		
중 앙 정 부 : 개인은 중앙정부와 어떻게 관련되는가?		

직 업 : 그것은 무엇을 의미하는가? 그것은 얼마나 중요한가?		
나 이 : 그것은 무엇을 의미하는가? 그것의 특별한 권리, 특전 또는 의무는 무엇인가?		

듣기 활동

학생들은 그들이 듣게 될 첫번째 단원에 관한 10개의 진술문들을 읽는다. 그것들 중의 두 개는 틀린 것이다. 그들의 임무는 옳은 진술문들을 ✓표로 표시하고 두 개의 틀린 것들을 ✗로 표시하는 것이다(과제지 59 참조).

그리고 나서 교사는 필요하면 첫번째 단원 (34행 - 읽는데 소요시간은 2분 정도)을 크게 소리내어 한번 내지 두번 읽는다. 과제지는 학생들을 작품 안으로 안내하는 소요약문으로 작용하며, 또한 이해를 위해 필요한 몇 개의 용어들을 소개하고 설명한다: 즉 dhoti - 허리에 두르는 천, peripatetic - 소요학파의, grinding - 빻다 따위.

정답을 검토한 후에 교사는 주인공에 대한 학생들의 지금까지의 인상을 묻는다. 그의 성격에 관해 가능한 많은 세부사항들을 도출하고, 이후의 참고를 위해 기록하고 보존한다. 학생들은 작품과의 이러한 첫 대면 후에 다음에 설명할 '집중적' 어휘연습을 하거나, 또는 첫 세 페이지의 읽기활동으로 진행할 수 있으며, 그런 활동이 끝난 후에 '해석'에 관해 묻는 질문지에 의해 불붙게 될 열띤 토론이 이어진다.

과제지 49

여러분은 R.K. 나라얀의 '변두리'라는 단편소설의 첫 부분을 듣게 될 것이다. 듣기 전에 아래의 진술문들을 읽으시오. 이들 중의 8개는 이 단편소설에 있는 사실들을 정확하게 기술한다. 그리고 2개는 틀린 것이다. 여러분이 이 이야기를 들으면서 참인 진술문들에는 ✓로, 2개의 틀린 진술문에는 ✗로 표시하시오. 진술문들은 순서대로 되어 있지 않다.

1. 그는 도티와 셔츠, 터번을 입었다(도티는 인도의 힌두교도들이 몸의 중간 부분에 걸치는 헐렁한 옷).
2. 그는 페달로 작동되는 휴대용 칼가는 기계를 갖고 다녔다.
3. 그는 대군(大君)을 위해 칼을 갊으로써 백만장자가 되었다.
4. 그는 단지 칼이 아니라 모든 종류의 기구들을 날카롭게 갈 수 있다고 생각하기를 좋아했다.
5. 그는 단지 한 장소에서만 일하지 않고 이리저리 소요했다(이 장소 저 장소로 옮겨 다녔다).
6. 그의 이름은 랑가이고 자신의 나이를 누구에게도 말하지 않았다.
7. 그는 콧수염은 없고 턱수염이 많았다.
8. 그는 계속해서 말하기를 좋아하는 사람이었다.
9. 그는 재봉사들과 이발사들이 그들의 칼을 갈도록 설득하는데 아주 애를 먹었다.
10. 그는 목소리가 컸으며, 사람들이 나와서 칼과 가위들을 갈도록 부탁하면서 도시의 여러 거리를 걸어다니곤 했다.

어휘놀이

학생들은 이 연습을 위해서, 읽게 될 작품의 첫 페이지들(23행)을 교사로부터 받는다. 교사는 학급 학생들의 수만큼 종이 쪽지를 준비하는데, 그 중의 절반은 교재에서 나온 어렵고 특이한 단어가 적혀 있고, 나머지 절반은 각 단어의 정의가 적혀 있다. 아래에 제시한 예는 30명의 학급 학생들을 위해 작성된 것이다.

예 : 어휘놀이를 위해 '변두리'의 첫 페이지에서 뽑은 15개의 단어들과 그것의 정의가 각각 한 개의 작은 종이 쪽지에 쓰여져 있다. (이것은 30 명으로 구성된 학급을 위해 사용될 것이다).

단어	정의
pressed	강하게 강요받은 ; 강요받은 ; 강제의
tactics (용병학, 전술)	바라는 목표에 도달하기 위해 노력을 조직화하는 기술
scythe (큰 낫)	풀이나 다른 농작물을 자르는 기구. 길고 가는 구부러진 끝을 가졌으며 두 손으로 쥔다. 길게 스치는 동작으로 사용된다
hatchet (손도끼)	짧은 손잡이가 있는 작고 가벼운 도끼. 한 손으로 사용한다.
loquaciousness (수다스러움)	수다스럽고, 말하기 좋아하는 사람들의 상태
patchy (누덕누덕 기운)	잡동사니와 비슷한 ; 다른 여러 가지의 조각들로 구성된 ; 한결같지 않은 모습
tuft	부드럽고 유연한 작은 것들의 묶음 - 머리카락, 깃털 따위가 밑부분에서 함께 고정된
overlaid (겹쳐진)	어떤 것 위에 놓여진
almanac (달력, 연감)	별들에 기초를 둔 계산과 예측을 써 넣은 달과 날들의 달력
a dhoti	힌두교도들이 입는 몸의 중간 부분에 걸치는 헐렁한 옷
khaki	흐릿한 황갈색. 군복으로 자주 사용된다
sonorous (울려퍼지는, 낭랑한)	소리의 ; 크고, 깊고, 공명하는

high-pitched (가락이 높은)	소리의 ; 톤이 높은 ; 삐걱거리는
grindstone (회전연마기, 숫돌)	중심축 위에서 회전하는 돌 원반. 빨거나 뾰족하게 하거나 윤을 내는데 사용된다
peeler (껍질 벗기는 기구)	오렌지나 당근 따위의 껍질을 벗기는데 사용하는 기구

교사는 모든 종이 쪽지들을 용기에 넣고 학생들이 각자 한 개씩 고르게 한다. 그들은 고른 단어나 정의를 서로에게 큰 소리로 읽어줌으로써 파트너를 찾는다.

이 활동은 대개 처음에는 다소 소란스러우며, 소음이 상당히 높을 수 있다. 그러므로 오직 옆반을 방해할 위험이 없는 상황에서만 사용하는 것이 좋다. 그러나 학생들은 그것을 즐기므로, 그러한 활동은 단어의 의미를 애써 추측하기 위해 문맥을 활용하게 하는 효과적인 방법이다.

교사는 두 명씩 짝을 짓게 하고 두 쌍을 함께 모은다. 각 쌍은 다른 짝의 두 사람에게 그들이 선택한 단어에 대한 정의를 제시할 수 있는지 묻는다: '"almanac"은 무엇을 의미하는지 아는가?'라는 질문에 만약 그들이 대답할 수 있다면, 그들은 1점을 얻는다. 그리고 나서 그들은 옆의 쌍에게로 계속해서 이동하여 그러한 과정을 반복한다.

해석에 관한 질문지의 답안 작성하기

학생들은 이 단편소설의 첫 세 페이지를 읽는다('Ranga physically dwelt in the town no doubt...'로 시작되는 단락까지).

그리고 나면 교사는 학생들에게 혼자, 또는 그룹별로 과제지 50을 써넣도록 나누어 준다. 이 과제지의 질문들은 사실, 또는 이해에 관한 것이 아니라, 그 답이 옳을 수도 있고 틀릴 수도 있는 진위형 문제들이 될 수 있다. 오히려 그러한 질문들은 학생들이 작품 내부의 기본적인 몇 가지 문제들에 대해 생각하게 만든다 – 나아가 작품의 해석을 시도하도록 만들어 준다.

이와 같은 종류의 질문지는 학급의 수준에 맞추어져야 한다. 학생들이 질문에 대해 대답을 시작할 수 있도록 하기 위해 그러한 문제에 대한 대답을 너무 많이 제시해서는 안되지만, 하나 또는 두 개 정도는 해주는 것이 유용하다. 그것을 너무 많이 제시하면 학생들의 상상력을 속박하는 경향이 있기 때문이다. 문학 전문가나 고급 수준의 학생들일 때는 그러한 것들을 더 많이 필요로 한다. 몇 가지 다른 보기들이 과제지 50의 바로 뒤에 만들어져 있다. 그와 같은 과제지의 작성을 준비하고 있는 교사는 이 보기들 중에서 선택할 수 있다. 학생들은 완성시킨 과제지들을 서로 비교하고, 쌍이나 그룹별로 그들이 선택한 것을 정당화하게 되며, 그러한 활동 뒤에 전체적인 피드백과 토론을 하게 된다.

과제지 50

아래 질문들에 대해 가능한 많은 답을 써시오.
여러분을 위해 몇 개의 제안들이 만들어져 있다.

1. 랑가는 그의 나이를 누구에게도 말하지 않았다. 왜 그랬는가?
   그는 자신의 나이를 몰랐다.
   ____
   그는 자신의 나이를 잊어버렸다.
   ____
2. 랑가는 행복해 하면서 말구디의 거리들을 이리 저리 걸어다녔다. 왜 그의 심리상태가 행복했을까?
   그는 자신의 일을 사랑했다.
   ____
   그는 시계를 볼 필요가 없었다.
   ____
3. 랑가는 재봉사나 이발사들과 장사를 할 때에는 주의를 했다. 왜 그랬는가?
   그는 그들에게 의존할 수 없었다.
   ____

그는 그들의 칼을 가는 것을 거절했다.

4. 랑가의 직업에 대한 태도를 설명하기 위해 여러분은 어떤 단어들을 사용할 수 있겠는가?

persistent(고집스런)

cunning(교활한)

5. 랑가는 음식에 대해 많은 관심을 갖지 않았다. 왜 그랬는가?

그는 음식에 많은 돈을 쓰길 원하지 않았다.

그는 먹는 것이 필요하지만 흥미롭지는 않다고 생각했다.

그 밖의 다른 제안들:

1. 그는 틀에 박히는 것을 원하지 않았다.
   그는 그것을 중요하다고 생각하지 않았다.
   그는 그것이 다른 사람들에게 자신을 지배하는 힘을 줄 것이라고 생각했다.
2. 그는 그의 외모에 대해 걱정하지 않았다.
   그는 그의 행운을 믿었다.
   그는 잔소리를 하는 사람이 없었다.
3. 그는 그들의 반응이 어떠한지 몰랐다.
   그는 그들을 설득하기 위해 열심히 일해야만 했다.
   그는 그들을 신용할 수 없었다.
4. 공격적이고, 그의 기술에 대해 자부심으로 가득 차 있고, 결연하고, 조심스럽고, 교활하다.
5. 그는 배고픔이란 의식하지 않으면 사라진다고 생각했다.
   그는 개인적 안락에는 관심이 없었다.

사건들의 순서 바로하기

교사는 학급의 학생들이 숙제로서 랑가가 불임 기획단과 만나는 부분까지 이 단편의 대부분을 읽게 한다. (그들은 'He noticed a coming vehicle...'로 시작되는 단락까지 읽는다).

흐름표를 작성하겠금 안내해 주는 과제지 51A와 51B에는 집에서 읽어오는 활동이 수반될 수 있다. 흐름표들의 비교나 토론은 다음 수업시간을 위해 보류될 수 있다. 그렇지 않으면 학생들이 스스로 이 단원을 읽은 후에 전체적인 수업활동을 교실에서 행할 수도 있다.

학생들은 랑가가 정부관리를 만나는 시점까지, 사람들이 알고 있는 바와 같은 그의 인생 이야기를 구성하는 14개의 사건들에 대한 목록을 받는다. 이 사건들은 뒤범벅된 순서로 주어진다. 학생들은 랑가의 연대기에 따라 그것들을 배열해야 하며, 그리고 나서 그들이 함께 받은 흐름표의 도표에 맞춰 넣어야 한다. (고급반의 경우, 교사는 그들에게 랑가 인생의 여러 단계를 묘사할 수 있는 흐름표를 고안해 내게 한다). 이것을 위해 완성되어진 흐름표가 표 19에 제시되어 있다.

과제지 51A

우리가 지금까지 살펴본 바와 같이 아래에 랑가의 인생에 있어서의 14가지 사건들의 목록이 있다. 그것이 일어난대로 이야기를 말해 줄 수 있도록 바른 순서로 배열하시오.

(a) 그의 아내는 그와 도시로 이사가기를 거절했다.
(b) 마을의 대장장이는 자기 이익의 배당을 요구하고, 또한 선술집에서 자주 술 마시기를 원한다.
(c) 그는 자기 마을의 모든 거리를 걸어다니지만 충분한 돈을 벌 수 없다. 그의 부인은 자기들이 너무나 가난하기 때문에 불만이다.
(d) 그는 그의 첫 콧수염 한가닥이 나타났을 때, 칼가는 장수로서 일을 하기 시작한다.

(e) 그의 아내의 성질은 좋아진다.
(f) 그는 도시로 떠날 적당한 날짜를 잡기 위해 교장과 상의한다.
(g) 그가 그의 아내를 때리자 그녀는 빗자루를 쥐고 복수하면서 그를 집에서 내쫓는다.
(h) 그는 마을 대장장이의 조수로서 타마린드 나무 아래에 칼 가는 기계를 설치한다.
(i) 그의 딸은 선교사 학교에 보내어질 충분한 나이가 되었다. 그의 부인은 학비가 너무 비싸기 때문에 그 아이가 학교를 그만두기를 원하지만, 그는 딸이 교육받아야 한다고 주장한다.
(j) 그는 25마일 떨어져 있는 마을인 말구디 마을에서 직업을 가질 수 있는지 그 가능성을 탐색하기 위해 여행을 한다. 그는 그곳이 그를 위한 장소라고 결정한다.
(k) 그의 아내는 그가 선술집에 갔다 왔을 때, 화가 나서 그에게 음식을 주지 않으려고 한다.
(l) 그는 떠돌아 다니는 칼가는 장수로서 그의 행운을 시험해 보기로 결정한다.
(m) 그는 하나의 타협안에 대해 결정한다 : 즉 말구디에서 일하지만 2개월마다 몇 일간씩 가족을 방문한다.
(n) 그는 아내가 술 한잔을 마셔 보기를 원한다. 그녀는 그것을 싫어하며 그것을 방바닥에 쏟아 버린다.

과제지 51B

아래에 랑가의 생활에서 일어난 사건들의 흐름표가 있다. 여러분이 14개의 사건들을 순서대로 정리하여 다음에 있는 표의 알맞은 상자 속에 집아 넣으시오. 이 표에서 시간의 흐름은 위에서 아래로 진행된다: 즉 빠른 시간이 늦게 일어난 사건보다 위에 위치한다. 같은 높이에 있는 상자들은 같은 시간에 일어난 것을 의미한다. 화살표(↓)는 한 사건이 다른 사건을 발생시킨 것을 의미한다.

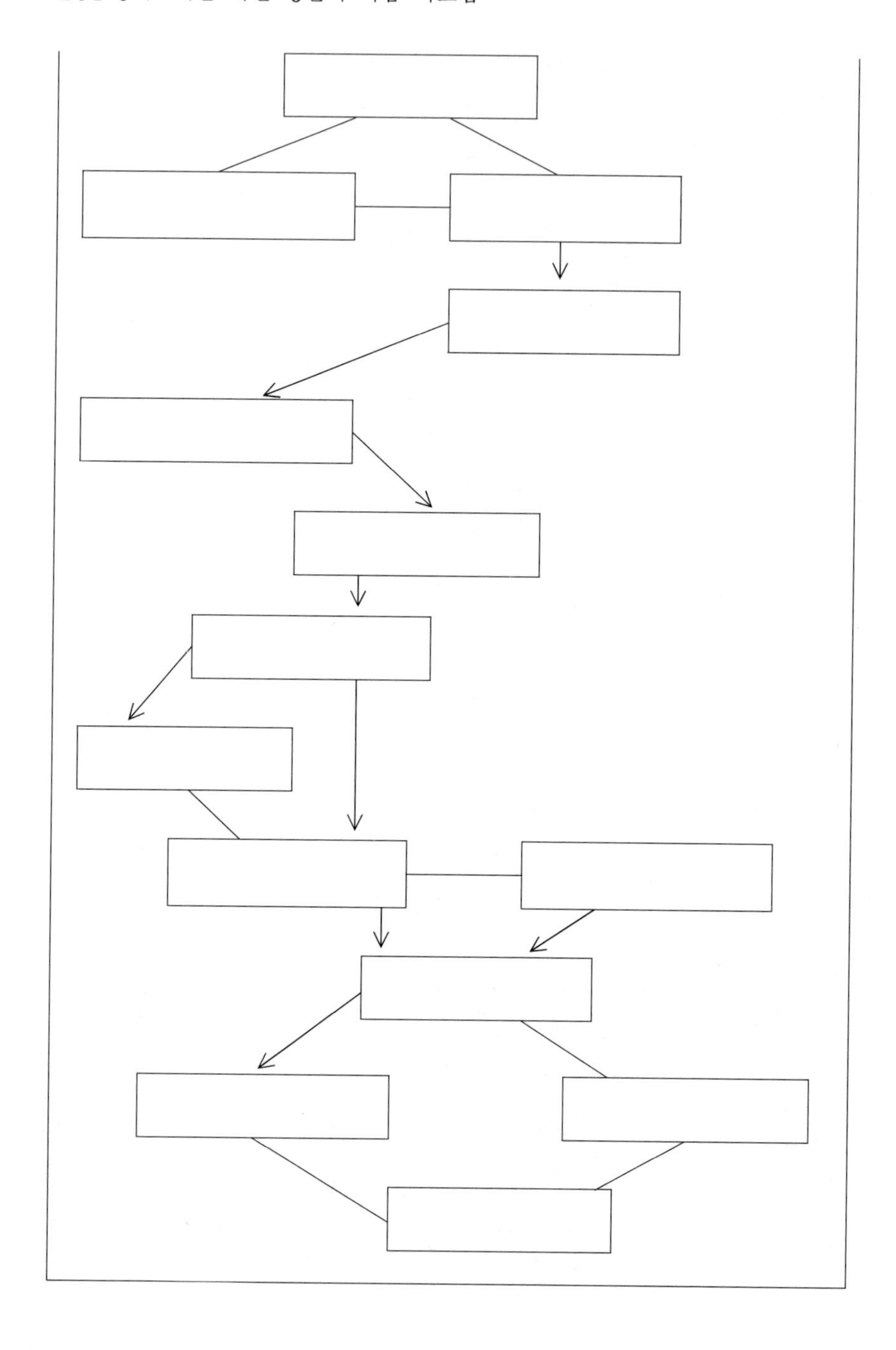

표 19

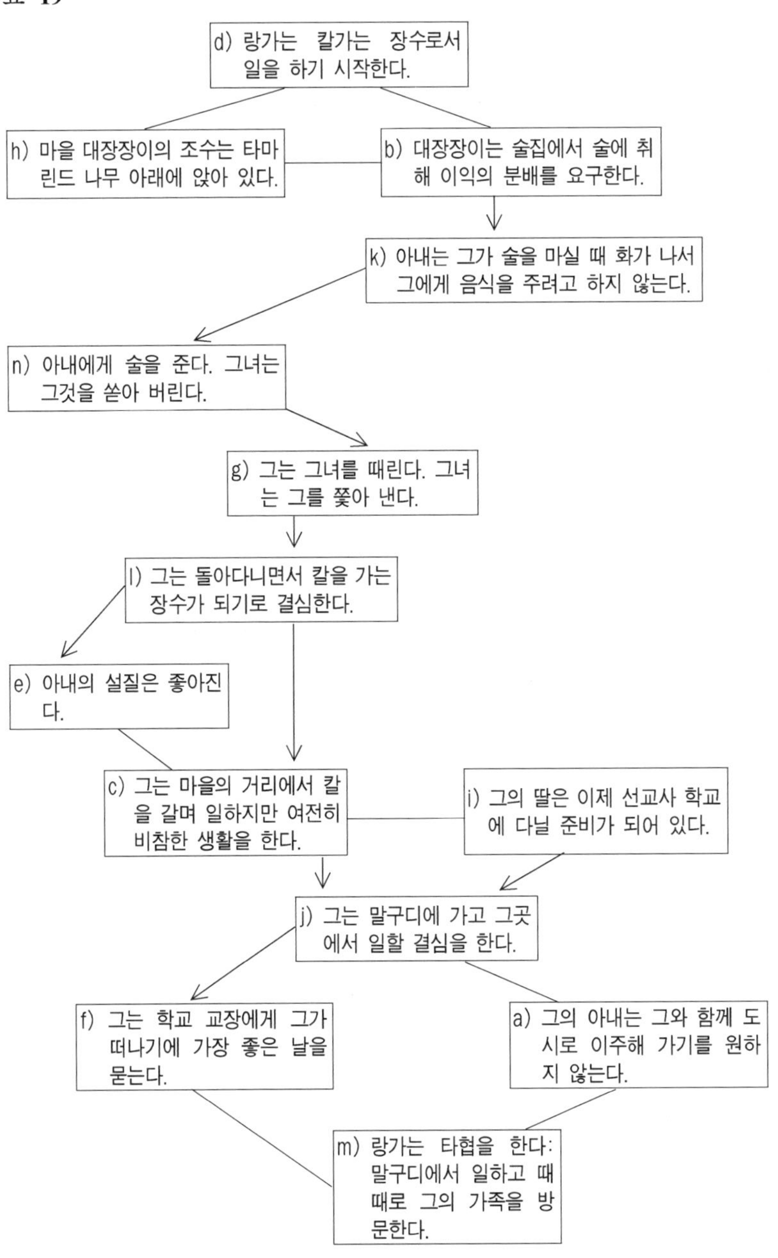
d) 랑가는 칼가는 장수로서 일을 하기 시작한다.
h) 마을 대장장이의 조수는 타마린드 나무 아래에 앉아 있다.
b) 대장장이는 술집에서 술에 취해 이익의 분배를 요구한다.
k) 아내는 그가 술을 마실 때 화가 나서 그에게 음식을 주려고 하지 않는다.
n) 아내에게 술을 준다. 그녀는 그것을 쏟아 버린다.
g) 그는 그녀를 때린다. 그녀는 그를 쫓아 낸다.
l) 그는 돌아다니면서 칼을 가는 장수가 되기로 결심한다.
e) 아내의 설질은 좋아진다.
c) 그는 마을의 거리에서 칼을 갈며 일하지만 여전히 비참한 생활을 한다.
i) 그의 딸은 이제 선교사 학교에 다닐 준비가 되어 있다.
j) 그는 말구디에 가고 그곳에서 일할 결심을 한다.
f) 그는 학교 교장에게 그가 떠나기에 가장 좋은 날을 묻는다.
a) 그의 아내는 그와 함께 도시로 이주해 가기를 원하지 않는다.
m) 랑가는 타협을 한다: 말구디에서 일하고 때때로 그의 가족을 방문한다.

끝부분까지 읽기

학생들은 이제 집에서 이 작품을 끝부분까지 읽어 볼 마음의 준비가 아마도 되어 있을 것이다. 그렇게 하기 전에 잠깐 동안 쉬면서 지금까지 배운 것을 복습하고, 이 지점에서부터는 이야기가 어떻게 전개될 것인가를 추측해 보도록 노력하는 것이 유용하다. 일단 전체의 이야기를 다 읽었으면 선택할 수 있는 다양한 후속 활동들이 있다.

'변두리'를 재검토 하기

교사는 학생들이 작품을 읽기 시작하기 전에 그들이 써 두었던 '변두리들'(edges)의 목록으로 되돌아 가서 다시 보게 한다. 그들은 그룹별로 작품의 이야기에 더욱 적합한 표현들을 세 개 선택하여 중요성에 따라 순서대로 등급을 매긴다. 학생들이 이러한 활동의 마지막에 가서 서로의 목록을 비교하게 되며, 그때 종종 이 작품의 다층적인 의미와 상징주의에 대한 유익한 의견의 불일치와 함께 계속 이어지는 토론이 있게 된다. 숙제를 하기 위해 그들은 자신들이 선택한 세 개의 항목에 대해 각각 정당화하는 문장을 한 문장씩 쓴다.

에세이 작문으로 인도하는 도표에 써 넣기

교사는 학생들에게 아래와 같은 과제지 32를 나누어 주어 도표를 써 넣게 한다. 그들은 작품을 읽는 사람에게 각 화제에 관한 정보를 주게 될 간단한 인용문(페이지 표시와 함께)을 작품에서 뽑아 쓰게 한다. 이것은 교실 활동으로 고안된 것이다. 학생의 절반은 랑가에 대해서, 그리고 나머지 다른 절반은 그의 아내에 관해 상세하게 써 넣어야 한다. 도표가 완성되면 그들은 두 명씩 짝을 지어 남편과 아내의 도표를 비교해 본다. 숙제로 그들의 특성 중의 하나에 대해 에세이를 써 볼 수도 있고, 또는 그들의 인간성, 장점이나 단점 등을 비교하거나 대조하는 작문을 할 수도 있다.

과제지 32

다음 사항에 대한 랑가와 그의 아내의 태도를 나타내는 간단한 인용문을 작품에서 찾으시오. 페이지도 함께 표시하여 다음 표를 적절하게 써 보시오.

	태도
음식	
직업	
딸의 교육	
여성들의 역할	
술마시기	
여성과의 관계	
운명	
가난	
현대문명	
지역사회에서의 지위	
젊은 세대	

텔레비젼 보도기사 만들기

교실의 그룹활동인 이 활동을 위해 각 그룹은 저녁 뉴스 프로그램에서 볼 수 있는 '특별취재'와 같은 짧은 보도기사를 준비하여 제시해야 한다. 학생들에게 이것을 시작할 수 있도록 다음과 같은 구조틀을 줄 수 있다. 즉, 이 TV 프로그램의 첫 부분은 짐/ 쥴리아 스미스를 보도의 주연으로 내세운다. 그는 매일 저녁 6시 뉴스 진행자이고 아래와 같은 뉴스를 읽는 것으로 뉴스 보도를 시작한다:

인도의 생활수준 개선을 위한 시도로 정부는 출산율을 감소시키는 활발한 운동을 전개해왔습니다. “두 명이면 족하다”라는 표어가 실린 포스터들이 전국에 붙여졌습니다. 전문가팀들이 이미 두 명 이상의 아이를 가진 사람들에게 불임을 권유하도록 모든 지역에 파견되었습니다. 매력있는 현금 보너스를 주면 사람들이 자발적으로 참여하겠금 설득할 수 있을 것으로 전망됩니다. 그러나 어떤 지역에서는 이 프로그램이 강한 반대에 부딪치고 있습니다. 사람들이 정부의 시책에 어떤 반응을 보이는지 알아보기 위해 말구디의 농촌읍 지역 주변에 나가 지금까지 사람들과 인터뷰를 해오고 있는 특별 취재기자 크리스티네 카터-브라운씨를 만나 보겠습니다.

이제 학생들은 이 ‘특별취재’를 준비한다. 한 명은 기자가 되고 나머지 다른 사람들은 그녀의 인터뷰를 응해 주는 마을 사람들이 된다: 랑가; 불임시술사 팀의 수석; 랑가의 아내; 마을 선생님 등. 더욱 논쟁적인 보도가 되기 위해서는 각 그룹은 강력한 주장을 가진 듯한 사람들과의 인터뷰를 포함시켜야 한다. 예를 들면, 말구디의 반낙태 연맹의 지도자나 기아 지역 구제에 종사하는 정부요원 등이 해당될 수 있다.

교사는 학생들이 대본을 준비하도록 도와준다. 그들은 작품에서 인터뷰에 응하는 사람들이 그들의 성격이 잘 드러나겠금 행동하도록 만들어야 한다 - 예를 들어, 랑가는 기자의 질문에 직접적으로 대답할까요? 그는 짧게, 아니면 길게 계속하여 말하는 경향이 있겠습니까? 그의 아내는 어떻게 행동하겠습니까? 그녀는 잃어버린 30루피를 후회하겠습니까? 등.

각 그룹은 준비가 다 되면, 특별 취재문들을 학급의 학생들 앞에서 발표하거나, 또는 가능할 수 있다면 비디오로 상영한다.

사키(Saki)의 ‘열린 창’ (The open window)

이 고전적 단편은 매우 짧아서, 1시간 30분을 배정한 이른바 연속수업에 이상적이다. 이 이야기는 구성이 선명하다. 15살의 자신만만한 소녀 베라는 그녀의 아저씨와 오빠가 사냥하러 나간 사냥터에서 결코 돌아오지 않을 것이라고 생각하지만, 그녀의 아주머니는 그들이 곧 나타날 것이라고 믿고 방에서(프랑스식의) 창문을 계속 열어 놓고 있다는 이야기를 신경 쇠약자인 방문객 너틀씨에게 한다. 세 명의 사람들이 집으로 다가올 때, 너틀씨는 공포에 질려 달아나고, 베라는 아주머니를 위해 억지 설명을 꾸밈으로써 '낭만적인' 임기응변의 재능을 발휘한다.

준비학습 활동

전체적인 규모의 학급활동은 이 작품을 실제로 읽을 준비단계로서 사용된다. 그것은 학생들의 상상력을 개발하고, 말하기 능력을 촉진하며, 무엇보다도 그들이 문학작품을 읽고 싶어하게 만드는 것을 목표로 한다. 이러한 활동은 특히 서로를 잘 아는 학생들과 더불어 할 때 성공적으로 이루어진다.

교사는 짝을 이룬 학생들에게 아래와 같은 과제지 52을 배부한다. 거기에는 중심인물들과, 학생들은 아직 모르지만 본문에서 발췌한 몇 개의 문장들이 포함되어 있다. 학생들은 발췌문들에 들어 있는 요소들을 포함하고 있는 어떤 이야기를 구성한다. 이러한 창조적 활동에 익숙하지 못한 학생들은 아이디어를 짜내기 위해 머리를 쓰거나, 핵심적 어휘항목들, 예컨대 'creepy'(오싹한)와 같은 단어에 관심을 가짐으로써 다음과 같은 질문들에 대답할 때 도움을 받을 수 있다.

1. 너틀씨는 누구이며, 왜 그는 사필톤 부인을 방문하고 있습니까?
2. 사필톤 부인의 비극은 무엇이었습니까?
3. 작중의 인물들은 누구입니까? 그들은 어디에서 왔고 무엇을 원합니까?
4. 애완용 개는 어디에서 왔습니까? 누구의 개입니까?
5. 너틀씨는 왜 공포에 질려 도망갑니까?

일단 짝으로 구성된 각 팀이 그들 나름의 이야기를 짜맞추고 나면, 교대로 다른 팀에게 그것을 이야기해 주고, 동시에 다른 팀으로부터 남들의 것들을 경청한다. 이어서 학생들은 작품의 원본을 곧바로 묵독한다. 그들은 그들의 반응을 즉각 이야기한다. 그것에 뒤이어 교사는 과제지를 가지고 한층 더 관례적인 이해나 인물, 구성 등에 대해 토론하는 방향으로 진행시킨다.

아래에 이것을 위한 실례가 있다. 여러 언어를 사용하는 중상위급 수준의 학급이 자극적인 발췌문들로부터 상상적으로 꾸민 하나의 이야기이다.

너틀씨는 여자친구를 구하고 있는 외로운 홀아비이다. 그는 결혼 중개소에 신청하여 사필톤 부인과 연결되어 그녀의 집을 방문한다.

사필톤 부인은 병적인 남성 혐오자이다. 그녀는 질녀를 이용하여, 질녀가 장래성 있는 구혼자들이 방문했을 때 그들을 대접하게 해놓고, 그녀가 관계를 발전시키는데 관심을 가질 수 있는 사람들인지 알기 위해 이층에서 몰래 엿본다. 이번 경우에 그녀는 질녀에게 그 남자에 대해 관심이 없다는 신호를 보낸다. 베라는 너틀씨에게 아주머니의 전남편 세 명이 늪지대에서 사냥 도중 의문의 행방불명이 되었다고 말한다. 너틀씨는 불안해 한다. 사필톤 부인은 단도를 가지고 몰래 계단을 살금살금 내려온다. 갑자기 너틀씨는 세 명의 남자들이 총을 가지고 잔디밭을 건너오고 있는 것을 본다. 그는 놀라서 갑자기 뛰어 나간다.

그들은 존슨씨라 불리는 어떤 홀아비의 실종을 조사하는 경찰관들이었다. 그들은 집밖으로 뛰어나간 사람이 누구냐고 묻는다. 사필톤 부인은 정원 일을 찾고 있었던 사람이라고 말하며, 질녀는 그 사람이 어렸을 때 자기 엄마의 개에게 심하게 물린 이후부터 생겨난 공포증을 아주머니의 개가 다시 발작시키게 하였다고 설명한다.

과제지 52

짝을 지워 하나의 짧은 이야기를 구두로 만드시오. 그것은 아래에 제시한 요소들을 포함하고 있어야 한다. 다른 짝들에게 여러분이 만든 이야기를 발표할 준비를 하시오.

여러분이 만들 이야기의 중요 등장인물들:
베라 : 15세 소녀
사필톤 : 베라의 아주머니
프램톤 너틀 : 사필톤 부인 집의 방문객

여러분의 이야기에 포함될 요소들:
'아주머니가 곧 내려 올거예요, 너틀씨' 하고 침착한 15세 소녀가 말했다; '기다리는 동안에 저에게 인내심을 가져 주셔야 해요.'
'사필톤 부인의 그처럼 큰 비극은 3년 전에 일어났어요.' 하고 그 소녀가 말했다.
'때때로 오늘과 같이 조용하고 정적에 싸인 밤에는 그들이 저 창문을 통해 걸어 들어올 것 같은 오싹한 느낌이 듭니다...'
깊어가는 석양에 세 명의 사람들이 잔대밭을 가로질러 창문쪽으로 걸어오고 있었다; 그들은 모두 팔에 총을 메고 있었다. 프램톤은 거칠게 지팡이와 모자를 움켜쥐었다.
'아주 특별한 사람이야, 너틀씨는.' 하고 사필톤 부인은 말했다.
'저는 걸어 들어오는 것이 아주머니의 애완용 개이었기를 바래요.' 그녀의 질녀는 침착하게 말했다; '그는 저에게 그가 개에 대한 공포증을 가지고 있다고 말했어요.'

제랄드 케르쉬(Gerald Kersh)의 '운명과 총알' (Denting and the bullet)

이 작품은 강력한 이야기를 가진 매우 짧은 단편이다. 한 남자가 중국에서 군인으로 있었던 때에 관해 이야기한다. 그는 보초 근무를 하는 동안에, 자기의 가족을 위해 먹을 것을 구하는 가난한 사람을 죽였다. 몇 년 뒤에 그는 결혼하고 중국인 하녀를 고용한다. 그 하녀는 그의 아내와 어린 아들의 목숨을 구해준다. 처음으로 그는 하녀에게 말을 걸기 시작한다. 그가 그녀로부터 그녀의 인생에 대해 발견하는 일들은 고통스러운 운명의 메아리를 지니고 있다.

준비학습 활동

교사는 학생들에게 작품을 이야기해 주고 '운명'과 '총알' 사이의 가능할 수 있는 연관 관계에 대해 추측하게 한다. 만약 필요하다면 다음과 같은 질문들로 학생들을 안내할 수 있다: 총알이 어떤 사람의 삶에 어떠한 역할을 할 수 있을까? 만약 누구의 운명이 다른 사람을 쏘는 것이라면, 그 사람은 자기의 미래를 바꿀 수 있을까? 바꿀 수 있다면 왜 그럴까? 그리고 그렇지 못하다면 왜 그런가?

각 부분들을 끼워 맞춰 읽기

학생들은 첫 단원을 읽다가 화자가 운명과 총알에 대해 자신의 이야기를 이야기하기 시작하는 부분에서 멈춘다. 그러면 교사는 학급을 세 그룹으로 나눈다. 각 그룹은 화자가 진술하는 이야기의 다른 한 단원을 읽는다. 학생들은 각자의 단원을 개인적으로 읽고 나서 그 부분에 포함된 이해하기 어려운 사항들을 해결하기 위해 하나의 그룹으로 만난다. 그 후에 각 부분들을 끼워 맞춰 읽는 통상적인 활동이 진행되는 가운데 새로운 그룹들이 형성된다. 각 그룹은 세 명으로 이루어지며, 지금까지 구성원들 각자는 다른 단원을 읽었다. 각 그룹의 구성원들은 자기의 부분을 다시 이야기하면서, 전체적인 이야기를 조합한다. 그런 다음에 교사는 이야기의 마지막 끝이 빠져 있다는 사실을 학생들에게 말하고, 그룹별로 그럴듯한 결말에 대해 토론하게 한다(이를 테면, 중국인 하녀는 화자가 총으로 사살한 그 가난한 사람의 딸이라는 사실을 이야기로 만들기 위해 애쓴다). 일단 결말이 추론되어지고 나면 학생들은 약 120개의 단어들을 사용하여 그것을 쓴다. 그들은 작가의 문체를 연구하여 그것을 기억해야 한다. 마지막에는 원본의 결말을 읽고 자신들이 노력하여 만든 이야기와 비교한다.

후속학습 활동

이러한 것을 위한 몇 가지 대안들이 있다:

- 고급수준의 그룹들이면 교사는 학생들에게 그들이 만든 결말에 대해 문체적인 분석을 하게 하고, 그것을 원본과 비교하도록 한다. 그들은 발견된 유사점들과 차이점들을 학급에 다시 보고한다.
- 학생들은 화자가 중국인 하녀에게 그녀의 아버지를 죽였다고 자백한 후에 그들 양자 사이에 일어나는 대화를 쓴다.
- 학급 토론도 가능하다. 제안되는 주제는 이렇게 할 수 있다: '우리 학급은 화자가 그 가난한 사람의 죽음에 대해 책임이 없었다고 믿는다.'

사키(Saki)의 '스레드니 바쉬타르' (Sredny Vashtar)

이 작품은 다른 고전적인 단편소설의 흐름처럼 빠르게 불안감을 만들어 내어 극적인 결정으로 나아가는 간결한 이야기이다. (이러한 성질들을 감탄할 정도로 잘 살려 만든 뛰어난 영화도 있다.) 약간의 어휘상의 어려움이 있으나 중심적인 이야기의 내용을 이해하는데 방해가 되지는 않는다. 그래서 이 작품은 요점읽기 훈련을 위해 효과적으로 사용될 수 있다.

열 살의 병약한 소년이 노처녀인 거만한 사촌의 집에서 비참한 생활을 하고 있다. 그는 정원에 있는 가축우리에 대해 환상적인 종교예배를 창조하는데, 그곳에는 그의 우상인 암탉과 흰 담비들이 있다. 그의 후견인(여자사촌)이 그의 암탉을 없애려고 했을 때, 그는 흰 담비에게 복수를 해달라고 기원한다. 그녀는 다시 우리로 내려간다...

이러한 활동의 목적은 학생들이 모르는 단어들에 대해 부당한 공포심을 갖지 않고 이야기의 중심적인 특징들을 파악하게 하는 읽기를 장려하고 그들의 더 세밀한 이해를 위해서 작품을 기꺼이 자발적으로 다시 읽고 두 명의 중심인물에 대해 작문을 할 수 있는 방향으로 유도하는 것이다.

준비학습 활동

학생들은 매우 짧은 단편작품을 읽게 될 것이라고 하는 말을 교사로부터 듣게 된다. 다섯 개의 핵심 단어들이 흑판에 제시된다:

BOY(소년) GUARDIAN(후견인) FERRET(흰 담비)
DEATH(죽음) HATE(증오)

(Ferret는 아마도 설명되어야 할 것이다.) 학생들은 셋 혹은 네 개의 그룹이 되어 이 작품이 무엇에 관한 것이지를 예측하도록 노력한다.

학생들이 다시 교실에 소집되고 예측한 것들을 함께 나누어 본 후, 줄 번호가 표시된 작품이 배부된다. 학급의 학생들은 이 작품이 무엇에 관한 이야기인지를 알아내기 위해 그것을 한번 읽는다. 학생들은 교사로부터 사전을 사용하지 말며, 알지 못하는 어휘에 대해 걱정하지 않도록 주의를 듣는다. 이것은 숙제로 정할 수도 있다.

교실활동

학생들이 작품을 다 읽은 후에, 원래의 소그룹들은 학생들이 이야기를, 특히 소년과 후견인과의 관계를 토론하도록 하기 위해 재구성된다. 교사는 각 그룹에게 과제지 53를 나누어 주어 빈곳을 채우게 함으로써 토론을 자극할 수 있다. 이 시점에서는 그러한 두 사람 관계의 성격과 내용에 관련되는 단어들의 의미와 뉘앙스를 정확하게 이해하는 것을 돕기 위해 사전 사용이 권장된다. 완성된 표는 다른 학생들의 것과 비교할 수 있도록 이 활동을 위한 기간의 마지막 무렵에 벽에 붙여진다.

학생들은 교정/구두 활동으로서 영화의 '예고편'을 만들 수도 있을 것이다. 즉 그들은 이제 '스레드니 바쉬타르'의 영화 제작은 막 끝냈지만, 영화가 상영되기 이전의 주중에 극장에 영화보러 오는 관람객들의 구미를 부추귀기 위해 해설하는 소리를 넣고 작은 필름 토막들을 편집하여 만드는 예고편은 아직도 제작하지 않은 영화 제작자라고 스스로를 상상해 보라는 말을 교사로부터 듣는다. (만약 실제로 영화로 만든 작품을 구할 수 있다면, 학생들은 감독이 예고편을 만들어 달라는 부탁을 했다고 상상할 수도 있다.)

영화 제작자들은 예고편을 위한 해설을 만들고 실제로 연출도 해야 한다. 이것은 적어도 2분을 초과해서는 안되고, 관객들이 다음 주에 영화를 보러오고 싶어 하는 욕망을 만들어 내야 한다. 정해진 시간 안에 준비작업과 예행연습을 한다. 그리고 나면 각 그룹의 예고편은 전체 학급을 위해 공연되어진다. 시간이 부족하면 다음 시간에 하는 것도 가능하다.

과제지 53

'스레드니 바쉬타르'는 갈등하는 강력한 인물을 독자에게 제시한다. 빠른 속도로 다시 이 작품을 읽고 콘라딘과 데 로프 부인 사이의 긍정적, 또는 부정적 감정들을 나타내는 단어나 표현들을 골라 내시오. 아래 표의 빈칸에 행의 위치를 표시한 번호를 붙여 되도록이면 최대한 많이 써 넣으시오.

+	−
	'불쾌한'(7행) '그녀를 미워했다'(17행)

쓰기 후속학습 활동

교사는 콘라딘과 데 로프 부인 사이의 관계를 분석하도록 요구하는 에세이 쓰기 숙제를 낼 수 있다. 그러한 에세이를 위한 많은 자료가 이미 표에서 메모 형식으로 모아져 기록되어질 것이므로, 학생들은 에세이의 구조, 문체, 자료의 조직 등의 문제에 마음껏 집중할 수 있다.

마가레트 애트우드(Margaret Atwood)의 '화장실의 전쟁' (The war in the bathroom)

이 독특한 단편은 첫주 동안 주인공의 새 하숙집에서 일어나는 매일의 일을 기록한 일기 형식이다. 주제들은 - 새로운 환경에 적응하는 문제들과 사람들이 집을 공동으로 사용하면서 일어나는 피할 수 없는 충돌 - 그 호소의 범위가 아주 넓지만, 화자에 의해 제시되는 이미지의 모호함은 독자를 끌고 나가는 극적 불안감을 만들어낸다. 외국 학생의 관점에서 볼 때 얻을 수 있는 또다른 이점은 간단하고 일상적인 언어의 자질이 많다는 점이다(주석을 달아야 할 북미의 용어들이 몇 개 있다).

이 작품은 상당히 긴 이야기이지만, 명백한 단원들로 분류할 수 있다는 점 때문에 다양한 용도에 이상적이다; 어떤 것들은 듣기 또는 다른 교실활동을 위해 사용되고, 다른 어떤 것들은 각자가 개인적으로 읽도록 남겨둘 수 있다.

준비학습 활동

이 활동의 목표는 장면 설정을 한 다음, 새롭고 낯선 환경으로 이사가는 중심적 상황에 대한 학생들 자신의 여러 가지 감정들을 이끌어내는 것이다. 이것은 각 그룹 학생들의 욕구와 교사가 강조하고자 하는 언어적인 기술에 따라 다양한 방법으로 이루어질 수 있다. 이것을 성취하는 한 가지 방법은 시각적인 자극물들을 이용하는 것이다. 예를 들면, 짐꾸러미 가방이나 이삿짐 차와 같은 것들의 그림들(표 20A, 20B)이 이용될 수 있다. 학생들은 학급 전체로든지, 소그룹이든지 간에 이사에 대해 생각해 보도록 요구된다:

- 여러분은 이사를 해 봤습니까? 들떴나요? 우울했나요? 신경질이 났나요?
- 여러분이 이사를 자주 한다면 그러한 감정들이 변할까요?
- 여러분은 이사할 때 물건들을 잃어버리나요?

- 여러분은 새로운 지역을 탐험하는 것을 즐기나요? 아니면 그것이 당신을 놀라게 하나요?
- 당신은 새로운 것들을 좋아하나요? 아니면 오래된 것들을 좋아하나요?

집을 공동으로 쓰는 것에 대해서는 다음과 같은 비슷한 질문들을 할 수 있다:

- 만약 여러분이 집을 공동으로 쓴다면 어떤 종류의 문제들이 갈등을 일으킬까요?
- 여러분은 부엌이나 화장실의 사용시간이 배분되어야 한다고 생각하나요?
- 여러분은 공동주택의 소음 공해에 대해서 어떻게 느끼나요?
- 공동주택 사용에는 어떤 종류의 이점/단점들이 있을까요? 여러분은 이것에 관해 어떻게 느끼나요?

하나의 대안적인 준비학습 활동 전략은 구두 피드백이 뒤따르는 쓰기 활동이다. 학생들은 논평이 쓰여 있지 않은 그림들을 보게 되며, 그리고 나서 몇 개의 문장으로 그것들에 대한 그들의 반응을 최대한 자연스럽게 쓰고 나중에 그것들을 비교하고 토론한다.

학생들은 그것들을 선택하고 나서 옆의 학생들과 대답을 비교한다. 선호하는 물건들로 된 '학급 화일'을 만듦으로써 추가적인 토론이 촉발되는 수가 자주 있다: 교사는 얼마나 많은 학생들이 1번, 2번, 기타 등등을 선택했는가를 물어보고, 각각의 선택에 대해 하나의 표식을 달아서 학생의 전체적인 선호 물건들을 과제지로 정리할 수 있다(과제지 54). 어떠한 준비학습 활동이 이용되든지 간에 소요시간은 15분에서 30분 정도라야 한다. 이 수업의 나머지 시간은 첫 단원인 '월요일'을 읽는데 바쳐질 수 있다.

표 20A

표 20B

과제지 54

여러분이 새로운 '하숙집' (방 1개만 있음)으로 이사를 하고 있다고 상상해 보시오. 다음의 목록으로부터 여러분 자신의 물건을 오직 3개만 선택할 수 있다면 어느 것을 선택하겠습니까?

1. 라디오/카세트 플레이어
2. 식사용 칼 (은제품)
3. 음식 접시
4. 유리잔 (포도주잔)
5. 두 권의 애호하는 책
6. 이불
7. 찻주전자
8. 어릴 때부터 지녀왔던 곰인형 (또는 다른 장난감)
9. 엄마/아빠/애인/아이들의 사진 액자
10. 좋은 독서용 침대 램프
11. 일기장
12. 달력
13. 그 밖의 다른 물건 (그 이름을 쓰시오) ————————

교실에서의 듣기 활동

학생들은 아직 교재를 가지고 있지 않다. 교사는 학생들에게 그들의 듣기능력을 형성하도록 도와주는 질문지를 나누어 준다 : 이 작품은 무엇에 관한 것인가? 우리는 그 속에서 누구를 만나는가? 화자는 어떠한 사람인가? 그런 다음 교사는 학생들에게 작품의 '월요일' 단원을 읽어 주거나 그것의 녹음(3분 30초 내지 4분 정도)을 틀어준다. 이 첫 단원('월요일')의 언어는 간단하며, 몇 개의 중요한 단어들은 준비학습 단계에서 이미 제시되었다. 대부분의 중상급 내지 상급 수준의 교실에 대해서는 더 이상의 예비교육이 필요없다. 학생들은 듣고 나서 그들이 방금 들은 이야기에 대해 논평문을 쓴다. 특히 가장 인상적인 것과 가장 많이 기억되는 것을 지적해야 한다.

학생들이, 처음에는 짝을 지어서, 그 다음에는 전체적인 피드백과 학급토론을 통해서 그들의 인상을 비교하고 나면, '월요일' 단원은 학급에서 읽을 수 있도록, 그리고 '화요일' 단원은 집에서 읽기 숙제로 읽을 수 있도록 교사는 학생들에게 그것을 나누어 준다. 학생들은 중요인물들에 관해 깊이 생각해 보고, 가능하면 다른 학생들과 노트한 것들을 비교해야 한다. 특히 주인공들의 인성에 대해 새로운 사실들이 드러난 것을 노트해야 한다. '화요일'에서는 모순되는 단서들이 읽는 사람에 의해 집어내어지기 시작한다. 가정에서의 읽기 숙제를 동반하는 경우, '초점화하는' 과제지(과제지 55 참조)가 학생들에게 배부되면 도움이 된다.

그 다음의 수업도 비슷한 절차가 사용되어 질 수 있다. 학생들은 '수요일' 단원을 듣는다(3분 내지 3분 30초). 언어는 매우 직설적이라서 영어 청해에 아주 적합하다. 다시 한번 학생들은 들은 것과 그것에 대한 반응을 기록한다. 그들은 그룹별로 그들의 반응과 중심인물에 대한 이해를 비교한다. '수요일'과 '목요일'은 그들에게 읽기 숙제로 주어진다. 이제 그들이 해야 할 과업은 다음과 같은 항목들로 된 표를 사용하여 그 집에 살고 있는 사람들을 열거하고 묘사하는 것이다:

집의 사람들
나이
외모
성격/인간성
화자의 그 인물에 대한 생각

만약 시간이 짧거나 또는 학생들이 보다더 상급수준이라면, 세번째의 듣기 활동은 생략하고 화자에 대한 학생들의 이해를 새롭게 해주는 과제와 더불어 작품에서 읽을 나머지 부분이 주어질 수 있다. 그렇지 않으면 매우 짧은 단원인 '금요일'이 1분 이내의 마지막 듣기 분야로서 사용될 수 있다. '토요일', '일요일' 단원은 묵독활동을 위해 주어지는데, 주인공에 대해 읽는 학생의 최종적인 인상 및 작품의 주제들 – 군대막사에서의 구속, 가정적 불화의 잔인성, 자아와 정체성의 의미 – 에 대해 그룹별로 혹은 학급 전체로서 벌이는 토론이 뒤따른다.

과제지 55

'화장실의 전쟁'에 관해 흥미로운 것 중의 하나는 독자가 화자를 이해해 나가는 것이 힘든다는 것이다. 우리가 서두에서 포착한 단서들은 작품을 모순적이고 혼동스럽게 하는 것들이다 : 종종 이미 읽었던 부분으로 되돌아 가서 보다 더 치밀하게 읽어볼 필요가 있다.

다음의 설명들을 읽고 어느 것이 화자에 대한 여러분의 이해와 가장 일치하는지 고르시오. 화자의 배경과 성격에 대한 여러분 자신의 견해와 일치하도록 여러분의 어떤 상세한 의견을 덧붙이시오. 여러분은 1, 2, 3, 4에서 얻은 상세한 내용을 여러분 자신의 생각이나 느낌들과 함께 결합한 내용으로 끝을 맺겠금 여러분 자신의 어떤 세목들을 보태시오.

1. 화자는 상당히 의존적이고 수줍음을 타는 중년의 딸과 함께 살지 않으면 안되는 정신이 혼란스러운 늙은 부인이다. 이 늙은 부인은 그녀의 딸에 대해 매우 보호적이며 그녀가 전에 살았던 생활수준에 훨씬 미치지 못하는 지금의 환경에서 살아가는 것이 만족스럽지 못하다.

2. 화자는 젊은 여자(아마도 30대 후반 정도)이며, 아마도 결혼하지 않았고, 다소 소외된 인물이다. 그녀는 너무 엄격하게 성장한 것에 기인하는 몇가지의 정신적 결함이 있다. 그 결과, 그녀는 극도로 민감하고 반사회적이지만, 합리적인 자기 절제력이 있으며, 단정하고, 깨끗하다. 그녀는 어지럽게 늘어 놓은 것을 싫어하는데, 특히 다른 사람의 그러한 것은 더욱 싫어하며, 속이 좁은 편이다. 그녀는 아마도 시골에서 자랐을 것이다.

3. 화자는 아마도 젊은 20대의 대학원 여학생이며, 직장이 없어 전세방에서 살아야 하는 형편이다. 그녀는 게으르고 침울하며 고독하지만 매우 민감하고 주의깊다. 그녀는 때때로 자신을 '그

녀'(she)라고 부르면서 스스로를 조롱한다. 그녀는 남자들을 의심하고 자신의 요리를 즐긴다. 중산층의 취향을 가졌던 것 같으며, 규칙적인 취미가 있으며, 돈에 신경을 쓰는 사람이다. 좀더 많은 사생활을 필요로 한다.

4. 화자는 아마도 분열된 성격을 가진 50대의 여성 작가이며, 청결과 순결에 집착하고, 편집광적이며 정신 병원에 다녔다가 나왔다. 그녀는 평온한 상태를 유지하기 위해서 많은 개인적인 공간을 필요로 하기 때문에 겁을 먹고 다소 공격적이다. 그녀는 때때로 잔인하다(아마도 아버지가 그녀에게 잔인했을 것이다). 그러나 기본적으로 상당히 애수적이며, 삶으로부터 많은 것을 욕심내지 않고 내면으로 향하는 온순한 여자이다.

유사한 작품 읽기

유사한 단편들을 읽기를 즐기는 학생들은 페트리샤 하이스미스의 '사랑의 외침'을 볼 수 있다. 이 작품은 너무 오랫동안 한 방을 공동으로 사용해 왔기 때문에 떨어져 살려고 할 수 없게 되었지만, 상대방에 대해 점점 더 잔인한 복수의 행동을 꾸미면서 살아가는 두 숙녀의 이야기이다. 그러나 형식적인 면에서 보면 이 작품은 상당히 명료한 3인칭 화자 서술이기 때문에 '화장실의 전쟁'과 대조가 된다. 따라서 두 작가의 서술 전략의 여러 효과들에 대한 토론을 유발하기 위해 상급 수준의 학급에서 두 작품을 비교하는 방법이 사용될 수 있다.

제9장 시

시는 교사와 학생 모두에게 풍부하고 다양한 레퍼터리를 제공하며, 커다란 흥미의 원천이 된다. 그것은 길이에 있어 일차적인 이점이 있다. 즉 많은 시들이 한 시간으로 끝낼 수 있는 교실수업에 아주 적당하다. 시는 보편적인 관심사를 주제로서 탐구하고, 인생의 경험과 관찰, 그리고 그것에 의해 고무된 갖가지 느낌들을 구체화시킨다. 시의 빼어난 간결성과 강력한 이미지들은 함께 결합하여 총체적인 영향력으로 작용한다. 더우기 시는 언어 학습자들에게 활력을 주는 강세, 리듬, 소리의 유사성 등의 분야에 감각적으로 예민하게 맞추어져 있다. 시를 읽는 것은 보다 더 표준적인 문장구조나 어휘의 구속에서 벗어난 언어의 힘을 경험하게 해 준다. 교실에서 시를 이용하는 것은 보다 더 자유스럽고 창조적인 문어적 표현으로 자연스럽게 유도할 수 있다. 정말로 시는 독자로부터 강한 반응을 이끌어 낼 수 있으며, 기억될 만한 강렬성은 외국어로 된 시를 더 읽고자 하는 동기유발을 시켜 준다.

교사가 학생들과 함께 공부할 시를 선정할 때, 그는 어떤 시가 그들의 흥미, 언어, 성숙도 등에 알맞을까를 고려할 필요가 있다. 모든 시들이 심각하거나 복잡한 것은 아니다. 보다 가벼운 기분으로 쓰여졌고 상당히 단순한 대화체 구조를 가진 시들도 많이 있다. 이와 같은 두 가지 유형은 더욱 초기 단계에 있는 언어 학습자들에게 알맞다. 그러나 교사는 다소 도전적인 시, 특히 교사들 자신이 선호하는 시를 학습시키는 것에 너무 주저해서는 안된다.

학생들이 필요로 하는 개인적이고 언어적인 자원을 제공하는데 그 시가 도움을 줄 수 있다면, 그들은 시인이 창조한 세계를 함께 나눌 수 있고, 그리하여 독자로서 새로운 의미의 창조자가 되고 있다는 느낌에서 우러나오는 한층 더 충만된 기쁨을 누릴 수 있을 것이다. 이러한 종류의 도움은 일련의 그룹활동을 통하여 제공될 수 있다. 특히 교사는 처음으로 시를 읽어 주거나 들려 주기 전에 학생에게 호기심을 유발시키고, 그들이 시의 주제 속에 포함되어 있다는 느낌을 불러 일으킬 수 있도록 실질적인 준비학습을 계획하는 것이 중요하다.

선택하는 학습활동들은 학생들의 반응을 최대로 개발시켜 주고, 그들 자신의 힘으로 목표어로 된 시를 읽고 즐길 수 있다는 확신을 심어주는 일종의 생산적인 탐구를 진작시켜 준다. 궁극적으로 시 교육의 목적은 각 학생들이 문학적 경험을 개인적으로 하게 하려는 것이다.

이 장에 예시된 시들은 수업 지도에 좋은 영향을 주어 왔던 몇 가지 시들만을 선택한 것이다. 이러한 선택은 연령과 흥미가 다른 학생들에게 각기 다른 수준에서 사용되어질 수 있는 다양한 접근방법들을 보여 준다.

에디스 시트웰(Edith Sitwell)의 '중국왕의 공주' (The King of China's daughter)

이 시는 학생들에게 시의 은유적인 풍부함 뿐만 아니라 서정적이고 선율적인 자질을 보여 주기 위한 활동과 관련되어 있다.

준비학습

학생들은 특히 어린이였을 때 좋아했던 노래나 자장가 (또는 동요)를 상기한다. 교사는 자신이 즐겁게 기억하거나 학생들이 특별히 즐기는 것을 낭송하거나 노래하게 하면서 이 활동을 시작할 수 있다. 단일어를 사용하는 학생들로 이루어진 학급에서는, 가장 선호하는 운율시와 노래들이 비교되어지며, 학생들은 그것들 사이의 어떤 유사점들을 주목해야 한다. 다양한 언어를 사용하는 학생들로 이루어진 학급의 수업에서는, 학생들은 원어의 리듬이나 멜로디를 다른 학생들이 들을 수 있도록 원어로 낭송하거나 노래하도록 권장되는데, 그러고 나면 영어로 그 의미들을 설명해야 한다. 다음에 그들은 다시 한번 다양한 운율들 사이에서 유사성의 어떠한 측면들을 찾아야 한다.

이제 교사는 3~4개의 영어 자장가 텍스트를 배부한다. 적절한 것으로는 다음과 같은 것이 될 수 있다. 'I saw three ships', 'I saw a ship a-sailing', 'Lavender's blue', 'The old woman toss'd up in a basket.', 'I had a little nut tree.' 이들은 아래에 소개되어진다. 교사는 이 자장가 시들을 학급의 학생들에게 크게 소리내어 읽고 난 다음, 그들에게 짝을 짓게 하여 가능한 그것들 사이의 많은 유사성들을 열거하게 하고, 그리고 가능하다면 이것들과 이전에 이미 기억하고 있었던 시들 사이에 발견되는 유사성을 많이 적어야 한다. (이용 가능하다면 노래로 부른 것을 녹음한 녹음본이 이상적이다.)

I saw three ships

I saw three ships come sailing by,
Come sailing by, come sailing by;
I saw three ships come sailing by,
On New Year's Day in the morning.

And what do you think was in them then,
Was in them then, was in them then?
And what do you think was in them then,
On New Year's Day in the morning.

Three pretty girls were in them then,
Were in them then, were in them then;
Three pretty girls were in them then,
On New Year's Day in the morning.

And one could whistle, and one could sing,

And one could play the violin－
Such joy there was at my wedding,
On New Year's Day in the morning.

(번역)

나는 세 척의 배가 다가오는 것을 보았네.
다가오는 것을, 다가오는 것을
나는 세 척의 배가 다가오는 것을 보았네.
새해 첫날 아침에.

너의 생각엔 그 안에 무엇이 있을 것 같니?
그 안에 무엇이 있을 것 같니? 그 안에 무엇이 있을 것 같니?
너의 생각엔 그 안에 무엇이 있을 것 같니?
새해 첫날 아침에.

그런데 세 명의 아리따운 소녀들이 그 안에 있었네.
그 안엔 그녀들이 있었네, 그 안엔 그녀들이 있었네.
그 안엔 세 명의 아리따운 소녀들이 있었네.
새해 첫날 아침에.

한 소녀는 휘파람을 불고, 또 한 소녀는 노래를 부를 수 있었네.
또 한 소녀는 바이올린을 켤 수 있었네.
결혼식에 그토록 큰 기쁨이 있었네.
새해 첫날 아침에.

I saw a ship a-sailing

I saw a ship a-sailing,
A-sailimg on the sea

And oh! it was all laden
With pretty things for thee.

There were comfits in the cabin,
And apples in the hold,
The sails were made of silk,
And the masts of beaten gold.
There were raisins in the cabin,
And almonds in the hold,
The sails were made of satin,
And the mast was made of gold.

(번역)

나는 떠가는 배 한 척을 보았네,
바다 위에 떠가는 것을,
오! 그것은 당신에게 줄
아리따운 물건을 가득 실은 배였네.
화물칸엔 사탕과, 그리고 사과가 있었네.
돛은 비단으로 만들어져 있었고,
닻은 금을 두드려 만들었다네.
화물칸엔 건포도와 그리고 아몬드가 있었네.
돛은 비단으로 만들어져 있었고,
닻은 금으로 만들어졌다네.

Lavender's blue

Lavender's blue, dilly, dilly,
Lavender's green;
When I am king, dilly, dilly,

You shall be queen.
Call up your men, dilly, dilly,
Set them to work,
Some to the plough, dilly, dilly,
Some to the cart.
Some to make hay, dilly, dilly,
Some to cut corn,
While you and I dilly, dilly,
Keep ourselves warm.

(번역)

내 연인 라벤다 블루
내 연인 라벤다 그린
내가 왕이라면, 내 사랑아
넌 왕비야
당신의 하인들을 불러요, 내 사랑.
일을 시키세요
몇 사람은 밭을 갈게 하고, 내 사랑
몇 사람은 마차를 끌게 하고, 내 사랑
몇 사람은 건초를 말리게 하지, 내 사랑.
몇 사람은 옥수수를 베게 하고
당신과 내가
사랑하고 있는 동안에, 내 사랑아.

The old woman toss'd up in a basket

There was an old woman toss'd up in a basket
Nineteen times as high as the moon;
Where she was going I could't but ask it,

For in her hand she carried a broom.

Old woman, old woman, old woman, quoth I,
O wither, O wither, O Wither, so high?
To brush the cobwebs off the sky!
Shall I go with thee? Ay, by-and-by.

(번역)

바구니 속에서 뒤척이는 한 노파가 있었네.
달보다 열아홉 배는 높게
그녀가 어디로 가는지 난 물을 수가 없었네
왜냐하면 그녀의 손에 빗자루가 들려 있었기에

노파여, 노파여 하고 나는 말했네
오 어디로, 오 어디로, 오 어디로, 그렇게 높이 사라졌을까?
하늘의 거미집을 없애려고!
나도 그대와 함께 갈까, 나란히.

학급의 학생들이 위의 시들로부터 공동으로 유사점을 발견하게 되면 피이드백 시간을 가진다. 이 유사점에는 핵심 어구나 강력한 리듬 및 단순한 각운 등의 반복; 왕, 여왕, 금이나 은 등의 보석, 특이한 해프닝, 형태의 변형 등에 대한 반복적인 언급; 사랑이나 행복, 생생하지만 때로는 신비스러운 이미지들 등에 대한 표현과 같은 자질들이 포함된다. 교사는, 학생들이 이 자질들을 그들이 아이였을 때 감동을 주었던 것으로 기억하는지, 또 지금도 여전히 그러한지 등에 대한 논평들을 이끌어낸다.

그런 다음에 교사는 학생들에게 아래와 같은 짧은 동요를 좀더 특별한 시각으로 보게 한다.

I had a little nut tree
Nothing would it bear
But a silver nutmeg
And a golden pear.

The King of Spain's daughter
Come to visit me,
And all for the sake
Of my little nut tree.

(번역)

나에게는 조그마한 열매나무가 있었네.
특별한 것이 열리지 않지만.
그러나 은빛 육두구 열매와
금빛 배가 열렸었네.

스페인 왕의 딸은
날 보러 왔네
나의 조그마한 열매나무 때문에

교사는 이 시를 한두번 읽고, 학생들에게 강세를 받는 단어들 위에 작은 표시를 하게 한다. 그들은 이것들을 비교하고 어떤 차이점이 있는지 토의한 후, 짝을 지어 이 시를 상대방에게 부드럽게 읽어 준다.

그런 다음에 교사는 학생들에게 어느 노교수가 수년 동안 이 시를 철저하고 세밀하게 번역하는 일을 했다는 말이 있다고 말한다. 또한 그 교수가 죽은 후에 그의 논문에서 몇 개의 이해하기 어려운 낙서가 발견되었는데, 그 가운데는 겨우 이해되어질 수 있는 어려운 일단의 단어들이 있었다고 얘기하면서 칠판의 왼쪽편에 하나의 칼럼을 만들어 이 단어들을 쓴다. 만약 교실에 칠판이 두 개 이상 있다면 다른 쪽 칠판에 쓰는 것이 좋다:

hard / soft
edible
rich, precious
fruitful / barren
exotic / megical
attraction
power
love / sex

다음으로 교사는 학생들을 3, 4개의 그룹으로 나누고, 먼저 두 단어를 골라 그것이 이 시와 어떻게 관련되어 있는지 발견하게 한다. 그룹 내에서 어떤 의견에 동의하면, 한 명이 칠판으로 나와 그 그룹의 설명을 적절한 칼럼에 대비되게 하여 가능한 간략하게 쓴다. 교사는 학생들이 보기를 필요로 하면 교사 자신이 첫 문장을 써서 이것으로 시작되는 연습문제를 제시한다.

이것을 '아이디어 짜내기 훈련'으로 처리하면 가장 좋은데, 여기서는 이상하고 특별한 설명들도 환영되며, 상당히 짧은 시간 제약을 두는 것이 좋다. 시간이 끝나면, 학생들은 다양하게 연결시킨 연결짝들을 심의한다. 분명하지 않은 어떤 것이 있는가? 그들은 그것들이 무엇을 의미하는지에 관해 다른 그룹의 학생들에게 질문한다. 선택되어지지 않은 어떤 단어나 단어군이 있는가, 왜 그렇게 되었는가 등. 그런 다음 교사는 학생들이 느끼기에 가장 중요하거나 계몽적이라고 느끼는 단어나 단어군을 선택하도록 요구한다. 마지막으로 교사는 그들에게 그것의 구체적인 이미지들이 무엇을 의미할 수 있는지에 대해 지적하는 것이 가능한지를 말하게 한다.

시를 읽어 주기

앞에서 말한 활동들은 아마도 첫번째 수업의 전체를 차지할 것이다. 두번째 수업을 시작할 때, 즉 휴식시간 후이거나, 또는 다음날, 아니면 다음 주에, 교사는 학생들에게 현대시를 읽어줄 것이며, 과제는 그것과 앞에 배운 시 '작은 열매나무' 사이에 가능한 많은 차이점을 제시하는 것이라고 말해 준다. 그들은 아마도 그것을 재빨리 다시 읽어서 그것의 동요를 떠올리려고 할 것이다. 교사는 제시하는 시를 표정을 많이 곁들여서 두번 정도 크게 소리내어 읽어 준다.

The king of China's daughter

The King of China's daughter,
She never would love me
Though I hung my cap and bells upon
Her nutmeg tree.
For oranges and lemons,
The stars in bright blue air,
(I stole them long ago, my dear)
Were dangling there.
The Moon did give me silver pence,
The Sun did give me gold,
And both together softly blew
And made my porridge cold;
But the King of China's daughter
Pretended not to see
When I hung my cap and bells upon
Her nutmeg tree.

(번역)

그녀는 결코 나를 사랑하려 하지 않았네.
비록 내가 나의 모자와 벨을
그녀의 육두구 나무에 달아 놓았건만.

밖은 청아한 공기 속에 별들이
나의 오렌지와 레몬을 위해
(내 사랑, 오래 전에 난 그것들을 훔쳤다오)
창공에 매달려 있었네.
달은 내게 은빛 동전들을
해는 내게 금빛 동전들을 주었네.
그들은 부드럽게 날아와서
나의 죽을 식게 해 주었네.
그러나 중국왕의 딸은
못 본 척 했네.
나의 모자와 벨을 그녀의
육두구 나무에 달아 놓았을 때도.

학생들은 차이점들을 기록하고 가까이 있는 학생들과 그것들을 비교한다. 하나의 목록표가 지명된 학생에 의해 칠판에 정리된다. 그러면 교사는 텍스트를 나누어 주거나 오버헤드 프로젝트로 그 텍스트를 투사하여 보여준다. 학생들은 3, 4개의 그룹으로 나누어져서 그들이 마주치는 어떤 어려움들에 대해 다른 사람의 도움을 구하면서 그 시를 읽는다. 교사는 칠판에 세 개의 항목을 적는다: 모자와 벨, 오렌지와 레몬, 식은 죽. 교사는 학생들이 그것들의 기저에 있는 전통적인 지식에 대한 참고사항들을 꺼집어 내었다는 점을 확실하게 해 주면서 다른 세 개를 다시 적는다. 즉 모자와 벨은 음유시인이나 이야기꾼으로 종종 여겨졌던 광대나 바보역의 상징이고; 오렌지와 레몬은 많은 어린이들의 노래 속에서 이국적이고 귀한 과일이자 전통적인 어린이들의 놀이를 지칭하는 이름이고; 죽은 역시 너무나 잘 알려진 어린이 동화, '세마리의 곰'에서처럼 놀이와 각운시에서 나타난다.

이제 각 그룹에게 두 개의 과제가 설정되어진다.

1) 앞 시간에 교사가 주었던 단어 목록을 가지고 했던 연습을 기억하면서, 그것과 비슷한 단어들이나 짝을 지운 단어들의 목록을 칠판에

쓸 수 있는데, 이것은 시트웰의 시를 해석하는데 중요한 역할을 할 수 있다.

2) 학생들은 이 시가 무엇에 관한 것인가에 대해 자기 그룹의 의견을 적어 캡슐에 넣을 문장을 하나 쓴다(예를 들어, 한 그룹은 다음처럼 썼다 : '나는 나에게 가장 중요한 사람에게 중요한 존재가 아니다').

학생들이 선택한 핵심 단어들과 그들이 쓴 문장 안에 포함되어 있는 전반적인 번역을 비교하면, 전체로서의 시에 대한 그들의 이해를 증가시켜 줄 때가 많다.

만약 시간이 있다면, 크게 소리내어 읽는 연습도 뒤따를 수 있다. 위의 시는 아주 쉽게 4행씩 몇 단위로 나눌 수 있는데, 교사는 이들 중의 각 단위를 그룹마다 준비할 수 있게 한다. 강세를 표시하는 작업은 '작은 열매나무'를 가지고 앞에서 연습해 보았넌 첫 단계 활동에서처럼 할 수 있다. 교사는 표준적인 형식에서 변형이 있는 곳들을 회람시킴으로써 학생들을 도와 준다('밝게 빛나는 푸른 하늘의 별들'에서처럼 강세가 붙는 것은 마지막 세 개의 단어들이다). 모든 학생들이 준비가 되었을 때, 각 그룹은 교대로 합창 방식으로 읽는다.

후속활동

학생들은 읽어왔던 모든 생생한 이미지들을 다시 되돌아 본다. 예컨대, 항해하는 배, 태양, 달, 별 금, 은, 춤추고 노래하는 소녀들, 육두구 나무, 오렌지, 레몬, 모자와 벨, 기타. 그런 다음에 가장 좋아하는 것을 선택한다. 그들은 선택한 이미지를 통해 그들의 연인에게 자기가 어떻게 느끼는지 짤막한 노트(원한다면 시도 좋다)를 쓴다.

데오도르 뢰스케(Theodore Roethke)의 '아빠의 왈츠' (My papa's walts)

이 시는 아주 단순한 언어로 쓰여졌으며, 부모에 대한 어느 아이의 견해에 내포된 양면성을 강하게 불러 일으킨다. 이것은 대부분의 사람들에게 있어 자기의 경험에 들어 있는 주제이다.

준비학습

학생들은 그들이 적합하다고 느끼는 방식대로 아래의 문장을 완성한다.

A good father...
A bad father...

문장이 완성되면 학생들은 짝을 지어 서로의 것을 비교한다. 그런 다음에 교사는 학생들에게 몇 가지 샘플을 가지고 오게 하여 그것들을 칠판에 쓴다. 교사는 그들에게 그 시의 제목을 말해주고 그럴듯한 주제가 무엇일지 추측하게 한다. 그리고 나서 교사는 시의 내용에 대한 그들의 첫 반응을 사로잡는 단어 하나를 선택하도록 하면서 이 시를 읽어준다. 필요성이 있을 법한 단어들이 제시된다. 예컨대, '공포'(fear), '재미'(fun), '긴장'(tension), '무감각'(insensitivity), '협박'(bully), '숙취'(drunken), '기쁨'(pleasure), '신비'(mystery) 등. 어려운 어휘들을 미리 제시하는 대신에, '현기증 나는'(dizzy), '손가락 관절'(knuckle), '혁대'(buckle), '침착성'(countenance) 등과 같은 어휘들을, 첫 읽기 시간을 통해, 흉내내거나 혹은 암시한다.

My papa's waltz

The whiskey on your breath
Could make a small boy dizzy;
But I hung on like death;
Such waltzing was not easy.

We romped until the pans
Slid from the kitchen shelf;

My mother's countenance
Could not unfrown itself.

The hand that held my wrist
Was battered on one knuckle;
At every step you missed
My right ear scraped a buckle.

You beat time on my head
With a palm caked hard by dirt,
Then waltzed me off to bed
Still clinging to your shirt.

(번역)

아빠가 숨쉴 때 나오는 술 냄새는
어린 아들을 현기증나게 해요.
난 죽은 사람처럼 붙어 있었죠.
그런 춤은 쉽지 않았어요.

우리는 선반 위에서
남비들이 미끄러져 떨어질 때까지 뛰놀았어요.
우리 엄마의 참을성도
얼굴을 찡그리지 않을 수 없었나 봐요.
내 손목을 지탱했던 손은
손가락 하나가 비틀어졌어요.
스텝을 밟을 때마다 아빠는 실수했어요.
내 오른쪽 귀는 아빠의 혁대에 긁혔어요.

아빠는 나의 머리 위에서 장단을 때렸어요.

과자가 심하게 들어붙은 더러운 손바닥으로.
그때 나는 여전히 아빠의 셔츠에 매달려 있었어요.
그리고는 왈츠를 추면서 나를 침대까지 밀고 갔어요.

학생들은 이 시를 듣고 나서 즉시 주제를 나타낸다고 생각되는 자신들의 단어를 선택하며, 그리고는 그들이 선택한 것들을 비교하고 설명한다. 그런 다음에 이 시의 원문이 배부된다. 그들은 어떤 단어에 대해 남아있는 문제점들을, 잠깐 동안의 묵독 후에 논의하며, 선택한 단어를 바꾸기를 원하는지에 대해 질문을 받는다. 다시 한번 변경에 대해 토의된다. 교사는 학생들의 응답을 명확히 하는데 도움을 주기 위하여 그들에게 한 장의 종이 위에 긍정적, 혹은 부정적이라는 표제를 달아 두 개의 칼럼을 쓰게 한다. 그리고 나서 교사는 시에서 몇개의 단어들을 소리내어 읽어주고, 그 단어들이 시에서 '좋은 의미'와 '나쁜 의미' 중에서 어떤 의미로 느껴지는지에 따라 두 칼럼 중의 하나에다 단어들을 배치하게 한다. 그런 다음에 그 칼럼들을 토의하게 하며, 'beat', 'batted'와 같은 단어의 양면가치를 드러내게 한다. 학생들은 이 시의 '아버지'가 '좋은 의미'냐 '나쁜 의미'냐를 깊이 생각해야 한다. 그들의 이러한 견해들은 다시 앞의 준비학습 활동에 연결되어지며, 토론은 그것에 의해 확장되어진다.

합창으로 시를 읽기

위의 시는 여분의 의미를 지닌 불규칙적이고 미묘한 리듬과 각운을 가지고 있다. 이 미묘함은 학생들에게 이 시를 큰 소리로 읽도록 용기를 북돋워 줌으로써 이끌어낼 수 있다. 아래의 과정은 전체의 학생을 여기에 참여시킬 수 있는 하나의 재미있는 방법이며, 앞에서 '나는 작은 열매나무를 가졌지'를 위해 개관하였던 활동을 정교하게 부각시켜 준다.

학급은 처음에 네 그룹으로 나누어진다. 각 그룹은 한 개씩의 연을 배당받고 그것을 상세하게 검토한다. 각 그룹은 단어들의 중심 강세를 표시하고, 단어의 의미를 드러나게 하는 하나의 방법으로 어떤 단어들이 입으로 발음할 수 있도록 동그라미 표시를 한다(예를 들면, slid, battrred, scraped, waltzed, dizzy). 다음으로 각 그룹들은 박자를 맞추는 고수들 모두가 박자에 일치될 때까지 그들의 연에서의 강세 패턴을 손으로 조용히 두드린다. 불일치가 최소한으로 유지되게 하기 위해 한 사람의 지휘자를 임명해야 한다. 그런 다음에 각 그룹들은 지휘자의 안내에 따라 그들 각자의 연을 조용히 읽는다. 읽는 합창이 꽤 균형이 잡히면, 각 그룹들은 가능할 수 있는 개선사항들을 토론한다-즉 휴지, 혹은 음조에 맞춘 다른 변형 등. 리허설이 꽤 오래 계속되고 나면, 교사는 시의 '연주'가 시작될 것임을 공포한다. 교사의 소개가 있고 난 후에, 그 시는 합창하는 그룹들에 의해 바른 순서에 따라 낭송되어진다. 학생들은 그러한 공연을 토론하고 난 다음에 각 연을 맡은 그룹의 각자는 독주형태로 낭송한다. 마지막으로 교사가 혼자서 독송한 다음, 낭송에 있어서 학생들과의 차이점이 무엇인지에 대해 토론을 한다. 신뢰할 만한 훌륭한 그룹들의 연주를 녹음하면 토론을 하는데 커다란 도움이 될 수 있다.

후속학습

이 시는 후속학습을 위해 많은 영역을 제공한다. 학생들은 이 시의 어린이와 그의 어머니, 또는 아버지와 어머니 사이에, 같은 날 저녁에 함께 나누는 대화를 즉석에서 만들어야 한다. 이것은 보통 그 시에 암시되어 있는 관계들에 대한 가정들을 드러낸다. 학생들은 교대로 좋은 아버지의 자질들에 대해 한 장의 목록을 쓰고, 그것들을 중요성의 순서에 따라 배열한다.

창작하기를 즐기는 학생들을 위한 하나의 간단한 활동이, 교사가 학생들에게 다시 어린시절로 되돌아 갔다고 상상해 보라고 할 때 시작된다. 그들은 그 당시의 자기들의 세계와, 어른들 특히 아버지 아니면 좋아하는 아저씨나 형님과 같은 인물들에 대한 인식들을 기억해내려고 애써야 한다. 그들은 다음과 같이 시작되는 하나의 연을 완성한다.

Father(혹은 아저씨/ 형님 · 동생, 기타 적절한 인물)
You make me feel...

You give me...
I give you...
I wish...
I...

마지막으로 수업에서 어린이의 시각에서 가정생활에 관해 쓴 몇 편의 좋은 시들이 있다. 이러한 시들은 문체적인 대조를 위한 기초로서, 혹은 여가 시간에 학생들이 할 수 있는 추가적인 글읽기를 위한 기초로서 사용될 수 있다. 이러한 시의 보기로서 씨아무스 헤니(Seamus Heaney)의 '추종자'(Follower), R.S. 토마스의 '미안'(Sorry), 실비아 프래스(Sylvia Plath)의 '가족재회'(Family Reunion) 등이 있다.

워리 쇼인카(Wole Soynica)의 '전화대화' (Telephone conversation)

이 유명한 시는 인종적인 편견에 대한 혐오를 명백히 나타낸다. 이 인종차별의 거만한 태도에 대한 화자의 분노는 아주 강도 높게 표현된다. 이 시에서 몇 개의 어휘는 상당히 도전적이지만, 그 상황은 고급 수준의 학급들이면 충분히 성공적으로 사용될 수 있을 만큼 아주 분명하다.

준비학습

학생들은 이 시를 듣거나 보기 전에, 자기들이 스스로 방을 구하고 있으며, 신문에 좋은 방이 있다고 광고를 낸 여자에게 전화를 걸려고 하는 상황을 상상해 본다. 학급의 절반은 그들이 집 여주인들이라고 상상한다. 그들은 집 때문에 전화를 건 사람들에 관해서 무엇을 알고 싶어할까? 나머지 절반은 전세를 얻으려는 사람들이라고 생각한다. 교사는 각각의 편에서 여러 가지 질문을 한다. 이 질문들은 칠판에 써지고 토론이 이루어진다. 의견이 타당한 그룹들에게 교사는 전화대화를 즉흥적으로 만들어 보게 하고, 나머지 학생들에게 교사는 전화상의 인물들에 대한 그들의 반응을 물어본다. 집 여주인은 쾌활한가? 의심이 많은가? 냉정한가? 집을 얻으려는 사람은 공손한가? 소심한가? 결사적인가?

시 읽기

교사는 쇼인카의 시를 읽는다. 어려운 단어들에 대해서는 흉내나 전달하는 몸짓 방식으로 그 일차적인 의미를 제시한다. 고립된 어휘항목들을 사전에 교사가 제시하는 것은 좋지 않은데, 그것은 시 전체에 대한 최초의 접촉상의 통합성을 망치게 하기 때문이다.

Telephone conversation

The price seemed reasonable, location
Indifferent. The landlady swore she lived
Off premises. Nothing remained
But self-confession. 'Madan,' I warned,
'I hate a wasted journey - I am African.'
Silence. Silenced transmission of
Pessurized good-breeding. Voice, when it came,
Lipstick coated, long gold-rolled
Cigarette-holder pipped. Caught I was, foully.
'HOW DARK?'... I had not misheard... 'ARE YOU LIGHT
OR VERY DARK?' Button B. Button A. Stench
Of rancid breath of public hide-and-speak.
Red booth. Red pillar-box. Red double-tiered
Omnibus squelching tar. It was real! Shamed
By ill-mannered silence, surrender
Pushed dumbfoundment to beg simplification.
Considerate she was, varying the emphasis -
'ARE YOU DARK? OR VERY LIGHT?' Revelation came.

'You mean – like plain or milk chocolate?'
Her assent was clinical, crushing in its light
Impersonality. Rapidly, wave-length adjusted,
I chose. 'West African sepia' - and as afterthought,
'Down in my passport.' Silence for spectroscopic
Flight of fancy, till truthfulness clanged her accent
Hard on the mouthpiece. 'WHAT'S THAT?' conceding
'DON'T KNOW WHAT THAT IS.' 'Like brunette.'
'THAT'S DARK, ISN'T IT?' 'Not altogether.
Facially, I am brunette, but, madam, you should see
The rest of me. Palm of my hand, soles of my feet
Are a peroxide blond. Friction, caused –
Foolishly, madam – by sitting down, has turned
My buttom raven black – One moment, madam!' – sensing
Her receiver rearing on the thunderclap
About my ears – 'Madam,' I pleaded, 'wouldn't you rather
See for yourself?'

(번역)

가격은 괜찮은 것 같군요. 위치는 상관없어요. 집 여주인은 부동산에 의지해 산다고 맹세했네. 자기 고백 밖엔 할 게 없었네. '마담', 나는 경고했지, '저는 낭비했던 방황은 싫어요. 저는 아프리카인이랍니다.' 침묵. 침묵 속의 억압되어진 예의범절의 전달. 그 목소리 들리고, 짙게 바른 입술연지, 길다랗게 금도금된 담배 파이프 빠는 소리. 난 불쾌해 졌네. '얼마나 검은가요?' 난 똑똑히 들었네. '조금 검나요, 아니면 아주 검은가요?' B글자. A글자. 공개적으로 고약한 숨결 냄새. 붉은 전화박스. 붉은 우편함. 검은 타르를 묻혀 철벅거리는 수치심이 느껴져 굴종하며, 간단하게 해달라고 구걸하는 억울린 침묵. 그녀는 사려깊은 여자여서 억양을 다양하게 바꾸어가면서 '당신은 연한 우유빛깔처럼 약

> 간 검은가라고 묻는 건가요?' 의도가 드러났다. 그녀의 태도는 임상실험하듯 했으며, 그 어조에 인간미가 전혀 없었네. 빠른 속도로 길게 파도치듯 나는 말해줬지. '서프리카 암갈색' – 잠시 재고하듯 말했네, '제여권 아래 부분에는요?' 분광기처럼 환상을 날리는 침묵. 드디어 금속성의 쨍그랭거리는 그 여자의 딱딱한 말투가 정말로 입에서 나왔네. 인정하는 듯이 이렇게 말했다. '그게 어떤 것이지요? 무엇인지 모르겠어요.' 거무스레한 피부같아요. '검은 건 맞지요?' '전혀 안 그래요. 얼굴은 검지만 마담, 당신은 저의 나머지 다른 면을 보아야 해요. 내 손바닥, 내 발바닥은 하얀 금빛이어요. 번민이 어리석게도 나를 주저앉게 해서 저의 밑바닥을 까마귀처럼 검게 만들었어요. 한번만 마담!' 그녀는 전화를 끊었네. 수화기 놓은 소리가 내 귓가에 천둥이 부딪치듯 울리는 소리를 들었지. '마담, 당신 스스로를 위해 저를 살펴봐 주시지 않겠어요?' 나는 사정하였었네.

교사는 많은 감정을 이입하고 학생들과 눈을 마주치면서 이 시를 읽은 후에 그들의 반응을 묻는다. 이 활동은 편견의 개념, 특히 인종차별의 개념을 이끌어내야 한다. 그런 다음에 교사는 이 시를 한 장씩 나누어 주고 잠깐 동안 읽는다. 그것에 뒤이어 이 시는 다음과 같은 질문들을 통해 보다 더 상세하게 살펴볼 수 있다: 왜 집 여주인의 말은 대문자로 표기되어 있나? 어떤 단어들이 두 화자의 감정을 나타내고 있나? 학생들은 잘 모르는 단어들의 의미를 추측해 본다. 교사는 학생들에게 집주인과 전화를 거는 남자가 대화 중에 각자가 무엇을 생각하고 있는지를 묻는다. 또한 두 화자가 나눈 대화의 실제적인 단어들은 학생들이 이미 확인해 보았던 감정적 단어들을 반영하지 않는 것 같다는 점을 그들에게 상기시킨다. 교사는 대화를 간단한 만화로 나타낸 형태를 오버헤드 프로젝트로 제시하고(아래 과제지 56 참조), 학생들은 그룹별로 물거품처럼 일어나는 생각의 그럴싸한 내용들을 숙고해 본다. 다음으로 교사는 그룹들에게 만화를 복사한 종이들을 배부하며, 그들은 빈칸에 그들의 생각을 써 넣는다. 그리고 나서 각 그룹들은 만화들을 교환한다. 마지막으로 한 학생은 집주인의 역할을 하고, 다른 학생은 전화를 거는 남자의 역할을 하는 짧은 장면을 연기한다. 만화의 끝에 비워둔 두 개의 빈자리는 각자의 생각을 대화로 나타내면서 말하는 대사를 뜻한다.

과제지 56

'전화 대화'의 시를 읽고 빈자리에 작중인물이 생각할 것 같은 말을 써 넣으시오. 여러분이 원하면 9, 10번의 빈칸에 이야기를 계속 이어시오.

9	10

후속학습

후속활동들은 창작에 적합하도록 집중될 수 있다. 학생들은 자신을 집 여주인이나 전화를 거는 사람으로 상상할 수 있으며, 그 전화내용에 관해 친구에게 한 통의 편지를 쓸 수 있다. 전화를 거는 사람의 경우 인종문제 단체에다 써 보낼 수 있다.

학생들은 보다 더 야심적이라면, 집 여주인에 대해 그룹 단위의 시를 지을 수도 있다. 먼저 교사는 5명이 한 조로 된 그룹들에게 다음과 같이 쓰여진 종이를 나누어 준다:

은유시 — 집 여주인
(동물) She is ......
(꽃) She is ......
(음료수) She is ......
(날씨) She is ......
(색깔) She is ......

학생들은 그들이 쓸 시가 쇼인카의 시에 나오는 집 여주인에 관한 것이어야 한다는 지시를 받는다. 그룹의 각 학생은 위의 괄호 안에 있는 범주들 중의 하나를 고른다. 그렇게 고른 범주는 집 여주인에 대한 은유의 기초가 된다. 학생들은 각자 은유적인 문장을 하나씩 쓰고, 각 그룹에서 그것들을 함께 모아서 5행으로 된 은유시를 만든다. 아래에 그 실례가 있다:

The landlady

Shd's a blind peacock strutting in a small circle.
She's faded rose with a rotten scent.
She's iced tea behind laced curtains.
She's frost against the summer sun.
She's yellow face of prejudice.

(번역)

그녀는 좁은 원을 그리며 돌아다니는 눈먼 공작.
그녀는 썩은 냄새가 나는 시든 장미.
그녀는 레이스 커튼 뒤의 얼음처럼 차가운 홍차.
그녀는 여름의 태양에 저항하는 서리.
그녀는 편견의 노란 얼굴.

휴고 윌리엄즈(Hugo Williams)의 '위층에 사는 부부' (The couple upstairs)

이 짧은 시의 간결성은 독자에게 그것이 창조한 여러 가지 효과들과 이용할 수 있는 추론들을 세밀하게 검토해볼 많은 영역을 제공한다.

준비학습

학생들은 그들의 이웃에 대해 질문을 받는다. 예컨대, 그들은 이웃이 있는가? 이웃집은 얼마나 가까운데 사는가? 그리고 나서 그들은 짝을 지으며, 아래의 과제지 57과 같은 표를 사용하여 각자 두세 집의 이웃에 대해 서로에게 인터뷰를 한다. 교사가 학생들에게 그들이 발견한 것들에 대해 질문할 때, 그것들이 토론된다. 그런 다음 학생들에게 그들의 이웃이 행하는 일들에 의해 영향을 받는지에 대해 질문한다. 예를 들면, 그들은 존 가족들과 사이좋게 지내려고 애쓰는가? 함께 외출하거나 서로의 집을 방문하는가? 이웃들 중의 한 집이 떠난다면 어떻게 느낄 것 같은가?

과제지 57

짝을 지어 물어 보면서 파트너 학생의 이웃집들에 관한 질문사항들을 완성하시오.

이웃의 수	그들의 직업은 무엇인가?	그들은 그곳에 얼마나 살아왔는가?	가족의 수는 얼마인가?	관심사항과 취미	괴이한 점이나 이상한 습관들	성격: 친절한가? 시끄러운가? 쾌활한가? 기타
1.						
2.						
3.						

시 읽기

교사는 학생들에게 '윗층의 부부'라는 이웃에 관한 시를 들을 것이라고 말해 준다. 그들은 처음 들여주는 내용에 수반되는 요점문제를 한 가지

받는다: 무슨 일이 일어났는가? 교사는 표정을 많이 지어 보이고, 눈을 맞추면서 그 시를 읽는다.

이러한 처음의 읽기와 요점문제에 대한 후속활동이 있은 후, 그 시는 칠판이나 오버헤드 프로젝트에 제시되고, 교사는 그것을 또 한번 읽는다.

이제 교사는 이미 이전의 몇 년간 이 작품을 수업에서 교재로 사용했던 영문과 학생들이 거기에 쓴 몇 개의 노트와 질문들과 함께 이 시의 복사물을 가지고 있다고 학생들에게 말한다. 학생들은 두 사람이나 세 사람씩 조를 짜서 그 노트들을 연구하고, 나아가 가장 흥미있다고 생각하는 것에 생각을 집중하면서 그것들이 무엇을 의미하는지, 그리고 그것들에 동의하는지, 그렇지 않는지 등을 토론한다. 많은 그룹들과 더불어서 할 때는 이러한 활동에 적어도 20분을 허용해야 한다. 각 그룹들이 준비가 되면, 교사는 그 노트들과 질문들에 대해 약간의 논평을 해보게 한다.

이러한 활동은 학생들이 그 시에 관해 상당히 자세하게 그들 나름대로 살펴볼 수 있게 하는 하나의 방법이 된다. 이러한 활동을 위한 상황은 격의 없고, 교사 중심적이 아니다. 이 시의 복사물에다 손으로 적어 넣었거나, 화살표로 끌어내어 쓴 노트들은 시 분석의 과정을 시각화시켜 주고 구체화시켜 준다. 논평들을 이렇게 기입해 넣고 자유롭게 열려 있게 한 형태는 그러한 것들에 대해 더욱 쉽게 탐구하고 도전할 수 있다는 느낌을 학생들에게 준다. 정답이 없는 이러한 질문들은 학생들에게 자기들도 한번 해볼만 하다고 느끼게 하는 여지를 남겨준다. 간단히 말해서, 이러한 형식은 외국어로 쓰여진 시를 분석할 때 초기에 확신을 심어 주며 이해력을 높여준다.

과제지 58

이 시를 읽고 손으로 써 넣은 노트들을 검토하고 나서 여러분이 가장 재미있다고 생각하는 논평문들을 고르시오.

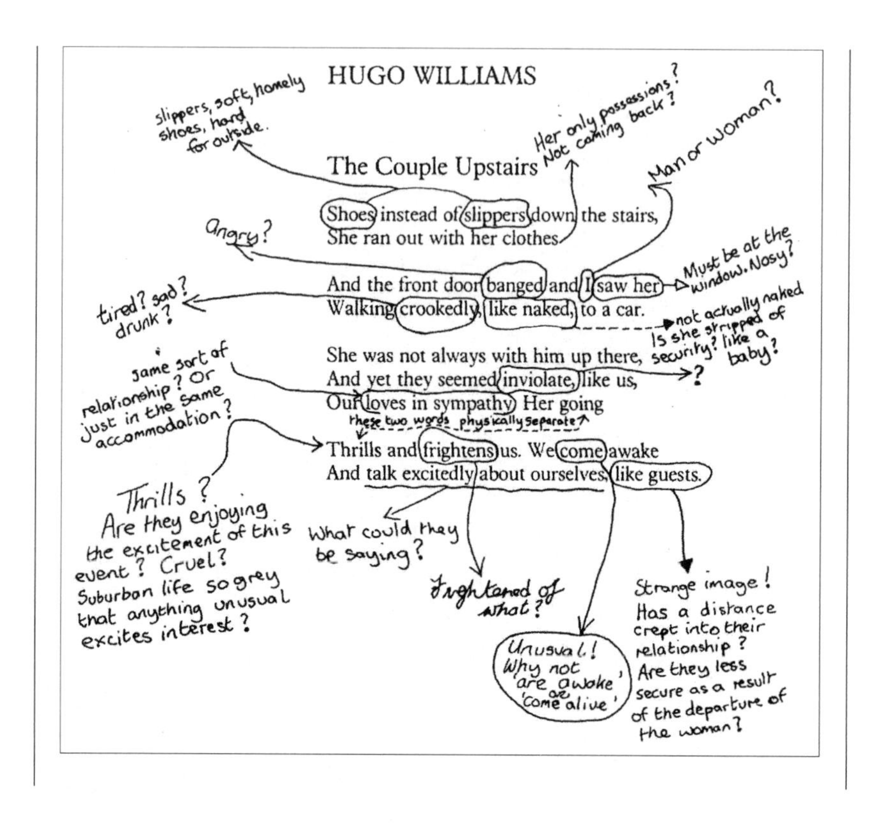

(과제지 58의 시 번역)

구두 아닌 슬리퍼를 신고
그녀는 옷을 들고 아래층으로 뛰어 왔네

현관문이 큰 소리로 닫히면서, 난 그녀가
마치 벌거벗은 듯 슬프게도 차가 있는 곳으로 걸어가는 것을 보았지

그녀는 항상 그와 함께 윗층에 있지는 않았어
아직 그들은 우리처럼 서로 공감하는 연인으로
사랑의 약속을 지키고 있는 것처럼 보였어

우리는 스릴과 놀라움으로 잠이 깨어
마치 손님들처럼
우리 자신에 대해 들뜬 기분으로 이야기를 했었어

후속학습

후속학습은 다음과 같은 것을 포함한다:

즉석 대화 만들기

교사는 주제로 돌아와서 학생들에게 윗층의 부부와 아래층의 남자(아마 혼자 사는지도 모른다?) 사이에 나누는 즉흥적인 대화를 만들어 보게 한다.

생각나는 대로 쓰기

교사는 학생들에게, 남편과 이별하는 여자가 계단을 뛰어 내려왔다가 몸을 돌리자 이웃집 침실에서 커튼이 움직이는 것을 목격할 때, 이 여자의 마음 속에 어떠한 생각이 일어나고 있는지 상상해 보게 한다. 이것은 의식의 흐름의 형태로 쓰여질 수 있다. 즉 어떤 의도된 순서나 시적 형식과는 관계없이 생각이 떠오르는 대로 적는다. 첫 행이 다음과 같이 시작된다:

Watching, always watching..........
....
....
....

표 21는 학생들이 쓴 시들의 예를 3개 보인 것이다.

표 21A

Down the stairs. Turn around, there is still time.
The front door, bang!
Watching, always watching. Yes, dear neighbour, I'm leaving. Something new to talk about: „Who should have thought that?". "They seemed happy." Happy?
I was, once.
The car. Go back, give it a second chance.
No, I'm too tired. Tomorrow, perhaps.
Reverse gear. Still there, watching. Thinking: „What went wrong?"

표 21B

Watching, always watching... As if their whole lives depended on that... Always watching other people's unhappiness, so as to forget their own dull and empty lives... Yes I've just left him! Yes we've just split up!
So what? Leave me cry alone... My pain is pure, sincere, but your dirty eyes on me... oh I won't give you the pleasure to see me cry...

표 21C

Watching, always watching,
That smug prying female cat

The scorching sting of her spying eyes
Bores my naked back.

Gloating and nodding, but (as) blind as a bat.
Overweening, but outwitted,
She won't even hear her own door bang
When he goes. But the thought of us
Will long keep her awake
Like an unwanted guest.

D.H. 로렌스의 '내가 아는 여인들에게' (To women, as far as I'm concerned)

이 시는 다음에 보게 될 시와 마찬가지로 성인학생이나 고등학교 상급 수준에 있는 학생들에게 인기가 있는 점이 밝혀졌다. 왜냐하면 이 두 시는 모두가 많은 생명체의 중심에 가까이 놓여 있는 여러 가지 감정을 구체화시키고 있기 때문이다: 즉 인간관계와 서로를 다루는 일에 있어 '사람들이 벌이는 게임들'에 관한 느낌들이 그것이다. 그것들은 토론으로 유도하는 훌륭한 자극제이다.

'내가 아는 여인들에게'는 전체적으로 직설적인 서술문들로 구성되어 있으며, 상급 수준의 학생들을 위해 알맞아, 언어적인 문제들이 전혀 없는 짧은 시이다. 이 시를 제시하는 한 가지 방법은 이 시를 여러 개의 개별적인 시행으로 나눈 다음에 여러 소그룹의 학생들에게 가능할 수 있는 하나의 순서를 결정하게 하는 것이다:

The feelings you would like us both to have, we neither of us have.
So if you want either of us to feel anything at all
The feelings I don't have, I won't say I have.
The feelings people ought to have, they never have.

The feelings you say you have, you don't have.
The feelings I don't have I don't have.
You'd better abandon all idea of feelings altogether.
If people say they've got feelings, you may be pretty sure they haven't got them.

(번역)

"당신이 우리 두 사람에게 갖기를 바라는 감정들을 우리는 모두 다 갖고 있지 않다.
그래서 만일 우리들 중의 어느 사람이 어떤 것을 조금이라도 느끼기를 원하더라도
나는 감정을 갖고 있지 않으며, 내가 갖고 있다고 말하지도 않을 것이다.
사람들이 가져야만 하는 감정들을, 그들은 결코 갖고 있지 않다.
여러분이 갖고 있다고 말하는 감정을, 당신은 실제로 갖고 있지 않다.
내가 갖고 있지 않은 감정을, 나는 실제로 갖고 있지 않다.
여러분은 감정들에 대한 모든 생각을 차라리 완전히 포기하는 것이 좋다.
만일 사람들이 자기가 감정을 가졌다고 말한다면, 여러분은 그들이 그러한 감정을 갖고 있지 않다고 충분히 확신할 수 있다."

이른바 '올바른' 순서를 알아 맞추는 것은 필요하지 않음을 강조하는 것이 중요하다. 학생들의 과제는 오히려 어떤 종류의 진행을 제시하는 방식으로 여러 시행들을 정돈하는 것이다. 예를 들어, 그들은 때때로 시행을 나의 느낌으로부터 여러분의 느낌, 우리의 느낌으로 이동되는 것을 보여주도록 배열하였다. 또는 일반적인 것에서 특별한 것으로, 아니면 이상화된 세계관에서 실제적인 세계관으로 이동되는 것을 보여 줄 수 있도록 배열하였다. 이렇게 순서를 잡는 작업이 다 이루어졌을 때, 각 그룹은 이 시의 제목을 붙여야 하며, 그런 후에 그것을 다른 그룹들이 만들어낸

결과들과 비교한다.

이러한 과제 자체는 일반적으로 시인이 말하고 있는 것에 관해 각자의 견해들을 활발하게 교환하도록 불을 붙여 준다. 이러한 견해들은 앞의 5장에서 설명된 연속해 나가기 연습에 의해 더 많이 이끌어내어질 수 있다. 교사는 교실의 한쪽 모퉁이는 전적으로 동의하는 학생들을, 그리고 다른 한쪽은 전적으로 반대하는 학생들을 각각 대표하게 하여, 그 사이에 있는 벽을 따라 그들이 어떤 하나의 입장을 취하게 하고, 그것에 의해 이 시에 관해 제시한 어떤 진술들에 얼마나 동의하는지 그 정도를 보여 주게 한다. 예컨대:

- 시의 화자는 감정들에 대한 그의 태도에 있어 완전히 옳다.
- 감정들에 대해 가장 많이 이야기하는 사람들은 어떠한 참된 감정들도 갖고 있지 않다.
- 사람들 사이의 완벽한 정직은 가능하지 않다.
- 모든 사회적 관계들은 위선적이다.
- 화자가 다른 사람이 '진실로' 무엇을 느끼는지 안다고 추측하는 것은 아주 잘못되었다.
- 화자는 오만한 것은 말할 것도 없고 자만하고 있다.
- 화자는 시 속의 '여러분'을 향하여 후원하고 있다.
- 화자는 정직하고 시 속의 다른 사람과 좋은 관계를 형성하고자 노력하고 있다.
- 시인이 붙인 시의 제목은 여인들에 대해 어떤 적대감을 암시한다.
- 기타

교사는 학생들에게 그들이 취한 입장을 정당화하고, 그리고 다른 관점에 서 있는 학생들에게 그들이 결정한 그들의 이유에 관해 질문하게 한다.

이러한 활동의 과정에서 자주 던져지는 한 가지 질문은 이 특별한 작품의 시적인 자질들에 관계된다. 이 작품은 진정으로 시인가? 만약 그렇다면 무엇이 정확하게 그것을 시로 만드는가? 만약 학생들이 첫번째 단계에서 그 순서를 매기고 있었던 이 시의 진술문들이 한 편의 시에서 나왔다는 것을 교사가 학생들에게 이야기하지 않았다면, 교사는 그들에게 그것이 무슨 종류의 작품이라고 느끼는지 물을 수 있다. 학생들은 그것이 한 편의 시라고 느낄 때가 아주 많지만, 그들은 관례적인 자질이 없는 사실에 의해 때때로 걱정이 되어진다: 예컨대 심상, 은유, 각운, 연의 패턴 등. 교사는 전체적인 학급의 토론에서 학생들이 그러한 문장들의 모음을 시라고 매김질하는 측면이나 자질들을 최대한으로 많이 나열하게 한다. 그 다음에, 두 명씩 짝을 이루고 있는 학생들은, 만약 그들이 이 작품을 실제로는 전혀 시가 아니라고 생각한다면, 시에 적합하게 해주는 '시'에 대한 짧은 정의를 작성해 보도록 애써 보며, 역으로 번갈아가면서 시를 배제하는 측면에 대해서는 그것에 대한 짧은 정의를 이끌어내고자 애쓴다. 그러한 정의들은 학생들이 비교할 수 있겠금 핀으로 눌러 보관한다. 교사는 이 시점에서 자신의 시에 대한 하나의 정의와 함께 한두 가지 이상의 유명한 시에 관한 정의들을 아래의 예와 같이 덧붙일 수 있다 :

시는 자주 생각되어지는 것/ 그러나 결코 그렇게 잘 표현되지 않는 것 (포프)

시는 고요 속에서 회상되어지는 감정 (워즈워드)

시는 만질 수 있고 침묵해야 한다.
마치 둥근 과일처럼…
시는 의미해서는 안되며
단지 존재해야 한다 (아키발드 매크레이쉬)

수학공식들은 매우 예리한 형식으로 매우 넓은 하나의 자연법칙을 표현하기 때문에 만족스럽다. 한 가지 표현이 지구 주위의 모든 행성과 위성들의 움직임을 거기에 담는다. 나는 그것이 매우 만족스러운 것으로 안다. 나는 시를 그것과 유사하다고 생각한다 (D. 킹헤레)

'내가 아는 여인들에게'라는 이 시의 올바른 문장은 다음과 같다.

To women, as far as I'm concerned

The feelings I don't have I don't have.
The feelings I don't have, I won't say I have.
The feelings you say you have, you don't have.
The feelings you would like us both to have, we neither of us
  have.
The feelings people ought to have, they never have.
If people say they've got feelings, you may be pretty sure they
  haven't got them.
So if you want either of us to feel anything at all
  you'd better abandon all idea of feelings altogether.

로우저 맥고우(Roger Mc Gough)의 '당신과 나' (You and I)

이 시는 유사한 주제에 관한 것이다. 그래서 만약 학생들이 '내가 아는 여인들에게'라는 앞의 시에 의해 이루어진 토론을 즐겼다면, 이 시를 이해할 수 있다. '당신과 나'는 언어학적으로 약간 더 복잡한데, 학생들에게 익숙하지 않는 몇 개의 어휘나 표현들, 예컨대 'try a new tack', 'blinkers', 'placatory', 'crocodile tears' 등과, 그리고 학생들을 위해 영어로 그 내포적 의미들을 어떤 다른 문화들로부터 이끌어내어야 하는 몇 개의 이미지들, 예컨대 'dove & hawk', 'olive branch & thorns' 등을 가지고 있기 때문이다. 그러나 이어지는 각 연에 의해 누적적으로 형성된 담화의 패턴이 매우 강하기 때문에, 일반적으로 학생들이 교사로부터 단지 최소의 도움을 받기만 하면, 이 시의 문맥은 이러한 표현들의 의미를 그들이 포착하도록 도와준다. 그래서 교사가 미리 가르쳐 주는 것은 실제로 필요하지 않다. 다음과 같은 활동은 학생들을 곧바로 이 시의 상황 속으로 들어가게 하는데, 시의 이미지들의 힘과 박진감을 학생들이 평가할 수 있게 하기 위해서 이 시의 시인은 어떤 것을 쓸 수 있었는가 하는 점을 그들에게 상상해 보게 한다.

교사는 그 학급에다 이 시의 제목이나 첫 연만을 단지 제공한다(칠판에 쓰거나, 배부용 인쇄물이나 오버헤드 프로젝트로서). 그런 다음에 그는 크게 읽고 어려운 것들을 설명하며, 그리고는 학생들에게 이 시가 무엇에 관해 말하는지 말하게 한다. '당신'과 '나'는 누구일까? 그들의 관계는 무엇일까? 이 계급의 구성원들은 이러한 상황을 인식하는가? 그들은 자기들이 오해받고 있다는 것을 느끼는가? 그들 자신의 선의는 때때로 다른 사람들에 의해 공격적인 것으로 보여지지 않는가? 그들은 때때로 다른 사람들이 그들에게 전달하고자 애쓰는 것들을 자기들이 왜곡하거나 또는 오해한다고 느끼는가? 이렇게 묻고 나서 교사는 두번째 연을 제시한다. 그러나 다음과 같은 방식으로 빈칸을 써 넣게 남겨 둔다:

You see both sides. I	당신은 양면을 본다. 나는
________________. I	________________. 나는
am placatory. You	융화적이다. 당신은
__________.	________________.

교사는 어려운 점들을 설명한다. 그리고 나서 무엇으로 이 문장들의 빈칸을 채울 수 있는가에 관해 학생들의 제안을 요청한다. 학생들은 종종, 첫번째 시도에서 너무 단순한 반대의견을 만들어낼 것이다: '당신은 양면을 본다. 나는 어느쪽도 보지 않는다.', 혹은 '나는 단지 한면만을 본다,' '나는 융화적이다. 당신은 폭력적이고, 양보하기를 거절한다.' 등. 그러한 여러 가지 경우들에 있어서, 교사는 그러한 제안들을 수용하고, 그것들을 기록하며, 그런 다음에 학생들에게 두번째 연이 첫번째 연과 일치하는지 검토하게 한다. '나는 어느쪽도 보지 않는다.'라는 문장은 하나의 가능할 수 있는 완결문이다. 그러나 그것은 사고를 계속되게 하는가? 즉, '나는 조용히 설명하지만 당신은 내가 크게 소리치고 있다고 듣는다' 와 같이 할 수 있는가? 만약 시인이 다음과 같이 썼다면, 그러한 사고는

다르게 될 수 있겠는가? 즉, '나는 조용히 설명하지만 당신은 크게 소리친다'와 같이 할 수 있겠는가? 일반적으로 학생들은 그들의 첫번째 문장을 다음과 같은 문장이 되도록 정정한다: '당신은 양면을 본다. 나는 당신이 한쪽으로 치우쳤다(부당하다/편협하다)고 생각한다.' '나는 융화적이다. 당신은 내가 당신을 모욕한다/불화를 선동한다/ 불화를 만드는 사람이다고 생각한다.'

교사는 공동으로 하는 첫번째의 이와 같은 글쓰기 노력이 끝난 후에, 짝을 지어 있는 학생들로 하여금 써 넣도록 비워 놓은 세번째, 네번째 연을 제시하고 그 부분을 채우게 한다:

<table>
<tr><td>I am a dove. You

.... You</td><td>see an eagle.
think I'm warish(war-like).
are the wounded lion.</td></tr>
<tr><td>offer an olive branch. I

....</td><td>see you throw down the glove(gauntlet).
feel you're a bully.
think you're antagonistic.</td></tr>
<tr><td>You bleed. I

....</td><td>refuse to be moved.
think you're pretending.
I think you're making a fuss.</td></tr>
<tr><td>withdraw. You

....</td><td>think it's just a new tactic.
don't believe me.
put up new defences.</td></tr>
</table>

(번역)

<table>
<tr><td>나는 비둘기이다. 너는
.... 너는</td><td>독수리 한마리를 본다.
내가 호전적이라고 생각한다.
상처입은 사자이다.</td></tr>
<tr><td>올리브 가지를 하나 준다. 나는
....</td><td>너가 장갑을 던져 버리는 것을 본다.
너가 불한당이라고 느낀다.
너가 적대적이라고 생각한다.</td></tr>
</table>

너는 피흘린다. 나는	감동받기를 거절한다.
	너가 위장하고 있다고 생각한다.
.... 나는	너가 법썩을 떤다고 생각한다.
	그것이 단지 새로운 책략이라고 생각한다.
물러간다. 너는	나를 믿지 않는다.
....	새로운 방어책들을 내어 놓는다.

캠브리지 대학 영어 숙달도 시험을 준비하고 있는 여러 나라의 언어를 사용하는 학생들로 이루어진 학급에서 만든 몇 개의 문장들이 위에서 오른쪽에 주어졌다. 이러한 문장들로부터 양쪽의 학생들이 모두 이 시를 이해하고, 상상력과 감수성을 가지고 그것에 응답하였다는 것이 명백해졌다. 그들은 자기들이 해결한 부분의 글들을 비교한 후에 이 시를 열렬히 읽고 싶어했다. 그들은 정말로 이 시의 정신 바로 가까이 도달했다는 것을 깨달았을 때 기쁨의 함성을 질렀지만, 원본의 생생한 은유적 표현에서도 역시 만족을 느꼈다. '글쎄, 어쨌던 그는 시인이다. 그렇지 않은가!'라고 그들은 말했다. 이 시의 문장은 다음과 같다.

You and I

I explain quietly. You
hear me shouting. You
try a new tack. I
feel old wounds reopen.

You see both sides. I
see your blinkers. I
am placatory. You
sense a new selfishness.

I am a dove. You

recognise the hawk. You
offer an olive branch. I
feel the thorns.

You bleed. I
see crocodile tears. I
withdraw. You
reel from the impact.

(번역)

나는 조용히 설명한다. 당신은
내가 크게 소리치는 것을 듣는다. 당신은
새로운 책략을 시도한다. 나는
오랜 상처가 재발하는 것을 느낀다.

당신은 양면을 본다. 나는
당신의 색안경을 본다. 나는
융화적이다. 당신은 어떤 새로운
이기심을 느낀다.

나는 비둘기이다. 당신은
그 매를 깨닫는다. 당신은
올리브 나무가지 하나를 준다. 나는
그 가시들을 느낀다.

당신은 피흘린다. 나는
악어의 눈물을 본다. 나는
물러난다. 당신은
그 충격으로부터 비틀거린다.

부 록

부록 1. 에세이식 모의시험 출제 및 채점 위원회 구성과 운영 방법

외국어로 쓰여진 문학작품을 읽는 상당수의 학생들은 일반적으로 에세이 쓰기를 포함한 필기시험을 칠 공부를 하고 있을 것이다. 때때로 주관식 에세이는 목표언어로 쓸 필요가 있을 것이다.

에세이 쓰기와 시험은 고독한 작업일 때가 많다. 경쟁요소와 점수부여가 이러한 고독을 만든다. 에세이 쓰기와 채점은 수행중인 여러 과정들이 보다 더 잘 이해될 수 있도록 하기 위해 연구되어져야 함은 물론이고, 그 작업을 공동으로 수행할 필요가 있다. 모든 문학적 에세이는 필자와 독자 사이에 의사소통의 한 가지 형식이다. 좋지 못한 점수는 그 두 사람 사이가 조화되어 있지 않다는 것을 뜻한다. 즉 필자는 독자의 기대를 만족시키지 않고 있다. 하나의 에세이 문제에 대해 교사가 기술해주는 논평이나 학급의 토론은 학생들로 하여금 그들에게 기대되어지는 것을 이해하도록 도와줄 것이 분명하지만, 교사는 이용가능하고 도움이 되는 다른 선택 방안을 많이 가지고 있다.

학생들로 하여금 에세이 문제들을 선정하게 하는 것은 그러한 문제선정 작업은 그들이 해야 할 적절한 대답을 어떻게 결정해야 하는지 그 방법을 이해할 수 있게 해주며, 또한 특정 문학작품들이 요구할 것 같은 문제의 종류에 대해 훨씬 더 커다란 감수성을 그들에게 제공해 준다.

작성한 에세이들을 교사에게 제출하기 전에 그것들을 서로 교환하고, 점수를 매겨 보고하고, 또는 심지어 그들 자신이 쓴 에세이에 대해 점수를 매기고 논평해 보게 하는 것 등은 학생들이 그들의 장점과 단점에 대해 보다 더 뛰어난 인식을 갖도록 도와줄 수 있다.

개별적으로 에세이를 쓰기에 앞서 그룹별로 에세이에다 적합한 내용을 담기 위해 독창적인 생각을 짜내게 하는 것은 에세이를 기획하는 일에 있어 하나의 사회적 차원을 복원시켜 주는 또다른 방법이다.

더 약한 그룹과 함께 할 때라면, 교사는 어떤 에세이에 포함시킬 수 있는 가능한 요점들의 목록을 제공할 수 있다. 그러면 학생들은 부적절한 것으로 여겨지는 어떤 것들을 우선 삭제한 후에 그러한 요점들에 우선순의를 정하고, 그것들을 그룹으로 묶는다.

우리 저자들은 이 책에서 설명한 활동들이 학생들로 하여금 문학작품에 대해 보다 더 철저한 기초적 이해와 함께 그것과의 강한 일체감을 갖게 하는데 도움이 되기를 바란다. 이러한 두 가지 요소들은 문학에서 에세이 쓰기에 실체성과 생명을 더 하도록 도와줄 것이다.

위에서 언급한 일종의 의식훈련들의 많은 부분을 통합하는 하나의 매력적인 활동을 찾고 있는 교사들을 위해, 다음과 같은 모의시험을 제시한다. 그것은 다양한 크기의 학급에 채택될 수 있을 만큼 충분히 다방면에 걸쳐 활용가능하며, 전체적으로 대략 2시간 반의 시간이 소요된다. 하지만 여러 개의 다양한 부분들은 또한 개별적으로도 채택될 수 있다.

출제 위원회 - 모의시험

이와 같은 시험을 위한 아이디어는 학생들이 앞으로 치르게 될 시험을 준비하기 위해 문학적 에세이들을 써 보고 있는 그들로 하야금 그들이 무엇을 하고 있는지, 그리고 왜 그렇게 하는지에 대해 보다 더 철저히 인식하게 만들자고 하는 바램에서 나왔다. 그것은 선택과 이용가능한 시간에 따라 부분적으로 혹은 모두 다 해볼 수 있는 것이다.

1단계 ; 국립 출제 위원회 소위원회

학생들은 소그룹들로 나눠지고, 각 그룹은 출제 위원회의 소위원회를 대표한다. 이들 위원회의 과제는 영문학 시험에 설정할 문제들을 쓰도록 하는 것이다.

우리는 이 모의시험을 구체적으로 설명하기 위해 20명 크기로 구성된 학급 규모를 정한다. 그러나 그것은 다른 크기의 학급 규모에도 적용될 수 있다(이 부록의 끝쪽에 있는 표를 참고하시오). 5명의 학생으로 구성된 4개의 그룹은 각각 아래 사항을 받는다:

- 과제표 한 장(예가 뒤따름)
- 설정된 문제들의 종류를 보여주는 국립 출제 위원회의 시험지 표본

학생들은 지시사항과 더불어 다른 문학작품들에 대해서 출제한 시험지 표본들을 읽는다; 그런 다음 그들이 읽어오고 있는 작품에 대해 시험문제를 설정할 수 있도록 두 가지 문제를 작성한다.

토론과 문제작성에는 대략 20분이 걸린다.

과제표 1

시험문제 출제 소위원회

여러분들은 국립 출제 위원회의 시험문제 선정 소위원회의 위원이다.

여러분들은 올해의 국립 출제 위원회의 영문학 시험문제를 위해 두 편의 에세이 문제를 고안하기 위해 회의를 갖고 있다. 그 두 문제는 다음에 근거할 것이다.

윌리엄 골딩의 「파리대왕」

이 작품은 이전에 국립 출제 위원회의 문학 교수요목에 오른 적이 없었다. 국립 출제 위원회의 전통은 교수요목에 올라 있는 각 작품에 대해 설정한 4가지 문제들 중에서 선택한 한 가지 문제를 출제 후보위원들에게 제공하는 것이다.

4가지 문제들은 다음과 같은 4가지 범주에 일치한다 :

a) 작품의 어느 한 인물이나 여러 인물들에 대한 한 가지 질문
b) 작품의 중요한 주제들 중의 하나에 대한 한 가지 질문
c) 한 가지의 '문맥' 질문—즉, 해석이나 논평을 위한 토대로서 그 작품으로부터 발췌한 짧은 인용문을 사용하는 질문
d) 제약없는 자유, 개방식의 한 가지 질문

여러분들의 소위원회는 오직 두 가지 질문에만 관여한다: 예를 들면 위의 a)와 c)의 유형을 선택한다.

여러분들은 '집의 양식에 대한 어떤 아이디어를 얻기 위해 다른 소설 작품들에 대해 만든 국립 출제 위원회의 표본 질문들을 참고할 수 있다. 단 이 질문들 중의 어느 것도 모방하지 마시오.

여러분들은 최대 20분 간의 토론을 마치고 나서 여러분이 설정한 두 가지 문제를 제출해야 한다.

국립 출제 위원회

영문학 교수요목 A

19xx년 6월 12일 화요일 오전 9~정오 10시 3시간

문제지 1 단편 소설들

이 문제지로부터 오직 세 문제만 대답하시오; 단 A, B, C의 각 분야에서 한 가지 문제만 채택되어질 수 있다.

A분야: 사키의 '스레드니 바쉬타르'

1. '비록 데 호프 여사가 이 단편소설에서 희생자이지만, 우리의 동정심은 젊은 소년 코르나딘에 있다.'
   여러분은 이러한 견해에 동의하는가? 이 소설에 대한 세부적인 참고사항을 가지고 토론하시오.

2. '종교는 인간들이 자신들의 적들을 처리하기 위해 사용되는 여러 가지 방법들 중의 하나이다.'
   '스레드니 바쉬타르'에 대해 특별한 참고사항을 가지고 토론하시오.

3. 그가 토스트를 만지지 않았다는 것을 관찰하였기에 그녀는 손
   상당한 태도로, '나는 당신이 토스트를 좋아한다고 생각했다.'
   라고 소리쳤다.
   '때때로'라고 콘라딘이 말했다.

이와 같은 작품의 인용부분은 전체로서의 이야기에, 그리고 특히 두 중심인물들 사이의 관계를 묘사한 것에 어떻게 관련되고 있는지 설명하시오.

4. 작가는 데 로프의 집안사람들에게서 끌어 오르는 여러 가지 감정들의 강렬함을 어떻게 이끌어내는지 그 방법을 토론하시오.

국립 출제 위원회

영문학 교수요목 B

19xx년 5월 14일 수요일　　오후 2-4　2시간

문제지 3 희곡

이 시험지로부터 오직 두 문제만 답하시오: 한 문제는 A분야로부터, 또 다른 한 문제는 B분야로부터 선택할 것.

A분야: G.B. 쇼의 「피그마리온」

1. 히긴스 교수와 알프레드 두리틀씨의 성격을 비교하고 대조시키시오.

2. 이 희곡에서 피커링 대령의 중요성은 무엇인가?

3. 이 희곡의 끝 무렵에 히긴스가 리자에게 이렇게 말한다: '내가 당신을 심하게 취급해 왔다고 당신이 생각하지 않는다고 나는 추측합니다.'
   여러분은 이 점을 어떻게 생각하는가? 히긴스가 심하게 리자를 취급해 왔는가?

4. 여러분이 말하는 방식은 적어도 여러분의 존재만큼 중요하다. 여러분은 동의하는가? 「피그마리온」에 대한 참고사항을 가지고 논하시오.

2단계: 국립 출제 위원회

시간이 다 되어 첫 과업이 끝나게 되면, 교사는 학생들에게 그들의 그룹이 설정한 두 가지 문제를 적게 한다. 각 학생들은 이제 국립 출제 위원회의 집행 소위원회 모임에 보내져 자기가 소속한 소위원회의 대표가 된다.

교사는 20명의 학생들을 4명으로 구성되는 다섯개 그룹의 소위원회로 재편성한다: 각 학생들은 서로 다른 소위원회로부터 자신들의 소위원회에서 설정한 두 가지 문제를 가지고 나왔다.

이렇게 그룹을 재편성하는 쉬운 방법의 한 가지는 다음과 같다: 교사가 1단계에서 소위원회에게 과제지를 나누어 줄 때 A-B-C-D-E로 표시를 하여 구성원들에게 한 장씩 준다. 두번째의 위원회를 구성할 때, 교사는 A표시가 된 과제지를 받은 학생들은 교실의 어느 한 곳으로 함께 가게 하고, 그리고 B표시 과제지를 받은 학생들은 다른 곳으로, 그리고 기타의 표시를 받은 학생들도 마찬가지 방식으로 또다른 곳으로 가게 하여 각 표시별로 모이도록 한다.

이런 방식으로, 다섯 그룹이 형성되는데, 각 그룹은 소위원회 1에서 문제 (a)와 (c)를 가지고 오는 학생으로 구성되고; 2에서 문제 (b)와 (d)를 가지고 오는 학생; 3에서는 문제 (a)와 (d)를; 4에서는 문제 (b)와(c)를 가지고 오는 학생으로 구성된다.

이제 새로이 구성된 집행 소위원회의 각 위원들에게 '과제표 2'를 나누어 준다. 문제들을 재구성하고, 토론하고, 선정하는데 대략 20분의 시간을 준다.

과제표 2

> 국립 출제 위원회 집행위원회
>
> 여러분은 국립 출제 위원회의 집행위원회이고, 올해의 영문학 시험 출제를 위한 네 가지 문제를 최종적으로 선정해 주기 바랍니다.
> 여러분은 소위원회들이 제출한 여덟 개의 문제들을 갖게 됩니다: 즉 (a), (b), (c), (d)의 각 영역을 위해 두 문제씩 여덟 문제가 됩니다.
> 여러분의 최종적인 선정은 다음과 같아야 한다: 각 영역에서 하나씩 선택하여 네 개의 문제가 되어야 하며, 선택을 하는데 15분이 소요되어야 합니다.

3단계: 국립 출제 위원회 전체회의

모든 학생들이 개표요원으로서 선생님과 함께 모임을 가진다. 각 집행위원회는 제각기 선택한 문제들을 보고한다. 그런 다음에 교사는 가장 자주 선택되어지는 문제들을 토대로 최종적인 네 개의 문제를 지정한다. 똑같은 수의 문제가 들어 있는 동일한 영역으로부터 뽑아낸 어떤 두 개의 문제들을 즉각적인 투표에 부친다.

과제표 3

> 채점 기획 소위원회
>
> 여러분은 국립 출제 위원회의 채점 기획 소위원회의 위원입니다.
> 여러분은 국립 출제 위원회가 찾고 있는 문학 에세이 문제들에서 많은 수의 성질들에 점수를 부여하기 위해 회의를 개최하고 있습니다.

여러분의 결정은 국립 출제 위원회의 모든 검토위원들을 위하여 채점 기획의 기초를 제공할 것입니다.
국립 출제 위원회는 기준 목록표를 배부합니다. 그 목록표를 검토하고 나서 빠졌다고 생각되어지는 어떤 기준을 첨가하시오. 그런 다음에 각 에세이의 답이 100점 만점으로 채점되어지는 점을 기억하면서 여러분이 중요하다고 생각하는 기준들에 대해 점수를 배정하시오.
보다 더 간단하게 계산하기 위해, 여러분은 10개로 된 선다형으로 작업할 수 있습니다.

이 회의는 15분 이상 걸려서는 안된다. 최종적인 네 개의 문제를 적어 영문학 시험지에 포함시키기 위해 국립 출제 위원회에 제출된다.
이제 모의시험의 첫 부분은 결정되었다. 그것에는 보통 한 시간 정도 소요된다. 만약 한 시간을 더 이용할 수 있거나 혹은 다음 단원에서 적당하게 행하여질 수 있다면, 즉각 다음 단계를 뒤따르게 할 수 있다.

4단계: 채점 기획 소위원회

학급의 학생들은 다섯 명으로 된 원래의 네 개 그룹으로 되돌아 간다. 각 그룹은 '과제표 3'과 국립 출제 위원회의 '기준목록'을 받는다.
이 과제에 허용되는 시간은 대략 한 시간이다. 소위원회의 각 위원은 문제마다 배당 점수가 결정된 과제지의 복사본을 한 부씩 보관해야 한다.

국립 출제 위원회 채점 기준표

기준	이 기준이 의미하는 것	배당되는 점수
1. 작품에 대한 지식	응시자는 그 작품에 대해 철저하고도 세부적인 친숙함을 보여준다.	

2. 구조	응시자는 자신들의 에세이를 체계적이고 논리적으로 구성한다.	
3. 언어	응시자의 언어사용은 정확하고, 다양하고 분명하다.	
4. 예시	응시자는 자신의 주장들을 풍부하게, 그리고 적합하게 뒷받침하기 위해 작품으로부터 인용한다.	
5. 적절성	응시자는 불필요한 자료 없이 문제에 직접적으로 대답한다.	
6. 범위	응시자는 정해준 화제의 모든 중요한 측면들을 다룬다.	
7. 독창성	응시자는 개인적인 방법으로 자기 자신의 비평이나 해석을 제시한다.	

소위원회는 그들이 원하는 경우 대체기준을 제시할 수 있다.		
8.		
9.		

5단계: 숙제

교사는 학급의 학생들에게 숙제로서 한 가지 문제를 선택하여 답하게 함으로써 시험지의 문제들을 익힐 수 있게 한다.

6단계: 에세이에 대해 채점하기

교사는 사전 토의 없이 각 학생들이 소위원회의 채점 기획안과 항목별 표제들을 이용하여 자기의 에세이를 직접 채점하게 한다. 100점을 만점으로 하여 최종적인 점수를 기록해야 한다. 교사는 모든 에세이들을 검토하고 그것들을 자신의 방식으로 채점하고 난 후, 교사 자신의 채점 기획안의 점수와 학생들이 자기 시험지를 스스로 매긴 총점 사이의 차이점에 관해 노트에 기록하거나 개별 면담 방식을 통해 학생들과 토론한다.

이것은 교사와 학생 사이에 매우 유용한 토론을 이끌어 낼 수 있으며, 교사는 이것을 통해 실제의 출제 위원회가 학생들의 에세이를 채점하는 데 어떤 기준을 정해야 하는지에 대해 교사 자신의 관점을 확립해준다.

모의시험을 다른 크기의 학급에 적용시킬 때

기본적으로 1단계를 위한 그룹 짜기는 아래 표에서 13명과 14명 규모의 학급 크기에서 보는 것처럼, 홀수를 네 개의 그룹들에 배치시켜 4명씩 여러 조로 만든다. 20명 이상의 학급 규모에 대해서는 주어진 기본 패턴으로 된 여러 개의 조를 만든다. 즉, 24명의 학급에 대해 2×12 ; 28명에 대해서는 2×14, 기타 등등

학급 크기	1단계 그룹 배치 형태	2단계 그룹 배치 형태
8	AB-AB-AB-AB	AAAA-BBBB
12	ABC-ABC-ABC-ABC	AAAA-BBBB-CCCC
13	ABC-ABC-ABC-ABCC	AAAA-BBBB-CCCCC
14	ABC-ABC-ABBC-ABCC	AAAA-BBBBB-CCCCC
16	ABCD-ABCD-ABCD-ABCD	AAAA-BBBB-CCCC-DDDD-EEEE
20	ABCDE-ABCDE-ABCDE-ABCDE	AAAA-BBBB-CCCC-DDDD-EEEE

부록 2. 문학작품 은행

영어교사들은 좋은 환경에서 학생들로 하여금 축약시키지 않은 원전 그대로의 적합한 문학작품들로 학급문고를 만들게 함으로써 보다 더 폭넓게 책을 읽을 수 있도록 도와줄 수 있다. 제목들의 목록에는 대략적인 난이도를 표시하고, 독자의 구미를 자극하도록 마련한 작품개요를 제시한다. 특별한 작가들과 그들의 작품들에 대한 이따금씩의 시각자료들, 예를 들면 사진, 극장 프로그램, 비평지, 영화 포스터 등은 흥미를 돋구고, 동시에 학급 과제의 기초가 될 수 있다. 가능하다면 영화 보여주기, 시 읽기, 라디오극 듣기, 그리고 극장 가보기 등이 목표언어로 문학을 탐구하는 학생들에게 더욱 더 폭넓은 자극을 줄 것이다.

교실 밖에 있는 도서관들을 찾아가면 언어 학습자들을 위한 적합한 제목의 작품목록이 학생들의 독서 안내를 위해 이용될 수 있고, 혹은 작품 개관을 위해 전시되어 있다.

학생들이 독자적으로 도서관을 이용할 경우, 교사들은 사교 모임이나 교실 발표회를 조직할 수 있다. 이러한 시간을 통해서 학생들은 이미 읽었거나 즐겼던 작품들에 관해서 이야기할 수 있으며, 좋아하는 부분을 발췌하여 큰 소리로 읽을 수도 있다. 학생들은 읽은 책들에 대해 간략한 비평문을 써서 교대로 보여줄 수 있다.

다음에 소개하는 소설과 희곡과 단편 선집들의 목록들은 지금까지 설명한 방식대로 문학을 다루고 있는 교사들에게 유용하게 사용되리라고 여겨지는 문학작품들의 일부분일 뿐이다. 작품은행에 소개한 첫번째 목록은 이 책의 본론 부분에서 언급한 학생들의 활동이 수반된 작품들의 일부를 약간 더 상세하게 언급한 것이며, 두번째 목록은 학생들이 과업활동을 하게 한 것들을 소개한 것이며, 세번째 부분에 소개한 작품들은 우리가 좋아하고 언어학습자들을 위해 적당한 것이라고 판단되는 것들인데, 동료들이 우리에게 추천한 작품들의 일부를 포함시킨 것들이다.

의심의 여지없이 교사들은 이 목록들에서 그들 자신이 좋아하는 것들 중의 일부가 빠져 있어서 우리 저자들이 제시한 작품은행을 특별한 관심사항이나 또는 관련되는 제약조건들에 따라 수정하고 보충해 줄 것을 희망할 것이다.

작품들의 개관

다음의 표는 학생들의 활동을 위해 책의 본론 부분에서 설명했던 소설과 희곡들의 제목을 제공하고 있다.

소설

작자 및 제목	수준	언어 난이도	길이	대략적 내용	일반적 비평
죤 파울즈, 「수집가」	고급	중급	중편	고독한 젊은이가 소녀를 유괴하고 그녀를 포로로 잡는다.	극적 긴장과 심리적 흥미
윌리엄 골딩, 「파리대왕」	중고급	중급	장편	한 무리의 소년들이 생존하기 위해 투쟁 하며, 그 과정에서 인간 본성에 대한 쓰라린 교훈을 배운다.	현대적 고전 —보편적 주제, 단순하나 강력한 구성
그라함 그린, 「제네바의 피셔 박사」	중고급	초급	단편	엄청난 부자 남자가 그의 비열한 측근들과 벌이는 사악한 장난	경제적인 행동양식 —강력한 현대적 우화
페트리샤 히긴스, 「재능있는 리프레씨」	고급			이탈리아에 사는 한 미국인 젊은이가 자신의 친구를 살해한다.	흥미로운 심리적 스릴러물

알더스 헉슬리, 「신세계에 용감히 맞서라」	고급	중급	중편	유전공학에 기초한 미래사회에 있어서의 위생 생활	호기심을 돋구며, 써스펜스를 증대하고 훌륭한 토론이 잠재되어 있다.
섬머셋 모음, 「달과 육펜스」	고급	중급	중편	존경받는 은행원이 예술가적인 보헤미안 생활을 추구하기 위해 가정과 부인을 버린다.	흥미로운 주제가 다양한 배경들 속에서 강력한 중심인물에 의해 지속된다.
죠지 오웰, 「동물 농장」	중급	초급	단편	동물들이 농장을 장악하고 상황이 점차적으로 신랄해진다.	잘 알려져 있고, 참으로 사랑받는 알레고리
죠시 오웰, 「1984년」	고급	중급	장편	전체주의 사회의 암울한 미래상	읽을 노력의 가치가 있는 강력한 소설
스콧트 피츠제랄드, 「위대한 갯츠비」	고급	중급	중편	1920년대 미국 상류사회에서의 사랑, 성, 부패, 죽음	섬세하고 환정적인 걸작

희곡

작자 및 제목	수준	언어 난이도	길이	대략적 내용	일반적 비평
에드워드 알비, 「모래 주머니」	고급	초급	단편	미국의 부부가 나이든 어머니를 처리한다.	현대적 생활방식에 대한 신랄한 풍자
레이몬드 브리그즈, 「바람이 불면」	고급	중급	단편	퇴직한 부부가 영국에 대한 핵 공격에서 생존하기 위해 투쟁한다.	논쟁과 화제를 불러 일으키는 주제—영국 문화를 아는데 도움이 된다.

데이비드 헤어, 「세계의 지도」	고급	중급	장편	실제의 사건들에 관해 쓴 어느 희곡이 실제의 주인공들 중에서 어느 누구도 만족시키지 못한다.	'희곡내의 희곡'이라는 주제에 대해 잘 고안된 변이형
헤롤드 핀터, 「지원자」	고급	중급	단편	괴이한 직업 인터뷰	소품이 거의 필요없는 학급연극에 좋은 길이의 작품-재미있음
윌리엄 셰익스피어, 「로미오와 쥴리엣」	고급	중고급	장편	한 젊은 남녀의 사랑이 그들의 적대적인 가족에 의해 방해받음	세계적으로 사랑받으며, 외국 학생들에게 엄청나게 접근하기 쉬움
버나드 쇼, 「피그마리온」	고급	중급	장편	화술이 뛰어난 교수가 가난한 코르니 소녀를 변형시켜 한 백작의 부인으로 통할 수 있게 하는 도전적 임무를 띤다.	여전히 재치넘치고 재미있는 미문체 소설이며, 성과 사회적 역할에 관한 현대적 관심사에 적합
톰 스토파드, 「진짜 경찰견」	중고급	초급	단편	실체와 현상의 대립된 개념을 의심하는 살인 미스테리 희곡들의 사기극	매우 즐길만하다.
테네시 윌림엄즈, 「유리로 만든 이동 동물원」	고급	중급	중편	미국 남부를 배경으로 한 가족 희곡: 절름발이 딸을 결혼시켜 내보내려고 하는 한 어머니의 시도	가족관계의 감동적인 묘사

교재에 언급된 작품들

Albee, E. *The Zoo Story and Other Plays* (「동물원 이야기와 기타 희곡들」)
Atwood, M. *Dancing Girls and Other Stories* (「춤추는 소녀들과 기타 이야

기들」)
Ballantyne, R.M. *The Coral Island* (「산호섬」)
Barrie, Sir J.M. *The Admirable Crichton* (「감탄스러운 인물 크리취톤」)
Briggs, R. *When the Wind Blows* (「바람이 불면」)
Bronte, C. *Villette* (「빌레테」)
Dahl, R. *Someone Like You* (「당신과 같은 어떤 이」)
Dahl, R. *More Tales of the Unexpected* (「예기치 않은 것에 대한 더 많은 이야기들」)
Fitzgerald, F.Scott. *The Great Gattsby* (「위대한 갯츠비」)
Foxles, J. *The Magus* (「마구스」)
Foxles, J. *The Collector* (「수집가」)
Gaskell, E. *North and South* (「남과 북」)
Golding, W. *Lord of the Flies* (「파리대왕」)
Gray, A. *Unlikely Stories, Mostly* (「뜻하지 않은 이야기들, 그 대부분」)
Greene, G. *The Human Factor* (「인간의 요소」)
Greene, G. *Doctor Fischer of Geneva* (「제네바의 피셔 박사」)
Hare, D. *A Map of the World* (「세계의 지도」)
Highsmith, P. *Eleven* (「열하나」)
Highsmith, P. *The Talented Mr Ripley* (「재능있는 리프레씨」)
Huxley, A. *Brave New World* (「신세계에 용감히 맞서라」)
Orvine, L. *Castaway* (「표류자」)
Lawrence, D.H. *Selected Poems* (「로렌스 시선집」)
McGough, R. *Waving at Trains* (「열차의 요동」)
Malamud, B. *Selected Stories, Penguin Books* (「펭귄 단편 선집」)
Maugham, S. *The Moon and Sixpence* (「달과 육펜스」)
Narayan, R.K. *Malgudi Days* (「말구디의 여러날들」)
Orwell, G. *Animal Farm* (「동물농장」)
Orwell, G. *Nineteen Eighty-Four* (「1984년」)
Pritchett, V. *Collected Stories* (「프리쳇 단편집」)
Saki. *The Complete Saki* (「사키 전집」)

Shakespeare, W. *Romeo and Juliet* (「로미오와 쥴리엣」)
Shaw, G.B. *Pygmalion* (「피그마리온」)
Spark, M. *The Go-Away Bird and Other Stories* (「떠나는 새들과 기타 이야기들」)
Spark, M. *The Mandelbaum Gate* (「맨델바움 성문」)
Stevenson, R.L. *Treasure Island* (「보물섬」)
Stoppard, T. *The Real Inspector Hound* (「진짜 경찰견」)
Stoppard, T. *The Real Thing* (「진짜」)
Swan, M.(ed.) *Kaleidoscope* (「만화경」)
Trollope, A. *The Eustace Diamonds* (「유스타스 다이아몬드들」)
Waugh, E. *Scoop* (「움푹 들어간 구멍」)
Wells, H.G. *Selected Short Stories* (「웰즈 단편 선집」)
Williams, T. *The Glass Menagerie* (「유리로 만든 이동 동물원」)

참고문헌

Alderson, J.C. and A.H. Urquhart (eds) (1984) *Reading in a Foreign Language*, Longman.

Brownjohn, S. (1980) *Does it Have to Rhyme?*, Hodder and Stoughton.

Brownjohn, S. (1982) *What Rhymes with Secret?*, Hodder and Stoughton.

Brumfit, C.J. (ed.) (1983) 'Teaching literature overseas: language-based approaches' *ELT Documents* 115, British Council, Pergamon Press.

Brumfit, C.J. (1985) *Language and Literature Teaching: From Practice to Principle*, Pergamon.

Christison, M.A. (1982) *English through Poetry*, Alemany Press.

Culler, J. (1975) *Structuralist Poetics*, Routledge & Kegan Paul.

Doughty, P.S. (1968) *Linguistics and the Teaching of Literature*, Longman.

Eagleton, T. (1983) *Literary Theory: an Introduction*, Basil Blackwell.

Forum, Vol. XXIII, No. 1, January 1985 (issue devoted to the teaching of literature).

Fowler, R. (1986) *Linguistic Criticism*, Oxford University Press.

Gatbonton, E.C. and G.R. Tucker (1971) 'Cultural orientation and the study of literature', *TESOL Quarterly 5*, 1971, pp. 137-43.

Gower, R. (1986) 'Can stylistic analysis help the EFL learner to read literature?', *ELT Journal*, Vol. 40, No. 2, April 1986, pp. 125-30.

Grellet, F. (1981) *Developing Reading Skills*, Cambridge University Press.

Holden, S. and R. Boardman (eds) (1987) *Teaching Literature*, Proceedings of the 1986 Sorrento Conference, MEP? British Council.

Koch, K. (1983) *Rose, where did you get that red? Teaching great poetry to children*, Vintage Books, Random House.

Leech, G.N. (1969) *A Linguistic Guide to English Poetry*, Longman.

McKay, S. (1982) 'Literature in the ESL classroom', *TESOL Quarterly*, Vol. 16, No. 4, December 1982, pp. 529-36.

Maley, A. and S. Moulding (1985) *Poem into Poem*, Cambridge University Press.

Moody, H.L.B. (1968) *Literature Appreciation*, Longman.

Moody, H.L.B. (1971) *The Teaching of Literature*, Longman.

Nuttall, C. (1982) *Teaching Reading Skills in a Foreign Language, PLT 9*, Heinemann Educational Books.

Traugott, E.C. and M.C. Pratt (1980) *Stylistics and the Teaching of Literature*, Longman.

Widdowson, H.G. (1975) *Stylistics and the Teaching of Literature*, Longman.

Widdowson, II.G. (1984) *Explorations in Applied Linguistics 2*, Oxford University Press.

찾아보기

(ㄹ)

(ㅁ)

(ㅇ)

저자
경남 김해 출생, 1952년 10월 25일생
부산대학교 사범대학 영어교육과
부산대학교 대학원 영어영문학과 (문학석사)
부산대학교 대학원 영어영문학과 (문학박사)
영국 University of Nottingham 연구교수 (2회)
미국 Fordham University 연구교수
미국 University of Hawaii 연구교수
부산대학교 사범대학 영어교육과 전임강사, 조교수, 부교수
현재 부산대학교 사범대학 영어교육과 교수

논문
D.H.Lawrence 문학에 나타난 어둠의 자아 (Ph.D)
G.M.Hopkins: Experimental ELements in His Poetry
문화교통과 외국어교육
중세 영문학에 구현된 페미니즘-'바스의 여장부'를 중심으로
메슈 아놀드: 모더니즘과 권위 (번역 글)
D.H. Lawrence 관련 논문 다수

저서
D.H. 로렌스 문학연구(1995, 한국문화사)
원초적 실재의 탐색-D.H. 로렌스 문학과 어둠의 자아(1995, 신아사)
한국과 세계를 잇는 문화소통-영어 문화소통 능력 향상 방안과 문화정보(1998, 한국문화사)
외국어 교사를 위한 언어 습득론(1999, 한국문화사)

영어교사를 위한 영문학 작품 지도법

1판 1쇄 발행 1997년 3월 10일
2판 1쇄 발행 2002년 12월 1일
2판 2쇄 발행 2021년 12월 30일

지 은 이 | 조일제
펴 낸 이 | 김진수
펴 낸 곳 | 한국문화사
등 록 | 제1994-9호
주 소 | 서울시 성동구 아차산로49, 404호(성수동1가, 서울숲코오롱디지털타워3차)
전 화 | 02-464-7708
팩 스 | 02-499-0846
이 메 일 | hkm7708@daum.net
홈페이지 | http://hph.co.kr

ISBN 978-89-7735-404-3 93740